KB139208

MY DEMON

마이데몬

하권

누구보다도 낯설고 수상한…나의 구원

누구보다도 낯설고 수상한…나의 구원

THE LOVERS

MY DEMON

마이데몬

작가의 말

〈마이 데몬〉은 치열한 일상에 지친 누군가에게 작은 위로가 되었으면
하는 마음을 담아 썼습니다.

우리는 때로 서로를 상처 입히기도, 소중한 것들을 파괴하기도 합니다.
그렇게 관계에 지치고 아플 때가 많지만 그럼에도 우리의 삶은 의미가
있노라고 말하고 싶었습니다.
우린 서로를 구원하는 순간이 더 많으니까요.

10년이라는 계약 기간 동안 충실하게 사랑했던 도희 부모님처럼.
유한한 시간 속에서 최선을 다해 다투고 사랑할 구원과 도희처럼.
서로를 사랑한 시간이 있다면 그것만으로도 우리의 짧은 생은 분명
의미가 있을 거예요.

마지막으로 극중 연서의 이야기를 떠올리게 해 준, 〈마이데몬〉 마지막
화의 완성과 함께 내 곁을 떠난 소중한 나의 고양이에게 고마웠고
사랑한다고 말하고 싶습니다.

2024년 1월 최아일

기획의도

낯선 존재와의 로맨스

우리가 악마에 대해 아는 것은 적다.
인간의 욕망을 부추기는 위험하고 섹시한 나쁜 남자의 이미지 정도?
그런데 악마를 뜻하는 수많은 단어 중 '데몬(demon)'이라는 단어가
흥미롭다.
'(운명을) 나누다.'는 뜻의 고대 그리스어 'daiomai'를 어원으로 한 데몬은
본래 인간의 수호신을 뜻했지만, '악마'라는 뜻으로 변질됐다.
악마가 되어 버린 수호신, 데몬.
그런 데몬이 사랑하는 여자를 만나 다시 수호신이 된다면?
그 상상으로부터 시작한 이야기가 바로 '마이 데몬'이다.

인간과 계약을 맺는 것이 존재 이유인 우리의 데몬 '구원'.
그는 '에르메스를 입은 악마' 같은 재벌 상속녀 도희와 계약은 계약이나,
계약 결혼을 맺는다.
같은 인간끼리도 차이를 극복하지 못해 파국으로 치닫기 십상인 결혼
생활.
과연 구원과 도희는 이 계약을, 그리고 결혼을 지켜 낼 수 있을까?

데몬과 인간이라는 이종(異種), 남성과 여성이라는 이성(異性).
성격부터 가치관, 하물며 '부먹', '찍먹'의 취향까지 이질감 끝판왕인
이들의 로맨스는 험난하다. 그래서 더욱 설렌다.

구원자 혹은 파괴자

"나는 인간에게 행복해질 기회를 주는 로또 같은 존재야."

인간의 입장에서는 마치 사채업자 같은 데몬이지만 그는 스스로를
'로또'라 여긴다.
인생의 위기에 손을 내밀고 결국에는 지옥으로 이끄는 데몬과의 계약.
과연 그는 구원자일까, 파괴자일까.

혼란스러운 구원과 파괴의 줄다리기 속,
서로를 파괴하지만 그로써 서로를 새로운 챕터로 이끄는 상호 구원
스토리.

본성의 굴레

전갈이 개구리에게 자신을 업고 강 건너편으로 데려다 달라고 부탁하자
개구리가 묻는다.
"네가 날 독침으로 찌르지 않는다는 걸 어떻게 믿지?"
"너를 찌르면 나도 같이 물에 빠져 죽을 텐데 내가 왜 그렇게 하겠어?"
전갈의 답에 개구리는 전갈을 등에 업고 강을 건너기 시작한다.
하지만 강 중간쯤, 커다란 나뭇가지에 놀란 전갈은 개구리의 등에 독침을
박고 마는데…
개구리는 온몸이 마비된 채 물속에 잠기며 묻는다.
"왜 나를 찔렀어? 우리 둘 다 죽게 됐잖아."
전갈이 슬프게 답한다.
"그게 내 본성이니까."

사랑하는 도희에게 수호신과 같은 존재가 되기로 마음먹은 구원.
하지만 데몬으로서의 본성의 굴레를 벗을 수 없음을 깨닫고 좌절한다.
과연 그는 '데몬'의 본성을 벗어날 수 있을까?

도도희 김유정

**'사방이 적으로 둘러싸인,
아무도 믿지 못하는 미래 그룹 소공녀'**

미래 그룹 계열사, 미래 F&B 대표인 도희는 단짠을 오가는 '솔
트 라떼 같은 여자'다. 까칠한데 부드럽고 여린데 강인하다.
'도도희의 탈을 쓴 도라희'라는 별명답게 도도하고 우아한
척하지만 실은 또라이 기질이 다분하다.
천숙의 자식들 속에서 이방인으로 자란 도희는 세상의 이치
를 일찍 깨달았다.
사랑이니 행복이니 하는 것들에 시니컬하다. 그저 '필요한
사람이 되어야 해.' 스스로를 채찍질하며 지내 온 탓이다.
하지만 구원을 볼 때마다 마음이 요동치고, 이성과 감정이
따로 노는데…
이토록 끌리지만, 이 남자 참 안 맞는다.
마치 다른 세계에서 온 것 마냥, 개와 고양이의 언어가 다른
것 마냥 만나기만 하면 으르렁대기 바쁘다.
"내가 너 같은 거 때문에 설렐 거 같아?"
이름처럼 도도하게 부정해보지만 그러면서도 떨리는 이 감
정을 어쩌면 좋단 말인가.

정구원 송강

**'치명적인 매력의 완전무결한 존재.
하지만 능력을 상실한 데몬'**

그를 한 문장으로 표현하자면 '따뜻한 아이스커피 같은 남
자'다. 차가운데 따뜻하다.
그는 자신의 일이 좋다. 인생은 불공평하지만 계약은 누구
에게나 공평하지 않은가. 덫에 걸린 듯 고통 속을 살아가야
하는 불쌍한 인간들에게 자신은 일종의 로또니까.
"천국을 위해 지옥 같은 현생을 살 것인가, 천국 같은 현생
을 살고 지옥에 갈 것인가." 간단한 문제다. 무서울 것 없는
구원의 소망은 단 하나. 포식자로 폼 나게 영생을 사는 것.
'하찮은 인간과는 다르다' 자만하는 그는 참으로 능력 있는
데몬이었다. 그녀를 만나기 전까지는.
한편, 200년이 넘는 시간 동안 이름을 바꿔 가며 대물림인
척 선월재단 이사장직을 지내는 구원을 보고 사정 모르는
사람들은 '씨도둑은 못 한다'라며 감탄한다.
정일원, 정이원, 정삼원… 정구원은 그의 아홉 번째 이름이다.
구원은 곧 '정십원'이 될 자신의 운명이 괴롭다.
"하필 이름을 정일원으로 시작해서…"
도도희라는 이상한 여자는 그의 이름이 달콤하단다.
인공 감미료 같은 가짜 달콤함이라나 뭐라나.

CHARACTER

주석훈 이상이

천숙의 조카. 미국에서 경영학 학위를 딴 미래 투자 대표.

전 세계를 떠돌아다니는 히피 부모님의 영향일까?
언제나 자유로운 모습의 석훈은 미국 유학 시절, 도희와 볼 꼴 못
볼 꼴 다 본 사이로 천숙의 가족 중 도희가 유일하게 의지할 수 있
는 존재다.
하지만 도희의 곁에 정구원이 등장하는 순간,
마음 깊은 곳에서 무언가가 꿈틀거리는 걸 느끼는데….

주천숙 김해숙

괴팍하지만 미워할 수 없는 우리의 주 여사.

맨손으로 미래 그룹을 일궈 굴지의 대기업으로 만든 창업주로
잘나가는 사업과는 달리 자식 농사는 폭망이다.
독실한 천주교 신자로 매일 하느님께 고해 성사를 하는 그녀는
도희에게 진실을 말하지 못해 괴로워한다.
과연 천숙이 숨기고 있는 진실은 무엇일까?

노석민 김태훈

천숙의 첫째 아들로 미래 전자 대표.

엘리자베스 2세가 최장기간 왕위에 있는 바람에 일흔이 넘도록 2인
자에 머물렀던 찰스 왕세자와 비슷한 처지다. 어렸을 때부터 사고
를 많이 친 탓에 일찌감치 천숙의 눈 밖에 났다. 그 후, 신뢰를 되
찾기 위해 말 잘 듣는 장남 코스프레를 충실히 이행하는 중이다.

노수안 이윤지

천숙의 둘째 딸이자 미래 어패럴의 대표.

프랑스 파리에 미쳐 혼자만의 파리 속에서 사는 그녀를 사람들은 파리 수안이라 부른다. 고상한 척하지만 쌍둥이 아들 오스틴, 저스틴에 의해 항상 본모습이 튀어나온다.

김세라 조연희

석민의 아내이자 미래 전자의 상무.

대한민국을 대표하는 제약 회사의 첫째 딸로 상류층의 전형이다. 온실 속의 화초처럼 사회적 가면을 쓰고 살며, 감정을 쉽게 드러내지 않는다.

노도경 강승호

석민과 세라의 외아들로 미래 전자 본부장.

부모 앞에서는 투명 인간처럼 행동하지만 실은 분노를 억누른 채 위태롭게 살아간다. 그의 뒤틀린 분노는 약자를 만났을 때 가감 없이 드러나는데, 특히 도희에게 적대적인 감정을 대놓고 표출한다.

오스틴 박도윤 저스틴 강다온

수안의 쌍둥이 아들로 별명이 필요 없는, 이름 그 자체가 별명 같은 검은 머리 외국인이다. 고작 1분 차이의 서열을 가리기 위한 싸움에 인생을 낭비하지만 말할 때만큼은 화음이 딱 들어맞는, 세상에 둘도 없는 소울메이트다.

CHARACTER

신 비서(신다정) 서정연

도희의 전담 비서로 풀네임은 신다정.

마치 A.I처럼 보이나 할 말은 은근히 다 하는 캐릭터로 도희 눈빛만 봐도 속내를 파악할 만큼 눈치가 빠르다. 회사에서는 누구보다 도희에게 충실한 월급 노예이지만 공과 사가 아주 명확하기에 퇴근 후에는 얄짤없다.
무성으로 사는 게 세상의 평화를 위해서도 좋다며 '무성애자'를 지향하는 신 비서는 쓸데없이 오지랖 넓은 복규만 만나면 으르렁댄다.

한민수 박진우

미래 F&B 홍보팀 팀장

부하 직원 입장에선 짜증 나는 워커홀릭으로 애사심이 상당하다. 그토록 열정적인 그이건만 정미의 카리스마에 밀려 어쩐지 종종 바지 팀장 같은 처지다.
회식 마니아로 언제나 회식하자는 말을 달고 산다.

최정미 이지원

미래 F&B 홍보팀 대리

타로 카드, 사주, 손금, 관상 등 온갖 미신에 심취한 그는 무신론자 아닌 '미신론자'다. 숨 쉬듯 타로 카드로 운명을 점치는 정미는 이내 용하다 소문이 나며 사내 전속 점성술사가 되어 버리는데…
한 팀장에게 개기는 맛으로 회사에 다니는 듯한 정미는 시니컬한 언변이 특기다.

이한성 홍진기

미래 F&B 홍보팀 신입

해맑고 눈치 없다. 언제나 문과 출신의 정체성을 잃지 않고 세상의 모든 것을 상징과 은유로 해석하는 그의 꿈은 반전 없게도 소설가다.

진가영 조혜주

본인 피셜 구원의 유일한 반려 인간.

전통 쌍검무가 특기인 가영은 어릴 적 벼랑 끝에서 구원을 만나 그
에게 구원 받았다 여긴다.
마치 새끼 오리의 각인 효과처럼 그를 졸졸 따라다니는 가영은
구원의 유일한 반려 인간 역할에 만족하며 살았다.
도희가 나타나기 전까지는.

구원 옆에 도도희라는 저 여자가 붙어 있으면서부터
자신이 간신히 파고들던 구원의 틈이 아예 사라지는 것 같다.

박복규 허정도

선월재단의 실장.

구원의 집사를 자처하며 구원이 인간으로서의 삶을 영위할 수 있도
록 돕는다. 구원의 말을 빌리자면, 복규는 불량품 같은 인간이다.
구원과의 전생을 기억하기 때문이다! 200년 전 구원의 첫 번째 계약자
였던 복규는 현대에 구원과 다시 계약을 하려다 전생을 기억해 낸다.
치 떨리는 지옥에서의 기억까지 모두 떠오른 복규는 구원에게 달
려들며 외친다.
"이 악마 새끼… 내가 너 때문에 얼마나 개고생한 줄 알아?!"
어쩐지 모솔의 향기가 가득한 그는 운명적 사랑을 꿈꾸는 로맨티
스트기도 하다.

노숙녀 차청화

길거리 위의 도박꾼 노숙자.

영화 '나 홀로 집에' 속 비둘기 할머니 같은 몰골로 배회하는 그녀
는 정신이 오락가락하는 듯 보이는데…
구원과 도희의 곁을 맴도는 어딘가 묘한 그녀의 정체는…?

CONTENTS

작가의 말   005

기획 의도   006

등장인물   008

IX.   진실의 민낯   017

X.   알을 깨다   085

XI.   불길한 것들의 천국   143

XII.   파멸의 구원자   213

XIII.   과거라는 원죄   275

XIV.   우리라는 지옥   339

XV.   운명의 끝   399

XVI.   우리라는 천국   465

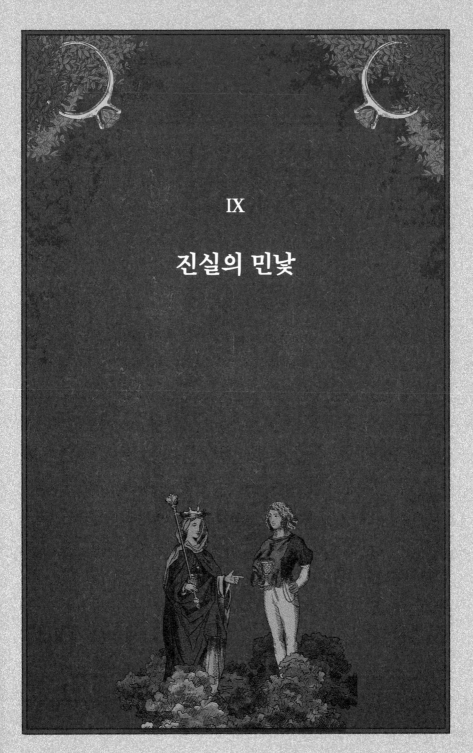

IX

진실의 민낯

S#1.   **주천숙 자택 온실 (낮)**

도희   나 때문에 너도… 죽을 거야.
구원   상관없어.

성큼 다가서는 구원, 양손으로 도희의 얼굴을 부여잡으며 키스하고.
눈물 흘리며 구원의 키스에 응하는 도희.
참아 왔던 마음이 폭발하듯 절박하게 키스하는 두 사람의 머리 위에서 스프링클러가 '팡!' 터지면 마치 보석처럼 빛나며 쏟아지는 물방울.
이내 두 사람, 천천히 입술을 떼고 이마를 맞댄 채 숨을 몰아쉬는데.

도희   (구원의 셔츠가 물에 젖으며 가슴팍에 두른 붕대가 보이자) **상처가…** (구원 보며) 물 닿으면 안 돼.

구원의 손을 잡고 온실을 빠져나가려는 도희.
구원, 그런 도희의 손목을 잡아 붙들고…
순간 둥실 허공에 멈추는 물방울.
도희, 눈앞에 떠 있는 물방울들에 놀라 경이로운 눈빛인데.

도희   (고개 돌려 구원 보며) 너… 드디어 능력이….

고개 숙여 다른 손을 가슴 위에 올린 채 숨을 크게 쉬어 보는
구원.

구원   (도희 보더니) 다 나았어. 능력이 돌아온 거야.

구슬처럼 멈춘 물방울들 사이, 감격스러운 눈으로 서로를 보
는 두 사람.

S#2.   **도희 집 거실 (밤)**
           달빛이 비치는 어두운 거실.
           셔츠를 풀어 헤친 구원의 가슴팍에 감긴 붕대를 도희가 풀어
           내면 상처가 말끔히 사라졌다.
           도희, 눈물 글썽이며 상처가 있었던 구원의 심장에 손을 가져
           다 대고…
           구원, 그런 도희의 눈물을 닦아 주며 다른 손으로 자신의 가
           슴에 놓인 도희의 손을 잡아 손바닥에 키스한다.

S#3.   도희 집 침실 (밤)

키스를 하며 풀썩 침대에 눕는 두 사람.

구원이 일어나 앉아 셔츠를 벗으면 그 모습이 유리창에 몽환적으로 비치고…

침대에 양팔을 받힌 채 내려다보는 구원을 애달픈 눈으로 보는 도희, 구원의 뺨을 어루만지면 허리 숙여 키스하는 구원.

구원, 입술을 떼면, 도희, 구원의 얼굴을 당겨 안고…

도희의 목덜미에 얼굴을 묻는 구원.

도희, 눈 감으며 구원의 머리칼에 손가락을 넣는다.

구원의 손이 도희의 손을 잡았다가 손목의 타투를 훑으며 내려오고… 구원의 목에 걸린 십자가 목걸이가 조명을 받아 흔들리며 빛난다.

마치 서로를 구원하듯 사랑하는 두 사람의 실루엣이 유리창에 비치고…

그 너머 도시의 야경이 보이면 차량 행렬의 헤드라이트 불빛이 마치 은하수처럼 아름답게 흐른다.

S#4.   도희 집 거실 (밤)

거실에서 돌아가는 턴테이블에서 흘러나오는 로맨틱한 올드 뮤직.

음악이 끝나고 바늘이 지직거리며 튕기는 모습 위로.

#타이틀   < 진실의 민낯 >

S#5.	**선월극장 이사장실 (밤)**

어두운 이사장실 한쪽 벽에 즐비하게 걸린 시계들.
초침 움직이는 소리가 여기저기서 '달칵', '달칵' 들리는데…
그중 하나로 다가가면 '탁!' 하고 멈추는 시계.

S#6.	**도희 집 거실 (낮)**

어느새 밝은 아침 햇살이 들이치는 거실.
바닥에는 구원의 가슴을 감았던 붕대가 흐트러져 있다.

S#7.	**도희 집 침실 (낮)**

제 팔을 베고 모로 누워 잠든 도희를 사랑스럽게 보고 있는
구원. 흐트러진 도희의 머리칼을 조심스럽게 손가락 끝으로
넘기며.

구원	인간들이 기꺼이 어리석어지는 이유가 이런 건가….

저도 모르게 입가에 살풋 미소가 떠오르는데…
그 기척에 미소 지으며 잠에서 깨어나는 도희.
눈앞에서 자신을 내려다보는 구원의 모습에 놀라 이불을 확
뒤집어쓴다.

구원	(당황) 왜 그래, 도도희.

도희	(이불 덮어쓴 채) 언제 깼어?
구원	한참 전에.
도희	나 또 코 골았어?
구원	('피식') 더한 것도 해도 돼.
도희	골았구나!
구원	안 골았어.
도희	(여전히 이불 뒤집어쓴 채) 정말?
구원	그래. 그러니까 얼굴 좀 보여 줘. (하고, 이불 벗기려 들면)
도희	싫어.
구원	왜?
도희	몰라. 갑자기 좀… 부끄러워.
구원	(그런 도희가 귀엽고, 이불에 대고 속닥) 나가자. 나 배고파.
도희	(빼꼼 눈만 빼더니) 아침엔 핸드 드립 커피 한 잔이면 충분하다더니?
구원	그러게. 인간이 다 돼서 그런가?

싱긋 웃는 구원.

S#8. **해리스 호텔 레스토랑 (낮)**

처음 가짜 맞선으로 만났던 호텔 레스토랑에 앉은 구원과 도희. 그때와 달리 다른 테이블에도 사람들이 앉아 식사를 하고 있다.

도희	(장난스럽게) 오늘은 통째로 안 빌렸네?
구원	인간들이랑 부대끼며 식사하는 것도 나쁘지 않겠더라고. 북적거리니까 왠지 들뜨고 좋네.

그때 덜덜 떨리는 손으로 메뉴판을 내려놓는 매니저.

구원	(매니저에게) 여기 커플 세트 하나.
매니저	그, 그건 크리스마스 한정 메뉴라….
구원	이런… 그것 때문에 온 건데. 그냥 오늘을 크리스마스로 하면 안 되나? 내가 인간들하고 어우러지는 기념으로.
매니저	재료 준비가 안 돼서요….
구원	다른 데 가자. 커플 세트 되는 데로. (일어서려 하면)
도희	(메뉴 가리키며) 그냥 이거로 두 개 주세요.
매니저	네. (후다닥 메뉴판 챙겨 들고 내빼듯 가 버리면)
구원	데몬 차별하는 거야 뭐야? 예수 생일에만 커플 세트 해 주고.
도희	크리스마스에 또 오자. 그땐 너 좋아하는 케이크에 초도 켜고.
구원	지금 데몬인 나보고 예수 생일을 챙기라는 거야?
도희	그래서, 안 온다고?
구원	누가 안 온대? 말이 그렇다는 거지.
도희	(그런 구원이 귀엽고)
구원	근데 다들 왜 그렇게 크리스마스에 환장하는 거야?
도희	크리스마스엔 괜히 좀 설레잖아. 다시 아이가 된 것 같고.
구원	다들 아이가 돼서 그렇게 시끄럽고 요란스러운 거네.
맞선남	(off) 제 자랑 같아서 말 안 하려고 했는데….

옆자리에서 들려오는 익숙한 목소리에 구원과 도희, 고개 돌려 보면…
거들먹거리며 얘기 중인 맞선남. 또 다른 맞선 중이다.

맞선남   (와인 잔을 돌리며) 실은 재벌가 혼사가 들어왔었죠. 이름만 들으면 알만한 재벌 2세가 절 보자마자 한눈에 반해서는 당장 혼인 신고 하자고 어찌나 조르던지… 하지만 난, 재벌의 개가 될 순 없다. 나는 국민을 위한 사냥개가 될 것이다. 그렇게 거절을….

맞선남, 비장한데 구원과 도희의 시선을 느껴 고개 돌려 보더니 굳고.

구원   아~ 사냥개? 그래서 그렇게 냄새를 잘 맡는구나?
맞선남   (헛기침하더니 맞선녀에게) 자리 옮겨서 한잔 더? (후다닥 내빼고)
구원   한눈에 반하긴 누가… (하더니, 도희의 손목을 '턱' 잡으면)
도희   뭐하게?
구원   다시는 네 얘기 떠벌리고 다니지 못하게 교훈을 줘야지. 사냥개가 소원이라니까 코를 아예 사냥개로 만들어 버려야….
도희   (손목 빼며) 관둬. 혼인 신고하자 해 놓고 내뺀 건 나야.
구원   저런 놈을 왜 싸고도는 거야? 쳇. 맘에 안 들어. (입이 댓 발은 나오는데)
도희   (그런 구원 보더니) 참, 내가 말했던가?
구원   (여전히 불만스러운) 뭘?
도희   나 오늘 회사 안 가. 오늘 창립 기념일이거든.

구원, 얼굴 환해지고….

S#9.　　　**도희 집 지하 주차장 (낮)**
　　　　　걱정스러운 표정으로 보안문 앞에 선 복규, 세대 호출 누르며.

복규　　　뭐가 어떻게 돼 가는 거야? 도도희가 회장 포기했는데 이사
　　　　　장은 왜 저기압이냐고. 이제 안전해졌으니까 좋은 거 아냐?
　　　　　(호출 음악 계속되고 문을 안 열자) 응? 아직 자나?

S#10.　　　**한강 공원 - 도희 집 지하 주차장 (낮)**
　　　　　한강 공원을 나란히 거니는 구원과 도희.

도희　　　땡땡이치니까 좋다~
구원　　　회사 가는 거 좋아하는 줄 알았는데.
도희　　　나도 그런 줄 알았어. 악마의 유혹에 빠지기 전까진.
구원　　　(싫지 않은) 그래서. 인간들이 하는 데이트는 정확히 뭘 하는 건데?
도희　　　그냥 밥 먹고 차 마시고… 별거 없어.
구원　　　하찮기는. (휴대폰이 울리자 받으면)
복규　　　(보안문 앞에 선 채 조심스레) 이사자앙~ 나 집 앞이야. 문 좀 열어 줘.
구원　　　우리 집 아닌데?
복규　　　그럼 어디?
도희　　　(옆에서 소리치는) 우리 한강 왔어요!

구원	우리 지금 데이트 중이야.
복규	그 몸으로?!
구원	다 나았어.

구원, 전화 뚝 끊어 버리고, 복규, '뚜우- 뚜우-' 신호음만 들리는 휴대폰을 든 채 망연자실.

복규	내가 도대체 뭘 놓친 거지?

구원과 도희, 다시 걷는데 '때릉~' 벨 울리며 옆을 지나는 커플 자전거.

구원	(커플 자전거 보며) 저 흉측한 물건은 또 뭐야.
도희	커플 자전거네.
구원	(눈을 빛내며) 뭐? 커플? 도도희. 우리도 저거 타자.
도희	세상 하찮을 텐데~
구원	나 하찮은 거 좋아해.

이내 커플 자전거를 타는 구원과 도희.
신나서 타던 구원, 자전거 길 옆으로 오리 배가 반대 방향으로 둥둥 떠가자 홀린 듯 시선 쫓더니.

구원	도도희! 우리 저 하찮은 것도 타자!
도희	(못 말린다는 듯) 완전 커플 지옥이 따로 없네.

S#11.   **백화점 프라이빗 쇼핑룸 (낮)**
             문 앞에 선 수안의 비서를 미끄럼틀처럼 올라탄 오스틴과 저
             스틴. 한 놈은 목마를 탔고 한 놈은 한쪽 다리를 붙들고 흔들
             어 대는데…
             하루 이틀 시달린 게 아닌 듯 비서의 무표정한 표정.
             화면 빠지면 그러거나 말거나 그 앞에 앉아 혼자만의 고민에
             빠진 수안이 보인다.

수안   뭘까? 방심하고 있는 이 순간 우리를 가장 효과적으로 엿 먹
             일 방법이. (뭔가 번뜩 떠오르며) 혹시? 아냐, 아냐. (도리질 치고는 또
             다시 번뜩) 그럼! 아냐, 아냐. (머리 쥐어뜯으며) 머리에서 쥐나겠네.
             내가 아이큐는 꽤 좋았던 거 같은데. 요즘 술을 많이 마셔서
             그런가 뇌세포가 싹 다 죽었어. (손 확 내리며 소리 지르는) 으아!

             비서와 쌍둥이들 멈칫하고 수안을 보면.

수안   됐어. 난 머리보다 행동파야.

             결연한 수안의 눈빛이 의아한 비서와 쌍둥이들.

S#12.   **한강 숲길 (낮)**
             다정하게 잡은 손 너머로 보이는 초록의 숲.
             고즈넉한 숲길을 손잡고 걷는 구원과 도희다.

구원	(풍경 보며) 보기 좋네. 역시 인간이 만든 가짜 자연이라 그런가.
도희	보통 반대 아냐?
구원	난 신이 만든 것보다 인간이 만든 걸 더 좋아해. 그래서 여행 보단 수집이 취미지.
도희	신을 싫어해?
구원	직장 상사 좋아하는 사람 봤어?
도희	(단번에 수긍) 아….
구원	직접 본 적은 없지만 정이 안 가는 양반이야. 이백 년 동안 세상 돌아가는 꼴을 봤더니 더더욱.
도희	넌 이백 년 동안 과연 어떤 삶을 살았을까?
구원	감히 인간이 이해할 수 있는 존재가 아냐, 데몬은.
도희	이해하려는 게 아냐. 난 그저 널 받아들이고 싶은 거야.
구원	(잠시 생각에 잠기더니 무심한 투로) 데몬은 원래 인간의 수호신이 었대.
도희	정말?
구원	'다이오마이'. 운명을 나눈다는 뜻의 고대 그리스어인데 그게 데몬의 기원이야.
도희	(되뇌는) 운명을 나누다… 운명 공동체가 맞았네. 그런데 어쩌다 악마가 된 거야?
구원	글쎄… 세월의 풍파를 견디지 못해서? 인간들은 직장 생활 몇 년 만에 흑화하잖아. 난 무려 이백 년이라고.
도희	(구원 보더니) 이 정도면 양호한 편이네. (다시 앞을 보며) 그럼 이제 넌 본래대로 돌아왔네?
구원	(도희를 보며) ?

도희	넌 내 수호신이잖아.

하더니, 얼굴에 비치는 한 조각 햇살에 멈춰 서는 도희, 고개
들어 위를 보면 구원 역시 도희를 따라 고개 든다.
무성한 나뭇잎들 사이로 반짝이는 햇살이 눈부시게 아름답
고… 소리 없이 감탄하는 두 사람.
나란히 고개 든 채 약속이라도 한 듯 눈을 감고 햇살을 즐기
는 두 사람 위로 새소리, 바람에 부딪히는 나뭇잎 소리가 한
없이 평화롭다.
그런 두 사람을 몰래 찍는 카메라의 셔터 소리 '찰칵'.

S#13. 야외 카페 (해 질 녘)

탁 트인 한강 뷰가 시원한 야외 카페.
음료 픽업대의 직원, 음료가 놓인 트레이를 내밀며.

직원	(사무적인 말투) 82번 고객님~ 주문하신 커플 세트 나왔습니다.
구원	(다가가 상냥하게 웃어 보이며) 고마워.
직원	(멍하니) 제가 고마워요….

트레이를 들고 자리에 앉는 구원.
도희와 나란히 창가에 앉은 두 사람의 눈앞에 한강이 눈부시
게 반짝인다.

구원	몰랐는데 인간이란 참 하찮고도 귀여운 거 같아. 이건 마치 고양이 한 마리를 키웠더니 길고양이 전부가 눈에 밟히는 것 같달까? 애정이라는 게 이렇게 전염성이 강할 줄이야.
도희	언젠 장수하늘소라더니 이번엔 고양이야?

그때 옆을 지나는 커플 하나.

커플남	(off) 자기는 뭐 먹을 거야?
커플녀	(off) 자기랑 똑같은 거.
구원	(그 모습을 부러운 듯 시선 좇더니 냉큼) 고양이가 싫으면 자기는 어때?
도희	(몸서리) 으~ 싫어.
구원	자기가 싫으면 남편?
도희	미쳤나 봐.
구원	뭐가 미쳤지? 남편 맞잖아.

호칭을 가지고 실랑이하는 두 사람의 모습 위로 '찰칵' 또다시 셔터 소리.
이어 '찰칵, 찰칵' 셔터 소리 이어지고.
저만치 한강 위에서 두 사람을 찍는 대포 카메라의 렌즈.

도희	(문득 이상한 기척에) 응? (고개 들어 두리번대면)

도희, 시선에 보이는 건 다들 데이트하느라 바쁜 연인들뿐.

구원	왜?
도희	아니야. (다시 구원을 보면)

그때 한 커플이 탄 오리 배 뒤에 숨은 오리 배 하나.
등 돌린 채 혼자 앉은 뒷모습이 수상한데…
앞모습 보이면 스카프를 둘러 얼굴을 가린 수안이다.
도희의 시선에 등 돌려 쪼그려 숨은 수안의 손에 들린 제 얼굴만 한 대포 카메라.

수안	기지배. 눈치는 빨라 가지고.

수안, 투덜거리며 제 얼굴만 한 대포 카메라 액정으로 사진을 확인하면 망원 렌즈의 뽀샤시 효과까지 더해 참 예쁜 두 사람의 모습.
열심히 쫓아다니며 참으로 정성스럽게도 찍었다.

수안	으흠~ 좋네. 이것도 좋고. 무슨 찍었다하면 A컷이야. B컷이 없네. 워낙 모델이 좋으니까… (문득) 어머, 나 지금 뭐 하니? 내가 여기 스냅 사진 찍어 주러 온 거 아니잖아. 정신 차려, 노수안. 넌 지금 진실을 캐러 온 거야. (뒤돌아 다시 카메라 뷰파인더를 눈에 대며 비장한) 다 속여도 내 눈은 절대 못 속여, 도도희. 이제 그만 너의 그 무시무시한 민낯을 드러내라고.

S#14.   도희 집 현관 밖 (밤)

나란히 복도를 걸어 현관으로 다가가는 구원과 도희.
구원은 여전히 아쉬운 표정인데.

구원   하찮은 유람선도 타자니까.
도희   (지문으로 도어 록 열며) 다음에. 우리 이제 시간 많아.
구원   다음에 언제. 날짜를 확실히 정해. 안 그러면 또 일하느라 바
        빠서 내년 창립 기념일에나….

        하는데, 저만치 복도에서 들려오는 노랫소리에 멈칫하는 도
        희. 이치현과 벗님들의 '당신만이'다.
        굳은 도희, 천천히 몸을 돌려 보면 저만치 코너 너머에서 들
        려오는 멜로디.
        그런 도희의 긴장을 눈치 챈 구원, 소리가 나는 쪽을 보는
        데… 음악 소리가 점점 가까워진다 싶더니 코너에서 모습을
        드러내는 여자.

주민   (전화 받는) 여보세요?

        그녀의 휴대폰 벨소리였음이 밝혀지자 도희, 숨을 토해 내며
        긴장 풀리고.

구원   (그런 도희를 걱정스럽게 보며) 도도희….
도희   (괜찮은 척) 진짜 나쁜 놈이네. 저렇게 좋은 노래를 망치다니.

아~ 괜히 쫄았어. (집에 들어서고)

그런 도희의 뒷모습을 보며 안타까운 표정의 구원.

S#15.   **도희 집 거실 (밤)**
턴테이블에서 흘러나오는 음악을 들으며 멍하니 앉아 생각
에 잠긴 도희.
지직거리며 음악 멈추자 고개 들면 구원이 껐다.

구원   음악이 영 별로네. (LP를 바꿔 끼고)
도희   왜 좋은데.
구원   춤출 기분이 안 나잖아.

구원, 새로운 LP 위에 바늘을 올려놓으면 흘러나오는 노래
'당신만이'.

도희   (당황) 이 노랠 왜….
구원   (도희에게 다가와 손 내밀고)
도희   ?
구원   춤추자.
도희   싫어. 나 몸치야.
구원   그럼 넌 가만히 있어.

도희, 의아한 눈으로 구원의 손 잡으면 도희를 테라스로 이끄는 구원.

S#16.   **도희 집 테라스 (밤)**
테라스에 나란히 마주 보고 서는 두 사람.

구원   블루스를 출 땐 상대에 대한 신뢰가 중요해.

도희, '피식' 웃으면 그런 도희의 허리를 잡고 들어 올려 자신의 발등 위에 도희의 발을 내려놓는 구원.
도희, 구원의 목에 팔을 두르고 구원을 올려다보면…
구원, 도희의 발을 자신의 발에 얹은 채 음악에 맞춰 옆으로 한 발 뒤로 한 발 스텝을 밟는다.
도희, 구원의 가슴에 얼굴을 기대며 긴장 풀리고.

구원   이제 이 노래는 우리 거야.

그렇게 밤이 저무는 위로 로맨틱하게 흐르는 '당신만이'.

S#17.   **도희 집 지하 주차장 (밤)**
잠복하는 형사처럼 차 안에서 잠든 수안.
대포 카메라를 꼭 끌어안고 있는데…

갑자기 '컥' 하며 놀라 잠에서 깨더니 앞을 보고는 한숨 쉬며.

수안   뭐야~ 저것들은 하루 종일 놀고먹기만 하고. 나만 고생이야,
          나만. 아~ 됐어. 안 해. 개고생은 내 적성에 안 맞아. 역시 난
          행동보단 머리야.

          미련 없이 차를 출발시키는 수안.

S#18.   **골프장 (밤)**
          야간 라운딩 도는 석민과 이사 1, 2.
          도경 역시 무표정한 얼굴로 뒤따르고 있는데….

이사1   회장 선임 임시 주주총회는 아무리 빨리 진행해도 다음 주는
          돼야 합니다.
석민   이번 주 내로 하시죠.
이사1   그렇게는 힘듭니다. 형식과 절차라는 게 있는데 현실적으로….

          석민, 보란 듯 이사 1의 코앞에서 힘껏 샷을 날리면, 이사 1,
          입 다물고…
          늘상 겪는 일인 듯 힐끗 보고는 염증 난다는 도경의 표정.

석민   (이사 1의 골프화를 드라이버로 툭툭 치며) 그렇게 힘든 일을 해 내라
          고 그 많은 돈을 드리는 겁니다.

이사 2	(중재하며 이사 1에게) 최대한 빨리 진행시켜보는 걸로 하시죠.
이사 1	(불만스럽지만) … 알겠습니다.

석민, 만족스러운 표정으로 앞을 보고 서고, 도경, 공을 치러
나서면.

이사 2	(뒤에서 그 모습을 보며) 회장님 되시고 나면 우리 노도경 본부장님이 미래 전자 대표가 되는 수순이겠네요.
석민	제가 이십 년이 넘는 동안 어머니 밑에 있으면서 배운 게 뭔지 아십니까?
이사 2	경영 철학과 리더십 아닐까요?
석민	제가 어머니 밑에서 배운 건 바로 결핍입니다.
도경	(석민의 말에 신경 쓰며 자세 잡는데)
석민	결핍은 인간을 성장시키죠. 결핍이 강하면 강할수록 자기 자신도 몰랐던 수준까지 도달하게 되니까요. 전 제 아들에게도 그걸 가르칠 생각입니다.

도경, 인상 찌푸리며 힘껏 샷을 날리고….

S#19.   **소극장 분장실 (밤)**
벽에 붙은 구원과 도희의 결혼사진.
구원의 위에 칼날이 꽂혔던 자국이 그대로 남았는데…
분장을 덕지덕지 얼굴에 바르던 광철, 갑자기 분장을 확 뜯어

버린다.

결혼사진 앞에 서더니 사진 속 구원을 삐딱하게 보는 광철.

이내 휴대폰을 들어 문자를 치고….

S#20.　　　**석민의 차 안 (밤)**

골프장에서 돌아오는 차 뒷좌석에 나란히 앉은 석민과 도경.

석민은 창밖을 보며 생각에 잠겼고, 도경은 누군가와 카톡하느라 바쁜데…

생각에 잠긴 석민의 얼굴에서 회상으로 넘어가면.

S#21.　　　**주천숙 자택 거실 (밤) - 회상**

17년 전, 서류를 들고 들어서는 석민.

석민　　　어머니, 저 왔어요. 어머니?

두리번대며 천숙을 찾는 석민, 물소리가 나는 화장실로 향하면… 살짝 열린 화장실 문틈으로 중얼거리는 천숙의 목소리가 새어 나온다.

석민, 무슨 일인가 싶어 문틈으로 들여다보면…

젖은 옷을 입은 채 샤워기 아래 강박적으로 온몸을 벅벅 씻어 대는 천숙.

| 천숙 | 씻어야 해. 더러운 죄를… 당장 씻어 내지 않으면…. |

그 기괴하고 의아한 모습에 놀라는 석민.
석민의 기척에 놀란 천숙, 뒤를 확 돌아보면…
젖은 머리칼 너머 광기와 공포가 얽힌 천숙의 눈빛이 무섭다.

| S#22. | **석민의 차 안 (밤)** |

회상에서 빠져나온 석민.
도경이 카톡 자판 치는 소리만이 '토도독' 적막을 채우는데…
마음에 들지 않는 눈빛으로 도경을 힐끗 보더니 앞으로 시선
돌리며.

석민	넌 어머니가 왜 그렇게 우릴 내쳤는지 아니?
도경	(여전히 자판 치며) 그냥… 우리가 맘에 안 드셨나 보죠.
석민	자기혐오야. 자기 피가 더러우니까 우리도 더럽게 여긴 거야.
도경	(자판 멈추고) …
석민	아무리 생각 없는 너라도 지금이 얼마나 중요한 시기인 줄은 알겠지. 대외적으로 우리 가족은 탄탄하고 안정된 승계 구조를 갖춘 그림이어야 해.
도경	네….
석민	난 어머니랑 달라서 널 어떻게든 고쳐 쓸 생각이야. (느긋하게 골프 장갑 벗으며) 피 안 섞인 것들은 믿고 일을 맡길 수가 있어야지.

도경, 골프 장갑 벗는 석민의 손을 보는데…
그때 석민의 휴대폰에 문자 알람음이 울리는 동시에 도경의
주머니 속에서 '지잉-' 울리는 휴대폰 진동음.
도경, 긴장하고.

석민	(그런 도경을 슥 살피더니) 휴대폰이 더 있구나. 무슨 용도로.
도경	그냥… 여자애들 때문에요.
석민	(싸늘한 눈빛으로 도경을 보면)
도경	걱정 마세요. 다 정리할게요.

도경, 긴장 감추며 다시 휴대폰으로 시선 돌리고 말없이 앞을
보는 석민.
긴장 속에서 서로를 의식하는 두 사람.

S#23.　　**석민 집 홈시어터 (밤)**
　　　　　휴대폰 속 문자.

집행자	'왜 연락이 없어요. 설마 관두는 거 아니죠.'

의자에 앉아 광철이 보낸 문자를 보는 가죽 장갑 낀 손.
휴대폰을 내려놓고 다른 손에 들린 지포 라이터로 담배에 불
을 붙이는데…
도경이 온실에서 피우던 담배와 같은 담배다.

빙글 의자 돌리면 뒤돌아 앉은 의자 너머 하얗게 날아가는
담배 연기.

S#24.   **도희 집 테라스 (낮)**
          잠옷 바람으로 테라스에 나서는 도희.
          아침 햇살을 받으며 숨을 크게 들이쉬고는.

도희   이렇게 걱정 없는 아침이라니… 오랜만이네. (눈빛 깊어지며) 정
          말 나를 위한 선택이 됐어, 주 여사. 행복 같은 거 가짜라고 생
          각했는데.

          뒤로 다가와 백 허그 하는 구원.

구원   일찍 일어났네.
도희   응. 출근해야지.
구원   생각해 봤는데 어제는 창립 기념일 이브로 하고 오늘을 진짜
          창립 기념일로 하는 게 좋겠어.
도희   안 돼~ 일 년 내내 놀 생각이야?
구원   창립 기념일인데 적어도 이틀은 쉬어야지. 넌 어떻게 된 게
          네 회사에 대한 애사심이 나보다도 부족해?

          그때 울리는 도희의 휴대폰. 신 비서다.

도희	(웃음기 어린 목소리로 전화 받는) 네, 신 비서님.
신 비서	(E) 대표님. 노석민 대표한테서 서류가 하나 왔는데요….

도희, 올 것이 왔구나 싶고….

S#25. 미래 F&B 대표실 (낮)

덤덤한 표정으로 서류를 들고 선 도희.
서류에는 '상속 재산 포기 심판 청구'라고 쓰였다.

구원	절대 안 돼. 사인하지 마.
도희	이미 끝난 일이야.
구원	누구 맘대로. 지금 당장 너 죽이려던 놈 잡아서 배후 밝혀내 자. 다시는 너한테 이상한 짓 못 하게 확실히 끝맺자고. (손목 잡으면)
도희	(손목 빼며) 싫어.
구원	왜! 나 회복도 다 됐잖아.
도희	그럼 다시 전쟁 시작이야. 난… 지금의 평화가 좋아.
구원	도도희….
도희	너를 위한 선택이 나를 위한 선택이 됐어. 나만 포기하면 모두가 행복하다고 생각했는데 가장 행복해진 건 나야. 세상에 공짜는 없다며. 행복을 위해 포기해야 할 것도 있는 거야. 충분히 그럴 만한 가치가 있어.
구원	그렇다고 이렇게 포기해 버린다고? 이대로 그놈 얼굴도 모른

채? 실체를 모르는 적이 제일 무서운 법이야. 여기서 관두면 넌 평생 두려움에서 벗어나지 못해. 낯선 사람 만날 때마다 목덜미를 확인할 생각이야? 이렇게 무턱 대고 덮어 놓는다고 평화가 유지돼?

도희   …

구원   우선 그놈 얼굴만 확인하고 와. 그다음엔 네가 하자는 대로 할게.

도희   (잠시 생각하더니) 알았어.

도희, 손목 내밀면 손목을 잡는 구원.
구원, 집중하지만 불꽃이 일지 않고.

구원   충전이… 그렇게 하루 종일 붙어 있었는데도 왜 안 되는 거야?

도희   충분히 충전되면, 그러고 나서 하자.

구원, 답답하고 속상한데 밖에서 '똑똑' 노크 소리.

도희   (손목 잡힌 채 문 보며) 네.

신 비서 (문 열고 들어서며) 주석훈 대표 오셨습니다.

신 비서 뒤에 선 석훈, 구원에게 잡힌 도희의 손목에 시선이 가고….

S#26.   미래 F&B 휴게실 (낮)

휴게실 바 테이블에 선 채 마음에 안 드는 표정으로 투덜대
는 구원.

구원   도대체 주석훈은 왜 자꾸 들락거리는 거야?

투덜대는 구원을 저만치 뒤에서 몰래 지켜보는 한 팀장.

한 팀장   (혼자 중얼) 수상하단 말야… 말이 안 되잖아.
한성   (옆에 붙어 한 팀장이 보는 곳을 보며) 뭐가요?
한 팀장   정구원 씨, 아니 정구원 이사장님. 피습 당하고 오늘 내일 했
           잖아. (날카로운 눈빛 빛내며) 근데 어떻게 며칠 만에 저렇게 멀쩡
           하냐고.
한성   그러고 보니까 확실히 수상하네요. (한 팀장과 나란히 뱁새 눈으로
           구원 보는데)
정미   (스윽 두 사람 옆에 붙어 서며) 하늘이 도운 거죠. 조상님이 도왔거나.
한 팀장   (구원 보던 눈빛 그대로 정미 보며) 역시 미신론자.
한성   뭔가 비법이 있는 거 아닐까요?
한 팀장   비법?
한성   몸에 좋은 걸 혼자 먹는다거나.

한 팀장, 솔깃해 보면, 열불 나는지 신제품 음료를 쭉 빨아 먹
는 구원.

한 팀장   !

눈이 번쩍 뜨이는 한 팀장.

S#27.   **미래 F&B 대표실 (낮)**
               소파에 마주 보고 앉은 도희와 석훈.

석훈   내가 그때 이사회도 안 갔고 해서… 너 얼굴이나 보려고. (도
              희 살피며) 괜찮은 거야?
도희   괜찮아. 내 예상보다도 훨씬.
석훈   다행이네… (도희 손목 보며) 너 옛날에 미국에서 나랑 타투샵
              간 적 있는데 기억나?
도희   그랬나?
석훈   그때 너 바늘 무섭다고 타투 절대 안 한다고 했는데.
도희   아….
석훈   이젠 안 무서워?
도희   술김에. 그래서 무서운 줄도 모르고 했지, 뭐.
석훈   너답지 않은 게 많아졌네. 정구원 씨 만나고 나서부터. 후회…
              안 하지?
도희   응. 절대 후회 안 해. 고마워, 오빠. 그리고 미안하고.

도희의 거리감 느껴지는 말에 석훈, 속 쓰리고….

S#28.   **미래 F&B 사무실 (낮)**

석훈, 대표실을 나오면 휴게실에서 나와 대표실로 향하는 구원.
구원과 석훈 스치는데.

석훈   (차갑게) 얘기 좀 하죠. (먼저 가 버리고)
구원   (그런 석훈의 뒷모습을 보더니) 또 날 보러 온 거였어? 날 너무 좋
         아한단 말이야.

너스레 떨며 석훈의 뒤를 따르는 구원.

S#29.   **미래 F&B 옥상 정원 (낮)**

옥상에 마주 보고 선 구원과 석훈.

석훈   몸은 좀 어때요?
구원   멀쩡해.
석훈   상당히 위중해 보였는데.
구원   내가 워낙 회복력이 좋아.
석훈   뱀파이어는 인간의 피로 젊음을 유지하죠. 정구원 씨는 비결
         이 뭐예요?
구원   또 뱀파이어 얘기야? 오컬트에 관심이 많네.
석훈   오컬트가 아니라 정구원 씨한테 관심이 많은 거죠.
구원   역시 나한테 푹 빠졌다니까.
석훈   도희와의 관계에서 정구원 씨가 얻는 건 뭐예요?

구원	(석훈을 보면)
석훈	경호도 결혼도 모두 도희에게 필요한 거잖아요.
구원	난 도도희가 필요해.
석훈	(믿지 못하는) 그게 진심이라면 도희가 정구원 씨 때문에 소중한 걸 포기하는데 그냥 보고 있지만은 않았겠죠.
구원	처음으로 뜻이 맞네. 나도 그래서 그냥 보고 있지 않으려고. 이제 됐지? (돌아서 가는데) 아, 그리고 내 회복의 비결은 복수심이야. 날 그렇게 만든 놈을 두고 도저히 죽을 수가 있어야지.

구원, 걸어가 버리면, 말없이 그 뒷모습을 보는 석훈.

S#30.　　**미래 F&B 대표실 (낮)**
'상속 재산 포기 심판 청구' 서류에 사인을 하는 도희.
속 쓰린 표정으로 서류를 내려다보다가 마음 다잡으며 옆에
기다리고 선 신 비서에게 서류 건네며.

도희	(애써 가벼운 말투) 이제 자유네요. 경호 없이 혼자 외출도 할 수 있고.
신 비서	(무표정) 축하드립니다.
도희	기념으로 저랑 술 한 잔 하실래요?
신 비서	(가만히 도희를 보면)
도희	아. 신 비서님은 바른 생활하시죠? (다음 업무를 보려는데)
신 비서	하시죠, 딱 한 잔.

그 말에 고개 드는 도희.

S#31.　　　형사과 (낮)
모니터에 뜬 미래 그룹 임시 주주총회 공지 '회장 노석민 선임의 건'.
모니터 앞에는 박 형사가 책상에 다리를 올리고 눕듯이 앉았다.

이 형사　　　(뒤에서 다가와 모니터 보더니) 도도희 대표는 이제 포기했나 봐요?

박 형사, 말없이 불만스레 모니터만 보면 가 버리는 이 형사.
다시 박 형사의 뒤에 누군가 다가와 서면.

박 형사　　　(이 형사인 줄 알고) 왠지 이렇게 끝나면 안 될 거 같은데… 아무래도 맘에 자꾸 걸린단 말이야.
구원　　　내 말이.
박 형사　　　(고개 돌려 뒤를 보면 구원이다)
구원　　　그래서 말인데, 몽타주 좀 그리지. 반쪽만.

점프하면 이 형사의 노트북에 완성된 광철의 반쪽짜리 몽타주.

이 형사　　　어때요?
구원　　　(이 형사에게) 아주 무능하진 않네. 생긴 거랑 다르게.
이 형사　　　(욕인지 칭찬인지 갈피를 못 잡겠고)

박 형사	복사해서 붙여 봐.

이 형사, 데칼코마니 하듯 몽타주를 붙이면 완벽해진 광철의
몽타주.
그의 민낯과 비슷하다.

구원	(모니터 속 광철의 몽타주를 차갑게 보며) 이제 숨바꼭질은 끝났어.

S#32.   **선월극장 로비 (낮)**
로비에 물걸레질을 하고 액자의 유리를 '호호' 불어 가며 열
심히 쓸고 닦는 들개파들. 들개파 중 몇몇은 험상궂은 얼굴로
입구를 막아선 채 오가는 스태프들의 신원을 파악한다.
눈치 보며 들어서는 조감독의 앞을 팔로 가로막는 똘마니 1.

똘마니 1	넌 뭐야?
조감독	저 여기 조감독인데….
똘마니 1	(목에 걸린 명찰 들어 보며 눈을 부라리는) 확실해?
조감독	(잔뜩 쫄아) 보세요… 이렇게 다크서클이 증명하잖아요.

로비 한가운데서 진두지휘하는 넘버 투의 진지한 표정.

넘버 투	형님께서 일하시는 곳이다. 우리 손으로 직접 형님의 안전과
	청결을 책임진다. (먼지 닦는 똘마니 2에게) 형님 호흡기에 먼지

한 톨도 안 들어가도록.

들개파들이 점령한 로비에서 조금 떨어진 곳에 숨어 선 복규.
휴대폰 들어 전화 걸면….

S#33. **경찰서 앞 - 선월극장 로비 (낮)**
완성된 몽타주 프린트를 들고 경찰서를 나서는 구원, 휴대폰
울리자.

구원   (전화 받는) 왜?

복규   ⒠ 이사장~ 극장에 좀 와 봐야겠는데.

구원   나 바빠.

복규   (벽 뒤에 숨어 넘버 투 보며) 지금 여기 완전 개판이야. 와서 똥개
         들 좀 내쫓아 줘. (넘버 투가 복규 쪽을 보자 휙 벽 뒤에 숨고)

구원   똥개?

S#34. **선월극장 로비 (낮)**
그새 청소를 끝내고 로비 여기저기 불량스럽게 널브러져 앉
은 들개파.
구원이 들어서는 걸 발견한 넘버 투, 번쩍 일어나며.

넘버 투   형님 오셨다!

들개파	(동시에 벌떡 일어나 다시 기합 잔뜩 드는) 형님!
구원	내가 너네 형님 아니랬지? 이 불법 점거는 다 뭐야?
복규	(후다닥 달려와 들개파들에게 박카스를 나눠 주며) 아유~ 수고들 하셨습니다. 쉬세요, 쉬세요. (구원에게 몸 돌려 복화술) 빨리 이 똥개들 좀 치워. 내일 모레가 공연인데 손님 다 도망가겠어. (뒤돌아 들개파에게 웃어 보이고)

구원, 들개파들 보면 눈을 반짝이며 명령을 기다리는 충성스러운 눈빛.

구원	너네 이름이 들깨파?
넘버 투	네, 형님!
들개파	(복창) 네, 형님!
구원	(한숨) 하아… 이름은 또 왜 이렇게 한식스러운지. 들깨랑 파가 뭐야?
넘버 투	아니, 그게 들깨랑 파가 아니고 들에 사는 야생의 개를 뜻하는….
구원	('띠-' 한 눈으로 보면)
넘버 투	(획 몸 돌려 똘마니들에게) 우린 앞으로 한식을 사랑하는 들깨파다!
구원	(귀찮은) 됐고. 내가 임무를 하나 줄게.
넘버 투	(감격) 감사합니다, 형님!
들개파	(복창) 감사합니다, 형님!
구원	대신 못 해내면 내 앞에 다신 얼씬거리지 마.
넘버 투	목숨 걸고 해내겠습니다, 형님!
들개파	해내겠습니다, 형님!

이내 들개파들 우루루 로비를 빠져나가고…
출근하던 가영, 들개파들 보며 황당한데.

가영   이 덩어리들은 다 뭐야? (하다가, 구원 보더니) 이사장! (반색하며 달
        려와) 정리했구나? 경호원이고 결혼이고 다 그만둔 거지?

가영의 말에 구원, 표정 굳고….

S#35.   **선월극장 이사장실 (낮)**
        구원과 마주 보고 선 채 불같이 화내는 가영.

가영   내가 경고했잖아! 그렇게까지 말했는데도. 이대로 그냥 시시
        한 인간 따위가 되겠다는 거야? 인간으로 사는 게 어떤 건 줄
        알아? 살얼음판을 걷는 것처럼 하루하루가 위태롭고 그 핑계
        로 서로를 잡아먹고… 세상에서 가장 비겁하고 비굴한 게 바
        로 인간이라고! (호소의 눈빛으로 구원 보며) 이사장은 데몬이라서
        완벽했어. 죽음, 사랑, 공포… 그딴 거에서 자유로워서 이사
        장다울 수 있었던 거야!
구원   그만해. 난 무슨 일 있어도 절대 도도희 포기 안 해.
가영   나도 이사장 포기 안 해. 스스로 지옥 불로 뛰어드는 꼴은 못
        본다고.
구원   (차가운 눈빛으로 가영을 보며) 진가영. 마지막으로 경고할게. 선
        넘지 마. 계속 이렇게 선 넘으면 아무리 너라도 가만 안 둬.

그 말에 가영, 눈빛 흔들리며 숨 토해 내고…
구원, 문 열면 밖에 기다리고 선 채 안절부절못한 복규.
가영, 멀어지는 구원의 뒤에 대고 소리친다.

가영   그 여자가 뭐가 그렇게 대단해? 이사장의 전부를 다 내던질
        만큼 뭐가 그렇게 특별하냐고!
구원   (말없이 가 버리고)
복규   (가영에게 다가와) 진스타… 우리 그냥 두 사람의 행복 빌어 주자.
가영   행복의 대가가 너무 크다면 그건 행복이 아니야.

        차갑게 화난 가영의 표정이 불길한데….

S#36.   **포장마차 (해 질 녘)**
        '뻥!' 소리와 함께 시원하게 따지는 맥주.
        포장마차에 앉은 도희와 신 비서 보이면.

도희   (병을 든 채) 따라 드릴게요.
신 비서   네. (양손으로 잔을 드는데)

        '콸콸' 쏟아지며 거품으로만 가득 차는 잔을 표정 없이 보고
        앉은 신 비서.

신 비서   (도희가 다 따르자) 저도 따라 드리죠.

도희	(스스로 따르며) 아뇨. 전 제가 할게요.

자신의 잔에는 황금 비율로 거품을 내서 따르는 도희.
신 비서, 거품 가득한 잔을 든 채 시원하게 맥주 들이켜는 도희를 가만히 보는 눈이 마치 욕을 하는 듯하다.

도희	(빈 잔을 탁 내려놓더니) 이렇게 탁 트인 곳에서 마시니까 좋네요~
신 비서	좋아하시니 다행입니다.
도희	드디어 제 여정이 끝났네요. 예상과 다른 결말이긴 하지만… 막상 손에서 놓고 나니 생각보다 쉬운 거 있죠? 왜 그렇게 악착같이 붙들고 있었나 싶을 만큼.
신 비서	때로 우리는 이유도 알지 못한 채 무언가에 모든 걸 걸기도 하죠. 그 여정이 끝나고 나면 비로소 그 이유를 알게 될 지도요.
도희	그럼 내 여정의 이유는 뭘까요?
신 비서	글쎄요…. (맥주를 홀짝이고)
도희	신 비서님의 결혼 생활은 어땠어요?
신 비서	참 후진 사람이었죠, 전남편. 그 짧은 시간 동안 그렇게나 누군가를 깊게 사랑하고 깊게 증오할 수 있을 줄이야. 그런데 그렇게 전쟁을 한바탕 치르고 나니 알겠더군요. 내가 어떤 사람인지. 나 혼자였다면 절대 몰랐을 내 깊은 내면의 찌질함, 비열함, 유약함과 강인함까지… 결혼은 저한테 그런 의미였습니다.
도희	신 비서님에게도 내가 모르는 그런 뜨거움이 있었네요.
신 비서	저도 몰랐습니다. 그 전이나 후나 계속 무성애자로 살았으니

까요. 뜨겁지도 차갑지도 않게 그저 맹물처럼. 한 번 끓었던
적이 있는지라 후회는 없네요.

도희 신 비서님 여정의 이유는 그건가 봐요.

신 비서 네. 한 번 파괴되고 나야 성장이 있는 법이죠.

도희, 그 말을 곱씹는데….

S#37. **구원의 차 안 (밤)**
무거운 표정으로 차를 운전하는 구원, 마음이 편치 않은데…
휴대폰이 울려 보면 '도라희'다.
구원, 핸즈프리로 받으면 혀가 잔뜩 꼬인 도희의 목소리.

도희 (E) 남편!

놀라 휴대폰을 보는 구원.

S#38. **포장마차 (밤)**
활짝 핀 얼굴로 신이 나 달려오는 구원.

구원 도도희! 여기 남편 왔… 어.

황당한 표정으로 멈추면 테이블 위 일렬로 세워진 빈 맥주병

과 소주병.
벌겋게 취한 도희는 구원이 온 것도 모른 채.

도희   출발합니다. 도도희표 행복 열차! (빈 소주병을 입에 대고 불어 뱃고
           동 소리를 내는) 뿌우~ 뿌우~

           화면 빠지면, 그제야 옆에 앉은 신 비서 보이고…
           마이크처럼 맥주병에 대고 비행기 안내 방송을 읊어 대는 신
           비서.

신 비서   레이디스 앤 젠틀맨. 플리즈 패슨 유어 시트 벨트.
구원   진짜 개판은 여기 있었네….

           갑자기 눈물을 글썽이며 눈물샘 시동을 '드릉드릉' 거는 도희.

구원   (당황스럽고 걱정되는) 왜, 왜 그래. 도도희.
도희   (신 비서를 부둥켜안으며) 언니이~ 내가 그동안 야근 많이 시켜서
           미야내~
신 비서   (같이 눈물 글썽이며 부둥켜안는) 괜찮아~ 돈 많이 주잖아~
도희   내가 많이 주긴 하지~
신 비서   (갑자기 몸을 확 떼 내더니 정색) 도도희. 너어~ 똑바로 하세요.

           하더니, 갑자기 서로의 얼굴을 보며 웃음이 터지는 두 사람.
           깔깔거리며 박장대소하는 두 사람에, 구원, 기가 막힌데.

도희	(멈칫) 잠깐만!
신 비서	왜, 왜.
도희	우리 왜 웃어?
신 비서	몰라.

다시 웃음 터지는 두 사람. 배를 부여잡고 이유 없이 즐거워 죽겠다.

구원	(중얼) 어디에 내놔도 부끄러운 내 와이프… (도희에게 다가가) 이제 그만하고 집에 가지?
도희	(벌겋게 된 얼굴을 쳐들고 구원 보더니) 앗. 눈부셔. 해 떴다.
신 비서	(주섬주섬 태블릿 PC며 가방 챙기면)
도희	(그런 신 비서 붙들며) 어디가~ 2차 가야지.
신 비서	나 출근해야 돼. (시계 보더니) 9시~? 늦었어~

구원, 달려가려는 신 비서의 뒷덜미를 잡아 자리에 도로 앉히고

도희	가지 마~ 행복에 취해서 해롱거리는 건 인간의 의무라고!
신 비서	오케이~ 우린 술이 아니라 행복을 마시는 거야!

잔 부딪치고 원샷 하려는 두 사람의 잔을 뺏는 구원.

구원	그만 마셔.
신 비서	(정색하며 구원 보는) 정구원 씨. 똑바로 하세요.

구원	도대체 뭘?
신 비서	똑바로 하란 말이에… 우엑. (토하고)
구원	하아… (한숨 쉬며 휴대폰 들어) 박 실장님? 처리할 일이 있는데.

점프하면, 신 비서의 팔을 둘러메 부축하고 선 복규.
앞을 본 채 표정이 '띠-' 한데.

신 비서	(정색하고 복규 보며) 박뽀뀨 씨. 똑바로 하세요.
복규	(보지도 않고) 박뽀뀨 아니고 박복규.
신 비서	뽀뀨!
복규	심하게 인간적인 인공지능이네. (구원에게) 갈게.

복규, 멀어지고 구원 돌아서면, 의자에 앉은 도희, 구원에게
양팔 뻗으며.

도희	어버 져! (업어 줘)

그 귀여운 모습에 '피식' 웃어 버리는 구원.

S#39.	**빌딩 숲 거리 (밤)**

도희를 업은 채 빌딩 숲을 걷는 구원.

구원	무슨 술을 이렇게 마신 거야?

도희	나 기분이 너어~ 무 좋아. 너무 홀가분하고 너무 자유롭고 너무 행복해.
구원	…
도희	그래서… 너무 미안해. 나 혼자 너무 행복해서… 주 여사한테 너무 미안해.
구원	인간은 술주정할 때 진심이 튀어나온다더니….
도희	한 바퀴만 더 돌자!
구원	지금 이게 몇 바퀴짼 줄 알아?
도희	한 바퀴만 더. 딱 한 바퀴만.

할 수 없이 방향 돌려 다시 걷는 구원.

S#40.   **도희 집 침실 (밤)**
잠든 도희를 침대에 누이는 구원, 잠든 도희의 얼굴을 보며.

구원   뭐든 열심히 하는 도도희. 포기도 너무 열심히 한다니까.

도희를 보는 구원의 안쓰러운 눈빛.

S#41.   **아파트 단지 (밤)**
한편 신 비서를 둘러멘 채 아파트 단지 오르막길을 오르는 복규.

신 비서는 알 수 없는 노래를 흥얼거리며 자신만의 흥에 취했는데.

복규	(헉헉대는) 도대체 몇 동 몇 호냐고요. 주소를 똑바로 말해야 할 거 아냐.
신 비서	(갑자기 걸음 멈추고 정색하며) 우리 집 주소는 알아서 뭐 하게.
복규	주소를 알아야 집에 데려다주죠.
신 비서	(태블릿을 꼭 끌어안고 복규에게 바싹 다가와 붙으면)
복규	(쫄아서 뒤로 고개 빼며) 왜 이래. 왜 눈을 그렇게 떠요?
신 비서	자상한 남자?
복규	뭐래. 난 그냥 이사장이 데려다주라고 하니까 데려다주는 거뿐이거든요.
신 비서	책임감 있는 남자?
복규	기가 막히네, 진짜. (어이없어 실소하는데)
신 비서	웃을 때 귀여운 남자!
복규	(싫지 않은) 다 맞는 말이긴 한데 빨리 주소나 말해요.
신 비서	(주위 둘러보더니) 여긴 어디야?
복규	그쪽 동네잖아요.
신 비서	여기 우리 동네 아닌데?
복규	아~ 진짜! (고개 들고 소리치다 하늘 보더니) 어?

신 비서 잡은 손 놓고 달에 손가락질하는 복규.
보름달이 얼마 안 남았다.

복규   저게 언제 저렇게 살이 쪘대? (후다닥 휴대폰 꺼내 검색하더니) 휴우~ 아직 보름달까진 이틀 남았네. 다행….

이상한 느낌에 보면 바닥에 대자로 엎어져 있는 신 비서.

복규   신 비서님!

신 비서에게 후다닥 달려가는 복규.

S#42.   **PC방 (밤)**
게임 창을 열어 놓고 초조하게 손톱을 물어뜯으며 기다리는 광철. 알람음과 함께 '아브락사스님이 입장하셨습니다.'라는 문구가 뜨면 멈칫 긴장된 표정으로 채팅창을 보는데…
이내 채팅창을 보는 광철의 얼굴에 번지는 웃음.
뒤늦게 채팅이 보이면.

아브락사스   '후일 발목을 잡을지도 모르니 싹을 잘라야지.'

게임 속 광철의 캐릭터가 죽고.

S#43.   **탐문 몽타주 (밤)**
넘버 투, 비장한 표정으로 광철의 몽타주를 든 채.

| 넘버 투 | 형님께서 주신 임무다! 반드시 이놈을 찾아내도록! |

광철의 몽타주 복사본을 나눠 갖는 들개파들.
술집, 노래방을 돌며 닥치는 대로 사람들에게 들이대는데.

| 똘마니 1 | 이놈 알아? |

| S#44. | **형사과 (밤)** |

대부분이 퇴근한 어두운 형사과.
모니터 속 프로그램이 자동으로 광철의 몽타주를 전과범과
대조하는데…
모니터 앞에 앉은 이 형사, 믹스커피를 마시며 연신 눈에 힘
을 줘 잠을 이겨 내려 애쓰고 박 형사는 책상에 다리를 올리
고 앉아 꾸벅꾸벅 존다.

이 형사	(모니터를 본 눈에 힘 들어가며) 어?
박 형사	(졸다가 번뜩) 왜?
이 형사	이놈 아니에요?

똑바로 일어나 앉아 모니터를 보더니 눈이 번쩍 뜨이는 박
형사.
기광철의 살인, 폭행, 살인 미수 등등의 화려한 범죄 기록이
뜨고….

S#45.   **소극장 앞 (밤)**

평범하기 그지없는 모습으로 인파 속을 걷는 광철.

푹 눌러쓴 후드 티와 해질 정도로 낡은 운동화, 그리고 귀에 꽂은 줄 이어폰이 보이고 양손에 연료통을 들었다.

소극장 앞에 멈춰 주위를 슬쩍 둘러보고는 계단을 통해 지하로 내려가면.

S#46.   **소극장 (밤)**

어두운 소극장에 들어서는 광철.

연료통을 내려놓고 벽에 붙은 스위치를 켜자 무대에 불이 들어온다.

조명이 닿지 않는 객석, 짙게 드리워진 그늘 속에 앉은 한 남자를 발견하는 광철.

광철   어? 왔어요?

어둠 속, 얼굴을 숨긴 채 고급스러운 슈트와 가죽 장갑을 낀 손만이 보이는 남자를 향해 이어폰 벗으며 다가가는 광철.

광철   제일 악마다운 마무리가 뭘까 내가 생각해 봤는데 역시 지옥 불이더라고요. 책에도 써 있잖아요. 자연 발화. 내가 신이 하는 일을 대신하는 거예요. (몸을 돌려 무대 위 조명을 올려다보며) 알죠? 내가 하는 건 살인이 아니라 예술이라는 거.

신이 나서 떠들어 대는 광철의 뒤로 스윽 다가서는 슈트 입은 남자.

가죽 장갑 낀 양손에 전선 끈을 감는데 광철은 그걸 모른 채 자아도취에 빠졌다.

광철 인간이 악마 새끼나 신 나부랭이보다 더 대단한 게 뭔지 알아요? 인간은 뭐든 될 수 있거든. 악마도, 신도… 그보다 더한 것도.

광철, 환희에 찬 미소 짓는 순간 뒤에서 광철의 목에 끈을 걸어 당기는 손.

광철, '컥컥' 숨이 막히고 발버둥 치는 광철의 발.

가죽 장갑을 낀 남자의 얼굴이 어둠 밖으로 나오며 모습 드러나면… 석민이다.

표정 없이 관자놀이에 핏발이 선 채 손에 쥔 전선을 잡아당기는 석민.

마치 낚시를 하듯 손아귀에서 느껴지는 광철의 몸부림을 즐기는데…

광철, 눈이 돌아가며 움직임이 둔해지자 슬쩍 끈을 잡은 손에 힘을 푼다.

그 틈에 광철, 숨을 몰아쉬며 재빨리 몸을 비틀어 빠져나와 바닥을 기듯 분장실로 도망치고 그 모습을 재밌다는 듯 보며 '피식' 웃음 짓는 석민.

S#47.   **소극장 분장실 - 소극장 분장실 앞 (밤)**
문을 '쾅!' 닫고 들어와 걸어 잠그는 광철.
다급히 다양한 칼이 즐비하게 놓인 곳으로 가 가장 큰 칼을
집어 들고 문 앞에 선다.
칼을 쥐자 자신감이 넘치는 광철.
문밖에서는 휘파람 소리와 함께 '뚜벅뚜벅' 구둣발 소리가
다가오고….

광철   참, 내가 말했나? 교도소에서 꺼내 줘서 고마워. 그 은혜를 이
             렇게 갚게 되네.

             문 앞에 멈춰 선 채 휘파람을 멈추는 석민의 얼굴.

광철   넌 네 손으로 꺼낸 악마한테 죽는 거야.

             광철, 칼을 세워 들며 문을 열려고 손잡이를 잡는데…
             '꽐꽐꽐~' 액체 흐르는 소리에 아래를 보면 바닥 문틈으로 흘
             러 들어오는 한줄기 액체.

광철   !

             석민, 가죽 장갑 낀 손으로 '챙!' 하고 지포 라이터를 열고…
             밖에서부터 연료를 따라 안으로 빠르게 번져 들어오는 불길.
             놀란 광철, 황급히 문을 열지만 문이 열리지 않고…

밖에서 보면 이미 석민은 자리에 없고 문고리와 그 앞의 좁은 공간에 꽉 끼도록 의자 하나가 놓였을 뿐이다.

분장실 한쪽 벽에 붙은 도희의 사진과 목 그어진 피해자들의 사진이 '화르륵' 불타고…

분장실 밖, '쾅, 쾅' 광철이 안에서 몸을 던져 부딪치는 소리와 함께 들썩이는 문.

마지막으로 '쾅!' 세게 부딪치는 소리와 함께 암전.

S#48.   **석민 집 거실 (밤)**

어두운 거실. '활활' 타오르는 모닥불만이 빛을 밝히고 있는데… 그 앞에 선 가죽 장갑 낀 석민.

천천히 가죽 장갑을 벗어 모닥불에 내던지면 불길 속에서 타들어 가는 가죽 장갑.

싸늘한 눈으로 불꽃 속 타들어 가는 장갑을 보는 석민의 얼굴에 비치는 화염의 일렁임.

그 서늘한 표정으로 다가가면….

S#49.   **석민 회상 몽타주**

- 주천숙 자택 서재에서 책상 뒤에 선 천숙이 호통을 치는 모습. (3화 20씬)

천숙   더러운 짓도 모자라 사람을 죽여? 죄를 지었으면 죗값을 받아야지.

그 앞에 선 이의 모습 보이면, 울분이 가득한 눈빛으로 천숙을 노려보는 석민이다.

석민   (으르렁대듯) 다 어머니가 자초하신 일입니다.

- 천숙의 약을 변기통에 버리는 싸늘한 석민의 얼굴. (4화 41씬)

- 천숙의 편지를 들어 읽는 석민. (4화 49씬)
  4화에서와 달리 편지 내용이 보이면.

편지   '널 악마로 만든 건 나일지도 모르지.'

싸늘한 표정으로 럼 샷 잔에 불을 붙여 편지의 끝을 가져다 대는 석민.

화면 전환 템포 점점 빨라지고….

- 코인 로커에서 물건 가져가는 손, 석민 얼굴. (2화 49씬)

- 데몬 책을 읽는 남자의 얼굴 보이면, 석민이다. (7화 50씬)

S#50.   석민 집 거실 (밤)

현재로 돌아오면 비릿한 미소 짓는 석민.

잠시 후 석민이 자리를 뜬 텅 빈 모닥불 안에서 활활 타오르는
불길.

S#51.   도희 집 거실 (낮)

숙취로 이마를 붙들고 테이블 앞에 앉은 도희.

도희   으아~ 머리 아파 죽겠어.

구원, 도희 앞에 커피잔을 '탁' 내려놓으면, 도희, 구원을 보며.

도희   별일 없었지? 내가 주 여사한테 술을 배워서 술버릇 하난 깨
              끗하거든.

구원   주천숙 그 노인네를 내가 진짜….

그때 동시에 울리는 도희의 휴대폰과 구원의 휴대폰.

두 사람, 전화 받으면.

박 형사   (E) 대표님! 범인 찾았습니다!

도희   !

들개파   (E) 찾았습니다, 형님! 그놈 숨은 곳.

구원   !

박 형사	㉤ 본명은 기광철. 살인, 폭행 전과가 장난이 아니에요. 지금 수배령 내렸으니까….

박 형사의 목소리를 들으며 긴장한 표정으로 서로를 보는 구원과 도희.

S#52.   **소극장 분장실 앞 (낮)**
권총을 들고 좁고 어두운 복도를 조심스레 걸어가는 박 형사와 이 형사.
박 형사와 이 형사, 코를 찌르는 탄내에 코를 막으며 놀라는데… 박 형사가 눈짓하면 이 형사가 경계하며 문을 '끼익' 열고 먼저 들어선다.
하지만 더 이상 들어가지 못하고 입구에 굳어 서는 이 형사.
뒤에 선 박 형사 왜 그런가 싶어 이 형사의 시선을 좇으면…
새카맣게 타 버린 분장실 바닥에 누운 광철의 몸뚱어리.
형체를 알아보기 힘들 만큼 까맣게 탄 광철의 심장부에 멀쩡한 단도가 꽂혀 있는데…
구원의 심장에 꽂았던 그것이다.

S#53.   **형사과 회의실 (낮)**
책상 위에 내려놓는 사진 한 장.
광철의 머그샷이다.

나란히 앉아 사진을 보는 구원과 도희.

도희   생각보다 평범한 얼굴이네요.

박 형사   이런 얼굴로 사람을 밥 먹듯이 죽였네요. 기광철이 기거하던 소극장에서 시체가 두 구나 나왔어요. 소극장의 극단주랑 건물주, 이렇게.

도희   기광철은 어떻게 죽었죠?

박 형사   방화로 인한 살인입니다. 그런데 특이한 건… 이미 죽은 사체를 훼손했어요.

도희   ?

박 형사   (사진을 하나 더 내려놓으며) 완전히 전소된 사체의 심장부에 20㎝ 가량의 흉기를 꽂았습니다. 마치 무슨 메시지라도 되는 양.

박 형사가 내려놓은 사진은 새카맣게 탄 광철의 시체 심장부에 단도가 꽂힌 모습이다.

구원   !

인서트   **선월극장 로비에서 구원의 몸 위에 올라탄 광철.**

광철   (단도를 높게 들고 '씨익' 웃는) 지옥에서 보자.

구원의 심장을 향해 단도를 높게 치켜드는 그의 손에 들린 단도.

사진 속 단도가 바로 그 단도임을 알아챈 구원, 눈빛 흔들리는데….

S#54.   **형사과 (낮)**
구원과 도희, 박 형사와 함께 회의실을 나서면 황급히 다가오는 석훈.

석훈   도희야! 범인이 죽었다면서.
도희   어….
석훈   (박 형사에게) 박 형사님, 어떻게 된 거예요?
박 형사   그게….
구원   (딱딱한 표정으로 도희에게) 난 가 볼 데가 있어. 주석훈이랑 같이 집에 갈 수 있지?

도희가 대답도 하기 전에 구원, 서둘러 가 버리고…
그런 구원의 뒷모습을 의아하게 보는 이들.

S#55.   **선월극장 이사장실 (낮)**
이사장실을 뒤지는 구원.
책장을 뒤지다 책상으로 다가가 서랍을 열어 보는데…
마침 들어서던 복규, 그런 구원을 보고.

복규	뭐 찾아?
구원	(말없이 뒤지고)
복규	범인 죽었다며. 그럼 이제 다 끝난 거 아니야?

구원, 몸을 숙여 서랍 아래를 살피면 빨간 불이 들어오는 도청기. 구원, 도청기를 떼어 내면, 복규, 옆에 다가와 입을 막고 놀라고…
주먹을 쥐어 도청기를 부수는 구원.

구원	내 생각이 맞았어. 내가 얼굴을 봐서 죽인 거야.
복규	이사장이 얼굴로 사람 찾는 걸 어떻게 알고? 그건 책에도 안 써 있잖아. (뒤늦게 깨닫고) 그래서 도청당한 걸 알았구나?
구원	간신히 얼굴을 알아냈나 싶었는데… 죽은 놈 뒤에 진짜 범인이 숨어 버렸어.

구원, 분하고.

S#56.   **석민 집 거실 (낮)**

벽난로의 재를 철제 양동이에 퍼 담는 가사 도우미의 손.
침실 문 열리고 거실로 나서는 잠옷 차림의 세라, 벽난로로 다가가 그 옆에 놓인 약통을 집어 수면제를 입에 털어 넣으려는데…
가사 도우미가 퍼 담는 검은 재 속, 미처 다 타지 못한 가죽 장갑 조각을 발견하는 세라.

세라   아줌마, 잠깐만요.

가사 도우미, 멈추면 재 속에 파묻힌 가죽 장갑을 유심히 보는 세라.
눈빛에 의구심이 스치는데.

석민   (off) 이제 일어난 거야?

세라, 흠칫 놀라 뒤돌면 하얀 골프복을 차려입은 석민의 모습.

세라   또 골프 약속이에요?
석민   주주총회 앞두고 만날 사람이 좀 많아야지.
세라   고생이네요. (가사 도우미한테) 치우세요.

약을 입에 털어 넣고 돌아서는 세라의 뒷모습을 보는 석민.
벽난로로 다가가 말끔히 치워진 걸 확인하는 석민의 눈빛이 차갑다.

S#57.   **석훈의 차 안 (낮)**
운전하는 석훈과 그 옆에 앉은 도희. 두 사람 모두 굳은 표정인데.

석훈	많이 놀랐겠다.
도희	응. 예상치 못했던 일이라… 전쟁을 그만두자는 내 메시지에 대한 답을 이렇게 할 줄은 몰랐어.
석훈	답이라면…?
도희	그쪽도 전쟁을 끝낸 거겠지. 무기를 없앤 거니까.
석훈	정말 그렇게 생각해? 이게 끝이라고?
도희	응. 끝이야. 끝이어야 해.

석훈, 생각에 잠기면.

인서트	**미래 F&B 옥상 정원에서 뒤돌아서 걸어가던 구원, 멈칫 뒤돌아.**

구원	아, 그리고 내 회복의 비결은 복수심이야. 날 그렇게 만든 놈을 두고 도저히 죽을 수가 있어야지.

현재의 석훈, 도희에게 묻는다.

석훈	… 어떻게 찾은 거야, 범인은? 진짜 얼굴을 몰랐잖아.
도희	정구원이 피습당할 때 진짜 얼굴을 봤어.
석훈	정구원 씨가 찾아냈구나… (생각에 잠기더니 조심스레) 넌 정구원 씨를 어디까지 믿어?
도희	(석훈 보며) 어디까지 믿냐니… 오빠 설마 정구원 의심하는 거야?
석훈	…
도희	그럴 사람 아니야.

석훈	하지만 도희야….
도희	(말 막는) 오빠. 내가 선택한 사람이야. 날 믿는다면 정구원 씨도 믿어 줘.

단호한 도희에 석훈, 더 이상 아무 말도 못 하고….

S#58. **선월극장 이사장실 (낮)**
부서진 도청기를 복규에게 건네는 구원.

구원	이걸 단서로 뒤에 숨은 진짜 범인 좀 찾아봐.
복규	이사장, 우선은 몸 좀 사리자. 저쪽에서 단도를 꽂아 둔 건 경고의 의미야. 도청을 했으면 지금 이사장 능력이 온전치 않다는 것도 알 텐데 괜히 움직였다간 이사장도 다쳐.
구원	…
복규	내일이면 바로 그토록 기다리던 보름달이야. 다시 원래의 완벽한 이사장으로 돌아간다고. 그러니까 딱 하루만 기다렸다가….

구원, 문득 이상함을 느끼고 고개 돌리면 즐비하게 벽에 붙은 시계들.

구원	시계가….
복규	응? 시계가 왜?
구원	멈췄어.

복규, 구원의 시선 쫓아 뒤돌면 두 사람 앞에 펼쳐진 시계들
이 하나같이 미동 없다.

두 사람   !

S#59.   **소아암 병동 로비 (낮)**
데스크 직원에게 질문하는 구원.

구원   문병 왔는데요, 소아암 병동에 이연서라고….
데스크   퇴원한 연서 말씀하시는 거예요?
구원   다시 입원했다고 들어서….
데스크   그럴 리가요. 걔는 우리 병원 기적의 아이콘인데….

구원, 안도하는데 저만치 황급히 베드를 끌고 오는 의료진들.
구원, 고개 돌려 보면 울며 베드 뒤를 따르는 연서 부모가 보
인다.

구원   !

연서 모, 바닥에 풀썩 주저앉아 망연자실한 채 눈물을 흘리
고… 구원 옆을 지나는 베드 위 창백한 얼굴로 호흡을 힘겹
게 몰아쉬는 연서.
무력하게 그 모습을 보고 선 구원의 모습.

S#60.　　　　**선월극장 로비 계단 (낮)**
　　　　　　황급히 로비 계단 아래를 걸어가는 구원.

구원　　　　능력이 깜빡거리는 게 아니라 완전히 사라진 거였어….

　　　　　　그때 구원의 머리 위에서 마치 눈처럼 휘날리는 무언가.
　　　　　　구원, 고개 들면 나선형 계단 중앙의 허공에 떠올라 있는 계
　　　　　　약서들.

구원　　　　!

　　　　　　세월의 차이가 보이는 낡고 깨끗한 계약서들이 하나둘 불타
　　　　　　기 시작하고… 흩날리는 재를 맞고 선 구원.
　　　　　　눈앞에 펼쳐진 무시무시한 풍경에 점점 숨이 가빠지는데….

S#61.　　　　**지하철역 (밤)**
　　　　　　지하철역, 광고판 아래 박스 집에 웅크리고 잠든 노숙녀의 뒷
　　　　　　모습.
　　　　　　구원, 그 앞에 서면 그 기척에, 노숙녀, 고개 돌려 구원을 본다.

구원　　　　너, 나에 대해서 뭔가 알고 있지?
노숙녀　　　이제 완전히 인간이 됐구먼.
구원　　　　지금 뭐가 어떻게 돼 가는 거야.

노숙녀   맨입으로?

여유롭게 빙그레 웃는 노숙녀.

S#62.   **홀덤 바 - 숲속 - 글라스 하우스 (밤 / 낮)**
           고급 홀덤 바에 들어서는 구원과 노숙녀.
           노숙녀가 앞장서고 구원은 그 뒤를 따르는데 직원 하나가 다
           가와 공손히 90도로 인사한다.

직원   안내해 드리겠습니다.

           노숙녀를 따라 구원이 들어서면… 고급스러운 바의 분위기
           에 어울리지 않는 노숙녀의 행색에도 VIP 고객을 대하듯 공
           손히 인사하는 직원들. 그런 반응이 구원은 의아한데…
           한쪽의 홀덤 테이블로 안내하는 직원.

노숙녀   (가운데에 앉더니 직원에게) 늘 마시던 걸로 두 잔. (구원에게 턱짓) 앉아.
구원   (좀 전의 흥분이 가라앉은) 단골인가 봐? 인간들은 보통 행색만 보
           고 사람을 판단하는데 너한테는 극진하네. 다들 집단 최면에
           라도 걸린 것처럼.
노숙녀   글쎄… 외면에 가려진 내면의 가치를 알아보는 눈이 있나 보지.

           그때 칵테일을 들고 들어서는 직원의 시선에 보이는 노숙녀.

고급스러운 드레스에 퍼를 휘감은 휘황찬란하고 젊은 모습
이 마치 여왕처럼 고귀하다.
다시 구원의 시선에 보이는 노숙녀의 초라한 행색.
두 사람 앞에 마티니 두 잔이 놓이면 마티니 속 올리브를 꺼
내 먹는 노숙녀.

구원   이런 장소에서 나누기엔 좀 민감한 대화 주제 아닌가?
노숙녀   그래?

              노숙녀, 손을 들어 핑거스냅을 '딱!' 하면 순식간에 바뀌는 배경.
새가 지저귀는 숲속이다.

구원   !
노숙녀   (마티니를 홀짝 대며) 왜. 맘에 안 들어?
구원   (당황한 눈으로 노숙녀를 보면)
노숙녀   하긴 이런 취향이 아니지.

              다시 핑거스냅을 '딱!' 치면 이번에는 바닷가가 훤히 보이는
이국적인 풍경의 글라스 하우스.
창밖은 훤한 낮이다.

구원   너… 정체가 뭐야…?
노숙녀   뭘 그렇게 놀라? 네가 할 줄 아는 건 나도 할 줄 알아. 내가 준
능력이니까.

구원	!

S#63. **선월극장 (밤)**

혼자 연습하는 가영, 집중하지 못하고 스텝이 꼬이자 화내며 칼을 내던져 버리고 분장실로 향하는데…

타닥거리는 소리에 올려다보면 조명기 안에 들어가 날개를 부딪쳐 대는 불나방의 실루엣.

그걸 보는 가영의 표정이 잔뜩 찌푸린 채 아프기까지 한데….

S#64. **선월극장 앞 (밤)**

옷을 갈아입고 퇴근하는 가영.

앞을 보고 멈칫하면 저만치 앞에 차를 세운 채 기다리고 선 석훈.

S#65. **글라스 하우스 - 칵테일 바 (낮 / 밤)**

글라스 하우스에 노숙녀와 마주 앉은 구원, 놀라움을 숨기지 못한 채.

구원	네가… 신이었어?
노숙녀	뭐 그렇게도 부르지. 누군가는 날 우주라고 부르기도 하고 누군가는 날 시간이라고 부르기도 해. 왜 그런 얘기가 있잖아.

신은 모든 곳에 있고 모든 것에 깃들어 있다.

구원   그 말은 어디에도 없다는 말처럼 들리는데.

노숙녀   역시 데몬이라 삐딱하네. 지구 반대편까지 와서 한다는 소리가 고작 신성 모독이라니.

구원   알았으니까, 내 능력이나 돌려줘.

노숙녀   그건 나도 못 해.

구원   뭐?

노숙녀   내가 주긴 했지만 내가 뺏진 않았거든.

구원   혹시 계약을 안 해서 그런 거야? 지금이라도 계약을 맺으면 다시 능력이 생기는 거냐고.

노숙녀   계약해도 소용없어. 맞지 않는 몸에 능력이 들어 있으니 점점 사그라들다 사라지는 건 당연하지.

구원   그럼 난….

노숙녀   그래. 넌 점점 죽어가는 중이야.

구원, 숨을 토해 내며 놀라고…
칵테일 바로 교차 편집되면 마치 한 테이블에 앉은 듯한 가영과 석훈.

석훈   (가영에게 명함 건네며) 도도희 사촌 오빠예요. 병원에서도 봤죠?

가영   (명함 보며) 도도희를 굉장히 아끼나 봐요? (석훈을 보며) 아니. 보통 사촌 사이에 이렇게까진 안 하니까. 가족들도 서로 관심이 없는데.

석훈   가족 그 이상이에요, 나한텐.

가영	(슬픈 눈빛) 우리 닮았네요. 그래서 날 찾아온 이유가 뭐예요?
석훈	정구원 씨 정체가 뭔지 진가영 씨는 알고 있죠?

애써 혼란과 충격을 누르고 노숙녀에게 질문하는 구원.

구원	그럼 어떻게 해야 돌아오는데? 그래도 뭔가 방법이 있을 거 아냐.
노숙녀	간단해.

구원, 기대감 어린 눈으로 노숙녀를 보고…
말없이 석훈을 보던 가영, 이내 결심한 듯 입을 열면.

가영	이사장은… 데몬이에요. 다른 말론 악마.
석훈	!
노숙녀	그 여자가 죽으면 돌아와.
구원	!

인서트	**사방이 붉은 화염으로 불타는 어딘가.**

(알고 보면 10화의 무인 편의점이다)
불길 속 바닥에 엎어진 채 정신을 잃은 도희의 얼굴.
마치 지옥 불에 불타는 듯한 그 모습 위로.

가영	(off) 인간을 불행하게 만들고 지옥으로 이끌죠.

구원의 눈빛 흔들리며.

9화 엔딩

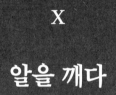

X

알을 깨다

S#1.   글라스 하우스 (낮)
          글라스 하우스에 노숙녀와 마주 앉은 구원, 놀라움을 숨기지
          못한 표정인데.

구원   네가… 신이었어?

노숙녀   뭐 그렇게도 부르지. 누군가는 날 우주라고 부르기도 하고 누
          군가는 날 시간이라고 부르기도 해. 왜 그런 얘기가 있잖아.
          신은 모든 곳에 있고 모든 것에 깃들어 있다.

구원   그 말은 어디에도 없다는 말처럼 들리는데.

노숙녀   역시 데몬이라 삐딱하네. 지구 반대편까지 와서 한다는 소리
          가 고작 신성 모독이라니.

구원   알았으니까, 내 능력이나 돌려줘.

노숙녀   그건 나도 못 해.

구원   뭐?

노숙녀   내가 주긴 했지만 내가 뺏진 않았거든.

구원   (당혹스러운) 혹시 계약을 안 해서 그런 거야? 지금이라도 계약

을 맺으면 다시 능력이 생기는 거냐고.

노숙녀   계약해도 소용없어. 맞지 않는 몸에 능력이 들어 있으니 점점 사그라들다 사라지는 건 당연하지.

구원   그럼 난….

노숙녀   그래. 넌 점점 죽어 가는 중이야.

구원, 숨을 토해 내며 놀라고….

구원   그럼 어떻게 해야 돌아오는데? 그래도 뭔가 방법이 있을 거 아냐.

노숙녀   간단해.

구원, 기대감 어린 눈으로 노숙녀를 보면.

노숙녀   그 여자가 죽으면 돌아와.

구원   ! (구원의 눈빛 흔들리고)

노숙녀   주인을 잃은 타투는 원래 주인한테 돌아올 테니까.

구원   죽지 않으면…?

노숙녀   만약 보름달이 뜰 때까지 그 여자가 죽지 않고 버틴다면… 타투는 사라지고 (구원을 보며) 넌 자연 발화 돼서 소멸해.

구원   (말을 잇지 못하는데)

노숙녀   여태 그렇게 살리려 애를 썼는데 죽어야 능력이 돌아온다 니… *쯔쯔* (혀를 차고)

화가 치미는 구원, 노숙녀를 노려보며.

구원   이유가 뭐야? 우리한테 왜 이러는 건데.
노숙녀   글쎄…? 신이라고 다 아나.

노숙녀가 홀덤 테이블 위 룰렛에 구슬을 던지면, 소리 내며
돌아가는 구슬.

노숙녀   세상은 의외로 대충 돌아가. 너흰 선택을 했을 뿐이고 룰렛은
저절로 돌아가지. ('똑또그르르~' 구슬 멈추면) 그게 세상이 돌아가
는 이치야.
구원   그런 무책임한….
노숙녀   누군가 책임이 있다면 내가 아니라 너희들에게 있지. 큰 규
칙은 내가 만들었지만 인간들이 그 규칙대로 안 살고 자신의
의지대로 선택을 하면서 수많은 이변이 생기거든. 니들이 툭
하면 핑계 대는 운명이란 것도 너희들이 한 크고 작은 선택
들이 얽혀서 만들어 낸 결과니까.

노숙녀의 말에 구원, 절망하고.

S#2.   **칵테일 바 (밤)**
가영과 마주 앉은 석훈, 가영에게 질문한다.

석훈	정구원 씨 정체가 뭔지 진가영 씨는 알고 있죠?
가영	(말없이 석훈을 보고)
석훈	도대체 정체가 뭡니까? 정구원 씨.

가영, 이내 결심한 듯 입을 열면.

가영	이사장은… 데몬이에요. 다른 말론 악마.
석훈	!
가영	인간을 불행하게 만들고 지옥으로 이끌죠.
석훈	그런 말도 안 되는….
가영	알아요. 믿기 힘든 말인 거. 하지만 주석훈 씨도 이사장이 평범한 인간이 아니라는 것쯤은 알고 있잖아요. 그러니까 나한테 이사장의 정체를 물은 거고.
석훈	아무리 그래도 악마라니… (생각이 미치는) 그럼 도희는 악마인 걸 알면서도 그렇게 맹목적으로 정구원을 믿는다는 거예요? 그건 너무 도희답지 않아요.
가영	데몬이 가장 잘하는 건 인간의 욕망을 부추기고 홀려서 마음을 사로잡는 거예요. 그게 데몬의 방식이죠.
석훈	(눈동자 흔들리고)
가영	이사장이 도도희 손목 잡고 다니는 거 본 적 있어요?
석훈	(가영을 보면)
가영	데몬에겐 특별한 능력이 있어요. 위험하고 강력한. 그런데 그게 도도희 손목으로 옮겨 갔죠.
석훈	(생각이 미치는) 타투….

가영	맞아요. 타투. 그게 능력의 원천이죠. 그래서 이사장은 도도희가 필요했던 거예요. 정확히 말하면 도도희 손목에 있는 타투가.

석훈, 충격으로 말을 잇지 못하고….

S#3.	**한강 (밤)**

어두운 얼굴로 한강 앞에 홀로 선 구원, 생각에 잠겼는데.

인서트	**노숙녀, 룰렛 위 멈춘 구슬을 집어 들면.**

구원	다른 방법은 없는 거야? 우리 둘 다 살아남을 방법.
노숙녀	안타깝지만 없어. 보름달이 뜨면 룰렛은 멈추고 승부는 날 수밖에.

현재의 구원, 허탈한 표정으로 앞을 보면 강물에 비친 달.
보름달이 얼마 남지 않았다.
구원의 괴로운 눈빛.

#타이틀	< 알을 깨다 >

S#4.	**미래 투자 대표실 (밤)**

어둠 속, 모니터 불빛만이 밝히는 사무실.

의자에 앉은 석훈, 기억을 떠올려 보는데….

인서트   *사무실에서 사라진 구원과 도희. (7화 39씬)*

인서트   *병실, 창백한 구원의 손을 들어 자신의 손목에 대는 도희. (8화 12씬)*

인서트   *도희의 사무실에서 도희의 손목을 잡고 있는 구원. (9화 25씬)*

인서트   *미래 F&B 옥상 정원에서 대화하는 구원과 석훈. (9화 29씬)*

구원   난 도도희가 필요해.

현재로 돌아오면 석훈, 표정 심각하고…
인터넷에 '악마', '데몬' 의 키워드를 연달아 쳐 보는 석훈.
'악마에게 홀린 인간', '제물로 바쳐진 여자', '악마를 숭배하
는 이교도들' 등등 부정적인 내용과 함께 섬뜩한 삽화들이
어지러이 스치고…
충격에 한 손으로 얼굴을 쓸어내리며 한숨 쉬는 석훈.

S#5.   **석민 집 홈시어터 (밤)**
홀로 어두운 홈시어터 의자에 앉은 석민.
담배를 피우며 광철의 2G폰으로 도청을 듣는데.

복규	(E) 뭐 찾아? (구원이 책상 서랍을 뒤지는 소리 들리고) 범인 죽었다며. 그럼 이제 다 끝난 거 아니야?

구원이 마이크를 손에 쥐는 마찰음에 이어 '치직-' 하는 백색
소음만이 들리자 전화 종료 버튼을 누르는 석민.
'똑, 똑' 노크 소리 들리자 2G폰을 주머니에 넣고는.

석민	들어와.

문 열고 들어서는 세라, 손에 서류 봉투를 들었다.

세라	(다가와 석민에게 봉투를 건네며) 아까 낮에 도도희한테서 왔어요.

봉투를 받아 서류를 꺼내는 석민.
상속 포기 서류다.

세라	(안도하는) 다행히 도도희가 약속을 지켰네요. 축하해요, 여보.
석민	(냉랭한) 축하는 무슨. 처음부터 당연히 내 거였던 걸 되찾아 온 것뿐인데.
세라	(눈치 보며 말 바꾸는) 그러니까요. 당신이 너무 고생했어요.

미소 지어 보이고는 홈시어터를 나서는 세라, 뒤돌자마자 미
소 사라진다.
석민, 싸늘한 눈빛으로 서류를 보며 회상에 잠기면….

S#6.　　　　**주천숙 자택 정원 (낮) - 회상**

정원 테이블에 앉은 석민의 손에 들린 신문.
'미래 전자 산재, 첫 공식 인정'이라는 헤드라인 아래 지팡이를 놓고 무릎 꿇은 천숙의 사진이 보인다.
맘에 들지 않는 듯 미간을 찌푸리며 담배를 피워 무는 석민.
담뱃갑 옆에 놓인 미래 전자 로고가 박힌 녹음기를 들어 만지작대는데…
그때 저만치 천숙의 차가 멈추고 천숙과 나란히 차에서 내리는 어린 도희.

천숙　　　(지팡이를 짚고 집 앞에 서더니) 여기가 앞으로 네가 살 집이다.

도희, 어리지만 만만치 않은 눈빛으로 집을 올려다보고…
그 모습을 보며 중얼거리는 석민.

석민　　　너구나? 어머니의 면죄부가….

석민, 담배를 비벼 끄며 녹음기를 주머니에 넣고.

천숙　　　(도희에게) 이제부터 우리가 네 가족이라고 생각해.
어린 도희　(집에서 시선 떼지 않은 채) 처음엔 다들 그랬어요. 돈 떨어지기 전까진.
천숙　　　뭐 나도 대단히 널 이뻐하겠다거나 애정을 쏟겠다는 건 아니다.
어린 도희　그런 건 기대도 안 해요.

천숙, 시니컬한 어린 도희의 옆모습을 가만히 보는데.

석민   (off) 어머니.

천숙과 어린 도희가 뒤돌면 어느새 다가와 선 석민.

천숙   거기 있는 줄 몰랐네.

석민   (장난스레) 원래 어머니는 저에 대해 잘 모르시잖아요. (도희에게
다가가 미소 지으며) 네가 도희구나? 잘해 보자.

석민, 손 내밀어 악수를 청하면, 말없이 도전적인 눈빛으로
석민을 올려다보는 어린 도희.

S#7.   **석민 집 홈시어터 - 도경의 차 안 (밤)**

회상에서 빠져나온 석민, 서류를 책상 위에 내려놓고 휴대폰
을 들어 보면 천숙과 석민이 함께 찍은 사진이 배경 화면이다.
한편 석민의 집 주차장에 들어서는 도경의 차 안.
도경, 시동을 끄고 차에서 내리려는데 어둠 속 저절로 빛을
발하는 휴대폰.
도경, 휴대폰에 시선 뺏기고…
휴대폰을 열어 '집행자'와 나눈 문자를 보는 석민.

집행자   '왜 연락이 없어요. 설마 관두는 거 아니죠.'

하는, 광철의 문자 아래 보이는 석민의 답장.

문자 　　　'접속해.'

휴대폰을 든 채 긴장한 얼굴로 석민이 보는 것과 같은 휴대
폰 화면을 보는 도경.
석민의 휴대폰은 좀비폰이고 도경의 휴대폰은 그걸 복사한
복사폰임이 드러난다.
석민, 무표정한 얼굴로 광철과의 문자를 삭제하기 시작하면.

도경 　　　?

삭제되는 문자를 보며 일그러지는 도경의 표정.

S#8. 　　**도희 집 거실 (밤)**
어두운 얼굴로 집에 들어서는 구원.
저만치 주방에서 뭔가 달그락거리는 소리에 가 보면 엉망인
주방 풍경 속 뒤돌아선 채 뭔가에 열심인 도희의 뒷모습.

구원 　　　이게 다 뭐야?

도희 　　　(뒤돌아 구원 보더니 환히 웃으며) 나 케이크 만들었어.

도희, 구원 눈앞에 케이크를 들어 보이면 마치 핼러윈 케이크

처럼 해골과 거미줄 데코가 익살스럽다.

구원	할로윈은 이미 지난 걸로 아는데.
도희	너 생일이 언제야?
구원	없어. 그런 거.
도희	그래? 네가 하도 크리스마스 부러워하길래 생일 케이크 만들어 주려고 연습한 건데. (고민하는) 그럼 뭐라고 쓰지? 메리 데몬은 이상하고… 그냥 이름이나 써야겠다.

뒤돌아 짤주머니로 케이크 위에 숫자 '91'을 쓰기 시작하는데… 구원, 그런 도희를 보더니 뒤에서 끌어안으면.

도희	(살풋 뒤돌아보며) ?
구원	충전.
도희	무슨 일 있어?
구원	아니. 일은 무슨.

가볍게 대답하는 목소리와 달리 도희를 안은 구원의 표정이 슬픈데….

도희	아닌 게 아닌데…. (뒤돌아 구원을 보면)
구원	(애써 웃어 보이고)
도희	(그런 구원의 표정을 살피며) 급하게 가더니 어디 다녀온 거야?
구원	극장에 일이 좀 있어서. 박 실장님이 또 어찌나 징징대던지.

도희	심각한 일이야?
구원	아니. 다 해결했어.
도희	(정말인가 싶은데)
구원	난 뭐든 전문가가 해야 한다고 생각해. 그러니까 케이크는 사 먹고 나랑 놀자.
도희	여깄잖아, 전문가. 미래 F&B 대표 도도희. 전혀 못 믿는 그 눈 빛은 뭐지? (포크로 잘라 구원 앞에 내밀며) 자. 한번 느껴 봐. 전문 가의 손길.
구원	(먹고는 순간 표정 굳지만 금세 표정 관리하며 삼키고)
도희	(기대감 어린 표정으로 구원 보며) 어때?
구원	끝내 줘. 역시 전문가는 다르네.
도희	거봐. 그렇다니까. 그럼 나도 한입…. (하고, 본인도 맛보려 하면)
구원	(케이크 확 치우며) 먹지 마.
도희	?
구원	아까워서 못 먹겠네. 이건 눈으로 먹는 게 좋겠어.
도희	그 정도라고?
구원	그 이상이야.
도희	뭐 정 그렇다면….

도희, 가 버리는 척하다 휙 돌아 재빨리 손가락으로 찍어 맛 보더니.

도희	으악. 어떡해. 소금이랑 설탕을 헷갈렸나 봐.
구원	(너스레) 그래서 맛있었구나~?

도희	거짓말.
구원	진짜야. (아예 본격적으로 포크를 들고 먹는) 이거 팔아도 되겠네. 너네 회사 상품으로 내는 거 어때? 요즘 소금빵도 유행인데.
도희	(케이크 치우며) 그만 먹어.
구원	왜~ 맛있는데~

케이크를 들고 실랑이하는 두 사람.
점프하면 주방 식탁 위 거의 다 먹고 크림으로 쓴 '91' 부분만 남은 케이크.

S#9. **도희 집 테라스 (밤)**
나란히 테라스에 선 채 야경을 보고 선 구원과 도희.
따뜻한 차가 담긴 잔을 든 도희, 테라스에 기대 바깥 공기를 들이마시며.

도희	음~ 좋다~ 밤 냄새.
구원	고소공포증은 이제 괜찮은 거야?
도희	글쎄. 근데 네 얼굴만 보면 무서운 게 사라져. 역시 수호신이라 그런가?
구원	(씁쓸한 표정 숨기려 앞을 보며) 만약 내일 지구가 멸망한다면 넌 뭘 하고 싶어?
도희	지구가 왜 멸망하는데?
구원	그냥… 그 어떤 운명의 장난질로.

도희	운명의 장난질…? 그럼 내가 아무리 발버둥 쳐도 어쩔 수 없는 거네? 싫다. 내 세상이 끝나게 생겼는데 난 아무것도 못 한다니.
구원	… (그 역시 슬픈 눈빛 되는데)
도희	그럼, 난 그냥 너랑 집에 처박혀서 게으름이나 피울래. 늦잠도 실컷 자고 시시껄렁한 농담이나 하면서. 마치 그런 날이 영원히 계속될 것처럼 아주 어리석고 별 볼 일 없는 하루를 보낼 거야. 그게 운명의 장난질에 놀아나지 않는 나의 최선이니까.
구원	또?
도희	또? 그럼… 너랑 하루 종일 걸어 다녀야지. 당장 내일이면 망할 이 세상의 구석구석을 기억 속에 잘 박제해 둘 거야.
구원	또.
도희	무슨 하루가 그렇게 길어~
구원	나랑 말고 너 혼자 하는 건 없어?
도희	없어. 마지막 날인데 너랑 있어야지.

그 말에 구원 가슴 아프고….

구원	우리 오늘 밤샐까?
도희	왜?
구원	그냥… 오늘은 왠지 자는 게 아깝네.
도희	안 돼. 내일 출근해야지.
구원	(장난스레 도희 귀에 대고 속닥이듯) 내일의 일은 내일의 너에게 맡겨.

오늘의 도도희는 그냥 밤새 신나게 노는 거야.

도희   (간지러워하며) 뭐 하는 거야.

구원   악마의 유혹.

도희   (웃음 터지는) 좋아. 내가 또 밤새는 건 얼마나 잘하는데.

구원   뭐든 잘하는 도도희. 밤새는 것까지 잘할 줄이야.

도희, 장난스레 거만한 표정 짓고….

S#10.   **도희 집 거실 (밤)**

이내 불 꺼진 거실에 나란히 앉아 영화를 보는 두 사람.
공포 영화의 긴장감 넘치는 음악이 흘러나오고 도희는 팝콘
을 먹는 둥 마는 둥 모니터에서 눈을 떼지 못하는데…
도희, '헉!' 놀라자 감흥 없이 옆에 앉았던 구원.

구원   내 얼굴만 보면 무서운 게 사라진다더니.

도희   수호신도 공포 영화는 못 이기네.

구원   넌 저런 게 무서워?

도희   (구원 보며) 그럼 넌 뭐가 무서운데?

구원   … (말문 막히고)

도희   하긴. 데몬인 네가 뭐가 무섭겠어. 사람들이 널 무서워하면
모를까.

도희, 다시 화면으로 고개 돌리는데 무서운 게 튀어나왔는지

효과음과 함께 비명 소리 들리고…
놀라 튕겨 오르듯 팝콘을 허공에 흩뿌리는 도희.
도희, 놀란 가슴 진정시키며 옆을 보면 팝콘을 맞은 채 무표
정하게 앉은 구원. 그런 구원의 모습에 도희, 웃음 터지고.
이내 엔딩 타이틀이 올라가는 모니터.

구원   끝까지 시시하네.

하는데, 구원의 어깨에 고개를 '툭' 기대는 도희.
구원이 보면 도희는 잠들었다.

구원   (피식) 밤새는 거 잘한다더니.

도희 손에 들린 팝콘 상자를 조심스럽게 빼주는 구원, 잠든
도희의 얼굴을 가만히 보는데 그 표정이 너무도 평화롭다.

구원   (그런 도희를 보며) 내가 무서운 건 이 세상에서 네가 사라지는
거야. 무서워. 너 없는 세상이….

구원의 아픈 눈빛.

S#11.   도희 집 침실 (밤)
침대에 도희를 눕히는 구원, 조심스레 이불을 덮어 주고 방을

나서려는데… 살풋 잠에서 깬 도희.

도희	(잠결에) 정구원 가지 마… 내 옆에 있어.
구원	도도희… 나 이제 네 옆에 못 있어.
도희	왜…?
구원	떠날 거야. 멀리… 네가 못 오는 곳으로.
도희	찾아갈 거야… 나 너 포기 안 해….

그 말에 구원의 눈빛 흔들리고….

S#12.   **도희 집 테라스 (밤)**
홀로 테라스 끝에 선 채 보름달이 되기 직전인 달을 보고 선
구원.

구원   보름달….

복잡한 표정으로 생각에 잠기는데….

S#13.   **홀덤 바 (밤)**
홀덤 바 테이블에 앉아 사람들과 게임을 하는 노숙녀.
뒤에 누군가 다가와 서는 기척에 돌아보면 구원이다.
점프하면 단둘이 마주 보고 앉은 두 사람.

구원	도박을 밤새도록 하는 거야? 그러니 세상이 이 모양이지.
노숙녀	난 선택을 좋아해. 나의 선택이 어떤 예상치 못한 결과를 내는지 지켜보는 맛이 있거든. (다가온 직원에게) 늘 마시던 걸로 두 잔.
구원	난 레드 와인. 네가 도박을 좋아하듯 난 와인을 좋아해. 와인을 '신의 눈물'이라고들 하잖아.
노숙녀	난 절대 울지 않아.
구원	절대라는 말을 그렇게 함부로 하는 게 아니더라고.
노숙녀	(구원의 표정을 살피더니) 아까는 죽상을 하고 돌아가더니 그새 눈빛이 달라졌네?
구원	난 누구도 포기 못 해. 도도희와 나, 둘 다 선택할 거야.
노숙녀	뭐 대단한 방법이라도 찾았나 보지? (게임판을 살피며) 소용없어. 한쪽이 따면 한쪽은 잃는 게 규칙이야.
구원	네가 그랬잖아. 규칙은 네가 만들었지만 선택은 인간들이 한다고. 내 선택은 끝까지 발버둥 치는 거야.
노숙녀	인간이 다 됐네. 부질없는 걸 알면서도 발버둥 치고.
구원	(착잡한 얼굴로 상념에 잠기는) 그러게. 이런 게 인간이었지… (자리에서 일어나 나가려다 말고) 나랑 내기할래?
노숙녀	?
구원	내가 능력을 되찾고 도도희도 살면 네가 지는 거야.
노숙녀	절대 그럴 리 없다니까.
구원	내가 말했지? 절대라는 말은 함부로 하는 게 아니라고.

구원, 가 버리면 그 뒷모습을 보는 노숙녀.

노숙녀	인간들은 항상 저렇다니까… 안쓰럽게도.

슬픈 눈으로 주사위를 던지는 노숙녀.

S#14.   **선월극장 이사장실 (밤)**
초조하게 멈춰 버린 시계를 보고 선 복규.
문 열리고 구원이 들어서자 다급히 다가와.

복규	어떻게 됐어? 그 노숙년가 노숙잔가 뭘 알고 있긴 해?
구원	몇 시라고 했지? 도도희랑 내가 바다에 빠진 시간.
복규	자정 직후니까 12시 반쯤?
구원	자정 직후…. (눈을 빛내며 생각에 잠기면)
복규	타투 찾으러 가게? 그렇게 하면 된대? 하아~ 다행이다~ 난 또 영 방법이 없는 줄 알고…. (가슴 부여잡고 안도하는데)
구원	박 실장님. 혹시라도 내가 안 돌아오면 박 실장님이 선월재단 이사장 해.
복규	(불길한) 이사장….
구원	내 물건들은 경매에 부쳐서 새로 뽑은 차 할부 갚든가 하고 가영이한텐… 그냥 어디 멀리 갔다고 대충 둘러대.
복규	왜 그래… 누가 보면 이사장 죽으러 가는 줄 알겠네.
구원	죽긴 누가 죽어. 혹시라고 했잖아.

아무렇지 않은 척 가벼운 말투와 달리 비장한 구원의 눈빛.

S#15.	**도희 집 침실 (낮)**
	어느새 아침이 밝은 침실. 도희가 잠에서 깨면 옆자리가 텅 비었다. 자리에서 부스스 일어나 앉는 도희.

S#16.	**도희 집 거실 - 도희 집 손님방 (낮)**
	도희, 침실에서 나오면 구원은 없고 텅 빈 거실. 구원을 찾아 손님방 문을 열어 봐도 텅 비었다.

도희   정구원….

도희, 불길한 표정으로 거실로 나서는데…
저만치 열린 테라스 문. 도희, 테라스를 향해 걸어가면….

S#17.	**도희 집 테라스 (낮)**
	난간 앞에 선 구원의 뒷모습.

도희   (그제야 안도하며) 여기 있었어?
구원   (돌아보고 미소 지으면)
도희   난 또 어디 가 버린 줄 알았잖아.
구원   (다가와 도희의 허리에 손을 감으며 마주 보는) 가긴 내가 어딜 가.
도희   꿈을 꿨는데 네가 멀리 떠난다고 했어.
구원   어떻게 알았지? 오늘 우리 여행 가는데.

도희	여행?
구원	나랑 속초 가자.
도희	(의아한) 갑자기 속초는 왜···.
구원	오늘 밤 보름달이 뜰 거야. 타투가 너한테 옮겨간 날도 보름달이 떴어.
도희	설마··· 타투가 돌아오는 거야? (눈 빛내면)
구원	(끄덕)
도희	꺄~ (구원의 목을 끌어안으며) 잘됐다! 그런 방법이 있을 줄이야!

좋아하던 도희, 갑자기 몸 떼고 구원 보더니.

도희	신혼여행!
구원	?
도희	우리 신혼여행 안 갔잖아. 이게 우리 신혼여행이야.

구원, 웃음 터지고, 그런 구원에게 환히 웃어 보이는 도희.

S#18.   **미래 F&B 사무실 (낮)**
각자 자리에 앉아 업무를 보는 홍보팀 삼인방.
다들 눈은 모니터에 시선 고정한 채 입으로만 떠든다.

한성	오늘따라 유난히 평화롭네요. 마치 세상이 한 치의 오점과 문제도 없이 굴러가는 것처럼.

한 팀장	오늘 주주총회에서 노석민 대표가 회장이 되게 생겼는데 왜 한 치의 오점과 문제가 없어?
정미	그게 우리랑 뭔 상관이에요.
한 팀장	상관 엄청 있지. 회장님 직속 라인이 될 절호의 기회가 날아 갔잖아.
한성	아~
한 팀장	크으… 나의 미래가 미래 그룹 임원으로 바뀌는 순간이었는데….
정미	대표님이 회장 돼도 한 팀장님은 임원 못 돼요.
한 팀장	내가 어때서? 나만 한 인재가 어딨다고?
정미	모르면 됐어요. 모르는 것도 복인데.
한 팀장	뭐가 됐는데? 말해 줘. 나 그것만 고치면 임원 될 수 있는 거야?

그때 들뜬 표정으로 혼자 사무실에 들어서는 도희 보이고…
앞을 지나는 도희에게 인사하는 홍보팀들.

한성	좋은 아침입니다~
도희	네~ 좋은 아침.
한 팀장	대표님, 오늘도 화이팅입니다!
정미	(영혼 없이) 화이팅.
도희	여러분들도 화이팅!

밝게 인사하는 도희에게 다가와 서는 신 비서.

신 비서	말씀하신 대로 오늘 오후 일정은 정리했습니다.

| 도희 | 수고하셨어요. |

신 비서, 깍듯이 묵례하면, 도희 역시 깍듯이 묵례하고 서로 반대편으로 걸어가는데… 멈칫 걸음 멈추는 도희.
포장마차에서의 기억이 도희의 뇌리를 스친다.

| 인서트 | **_술에 취해 신 비서를 부둥켜안고 우는 도희._** |

| 도희 | _언니이~ 내가 그동안 야근 많이 시켜서 미야내~_ |

신 비서 역시 걸어가다 멈칫 걸음 멈추면 뇌리를 스치는 기억.

| 인서트 | **_술에 취해 들이받는 신 비서._** |

| 신 비서 | _도도희. 너어~ 똑바로 하세요._ |

모든 게 기억나 버린 두 사람, 천천히 뒤돌아보면 눈이 마주치고…
동시에 확 고개 돌려 외면하고 황급히 갈 길을 가는 두 사람.

| S#19. | **미래 F&B 대표실 (낮)** |

잰걸음으로 대표실에 들어선 도희, 문을 '쾅' 닫고 등을 기대선 채.

도희   역시 술이 웬수야….

기억나 버린 흑역사에 괴로운 도희.

S#20.   **미래 F&B 휴게실 (낮)**
           역시나 잰걸음으로 휴게실에 들어서는 신 비서.
           논스톱으로 창고에 들어가더니 문 '탁!' 닫히고.

신 비서   (off) 으아아악~!

           신 비서의 포효에 커피 잔 들고 들어서던 홍보팀, 놀라 굳어
           서는데… 이내 문 열리고 태연한 표정으로 창고를 나서는 신
           비서. 홍보팀의 놀란 눈빛 마주하더니.

신 비서   쥐가 있어서. (가 버리면)
한 팀장   또?

           정미, 또다시 비장한 표정으로 슬그머니 빗자루를 집어 들
           고… 그 뒤에 겁먹은 표정으로 붙어서는 한 팀장과 한성.

S#21.   **한의원 (낮)**
           한의원 의자에 눕듯이 앉아 머리에 침을 맞는 수안.

수안	(의사가 침을 놓자) 아! 원래 이렇게 아파요? 나 머리에 뭐 문제 있는 거 아니야?

호들갑 떠는 수안에게 다가와 귀에 대고 속닥이는 비서.

수안	결국 서류에 사인까지 했대? 도대체 무슨 속셈인데에~? 나보다 몇 수 앞을 내다보는 이 기지배를 내가 도저히 이길 수가 있어야지. 선생님! 머리 좋아지게 침 좀 팍팍 놔주세요. 도파민이 아주 팍팍 돌게.

여전히 도희의 진의를 의심하는 수안.
의사가 침을 놓자 또다시 '아!' 소리 지르며 요란하게 아파한다.

S#22.   **석민 집 홈시어터 (낮)**
한 손에 불붙은 담배를 든 채 책상 위에 놓인 상속 포기 서류를 찌푸린 표정으로 보고 앉은 도경.
짜증나는 듯 빙글 의자를 돌려 복사폰을 꺼내 들더니 배경화면 속 천숙과 석민을 노려보는데…
문 열리며 한 줄기 빛이 비쳐 들자 의자 돌려 돌아보는 도경.
문 앞에 선 사람은 석민이다.
석민, 놀라 굳은 도경의 손에 들린 복사폰을 보더니.

석민	아직 정리 안 했니?

도경	네?
석민	여자애들 말이야.
도경	아… 정리했어요.

숨기듯 복사폰을 주머니에 넣고는 담배를 비벼 끄고 자리에서 일어나는 도경.

도경	여기 쓰시게요?

하지만 석민, 대답 없이 도경을 보고 두 사람 사이에 긴장감이 흐르는데…
이를 모른 채 문 앞에 다가와 서는 세라.

세라	식사하세요. 중요한 날인데 든든하게 먹어야죠. 도경이 너도.
도경	네.

고개 숙여 석민의 시선 피하듯 홈시어터를 빠져나가는 도경.
세라는 석민이 나오길 기다리고 섰는데… 저만치 책상 위 도경이 비벼 끈 담배를 보는 석민의 싸늘한 눈빛.

S#23.   **선월극장 이사장실 (낮)**
책장 앞에 선 채 슬픔에 잠긴 표정으로 '선월재단의 역사'를 펼쳐 보는 복규.

연혁 속 다양한 구원 사진을 보며 상념에 젖는다.

인서트   **이사장실에서 구원에게 설명을 듣고 충격에 빠진 복규.**

복규   보름달이 되기만 눈 빠지게 기다렸는데… 그게 그런 기한이
       었다니. *(고개 들어 구원 보며)* 근데 물에 빠졌는데도 타투가 안
       돌아오면…? 그럼 어떡해?

구원   *그럼… 도도희는 날 만나기 전의 일상으로 돌아가고 난 캠프
       파이어로 뜨겁게 생을 마무리하는 거지. (쓸쓸하게 웃어 보이면)*

복규   *(흔들리는 눈빛으로 구원을 보는)* 이사장….

       현재로 돌아오면 한숨 쉬며 구원의 사진을 어루만지는 복규.

복규   이사장은 끝까지 센 척이야… *(눈물이 나오려는 걸 꾹 참으며)* 내가
       울면 안 되지. 이사장이 저렇게 씩씩한데.

       복규, 책장에 책을 꽂고 뒤도는데 문 앞에 쌍검을 쥔 채 기대
       선 가영.

복규   깜짝이야!

가영   *(말없이 꿰뚫듯 복규를 보면)*

복규   우리 진스타 발걸음이 어찌나 사뿐한지 오는 줄도 몰랐네?

       복규, 가영을 빙글 피해 돌아 나서려는데.

가영	또 지난번처럼 다 끝나고 나서 알게 할 셈이야?
복규	뭘?
가영	이사장한테 생긴 문제.
복규	문제는 무슨. 아무 문제없어.
가영	(한숨) 이사장… 내 공연 볼 수 있기는 한 거지?
복규	그러엄~ 당연히 볼 수 있지. 꼭 돌아올 거야, 우리 이사장. 돌아오고말고….

참지 못하고 눈물을 글썽이기 시작하는 복규에 가영, 심상치 않구나 싶고….

S#24.   **선월극장 이사장실 앞 (낮)**
이내 문이 '쾅!' 열리고 눈물이 그렁한 채 뛰쳐나가는 가영.
뒤에서 복규가 소리친다.

복규	진스타! 걱정 마! 타투도 이사장도 돌아올 거야. 돌아와야 돼… 꼭….

저 자신조차도 믿지 못할 말을 되뇌는 복규다.

S#25.   **형사과 (낮)**
광철의 까맣게 타버린 사체에 단도가 꽂힌 사진과 냉동고에서 발견된 시체 사진이 연이어 붙은 칠판.

박 형사가 광철 사체 사진 앞에 선 채 생각에 잠겼는데…

뒤를 지나던 이 형사, 그 모습을 보더니 옆에 서며.

이 형사	뭐 짚이는 거라도 있으세요?
박 형사	(여전히 앞을 본 채) 기광철이 정구원 씨 습격했을 때 범행에 쓴 흉기 말야… 그거 아직 안 나왔지?
이 형사	네. 근방을 샅샅이 뒤졌는데 결국 못 찾았죠.
박 형사	정구원 씨가 칼을 맞은 부위가 (자신의 가슴을 손바닥으로 짚으며) 여기, 심장부잖아. 전소된 기광철 사체에 칼이 꽂힌 위치도 여기고, (이 형사 보며) 우연치곤 너무 기가 막히지 않냐?

의구심에 사로잡힌 박 형사의 표정인데.

구원	(off) 우연이 아니니까.

놀라 고개 돌려 뒤에 선 구원을 보는 박 형사와 이 형사.

S#26.   **형사과 회의실 (낮)**

구원과 마주 앉은 박 형사, 미심쩍은 눈빛으로.

박 형사	안 그래도 찾아뵈려던 참인데 마침 오셨네요.
이 형사	(믹스커피를 들고 와) 자~ 이거 한 잔씩들 하시면서… (박 형사 앞에

놓고 구원 앞에도 놓으려고) 아참, 이런 하찮은 건 안 드시지? (잔 도
로 거둬 가려 하면)

냉큼 잔을 들어 '호록' 마시는 구원.
이 형사, 그런 구원을 의아하게 보는데.

구원   (태연히 박 형사를 보며) 교통정리가 필요할 거 같아서.
박 형사   교통정리요?
구원   죽은 기광철 가슴팍에 꽂힌 칼 말이야.
박 형사   (긴장하는데)
구원   기광철이 날 죽이려고 할 때 썼던 칼이야.

박 형사, 역시나 싶고 이 형사 놀라는데.

구원   나한테는 기광철을 죽일 만한 동기가 충분하긴 하지만 난 아
           냐. 굳이 말하자면 한발 늦었지. 죽기 전에 아주 혼쭐을 내줬
           어야 하는데… 여튼, 그날 난 도도희랑 같이 집에 있었으니까
           알리바이는 확실해. 필요하면 CCTV 확인해 보던가.
박 형사   우리가 정구원 씨를 용의자로 특정한 것도 아닌데 이렇게 먼
           저 말씀하시는 이유가 뭐죠?
구원   난 그 칼이 나에게 하는 경고라고 생각해. 하지만 만약 그 경
           고가 도도희를 향한 거라면… 도도희가 또다시 위험할 수도
           있어. 그러니까 부탁해. 도도희가 안전할 수 있게. (박 형사와 이
           형사를 보며) 두 사람, 생긴 거랑 다르게 무능하지만은 않잖아.

도희를 부탁하는 구원의 진심 어린 표정.

S#27.   **미래 F&B 대표실 (낮)**
          모니터를 보며 심각한 표정으로 업무에 집중한 듯한 도희.
          보면 열심히 속초 여행 코스를 짜는 중이다.

도희   대관람차는 너무 클래식한가? (고민하다) 그래서 좋은 거지. 오
          케이. 대관람차 타고 저녁 먹는 코스로. (시계 보더니) 정구원은
          많이 늦나?

          그때 휴대폰이 울려서 보면 모르는 번호다.

도희   (전화 받는) 네.
가영   (E 무거운 목소리) 진가영이에요.
도희   ?
가영   (E) 얘기 좀 해요.

S#28.   **미래 F&B 앞 (낮)**
          전화를 끊고 미래 F&B 건물을 올려다보는 가영.
          그 눈빛이 차갑다.

S#29.   미래 F&B 옥상 정원 (낮)

옥상 난간 앞에 나란히 마주 보고 선 도희와 가영.

가영   타투 찾으러 간다면서요.

도희   아… 네.

가영   도도희 씨는 이사장이 능력을 찾기 바래요?

도희   그럼요. 당연하죠.

가영   만약… 오늘 실패하면 어떻게 할 거예요?

도희   무슨 말이에요. 실패한다니?

가영   물속에 뛰어들었는데도 타투가 돌아오지 않으면요. 그럼 어
       떻게 할 거냐고요.

도희   그럴 리 없어요.

가영   이사장이 그래요? 반드시 돌아온다고?

도희   …

가영   (한숨) 실패하면 이사장은 당신을 대신해서 죽을 생각이에요.

도희   네? 그게 무슨….

가영   오늘 밤 타투가 돌아오지 않으면 이사장은 죽어요. 하지만 당
       신이 죽으면 이사장에게 타투가 돌아오죠.

도희   !

가영   (가방에서 약통을 꺼내 내밀며) 독극물이에요. 몇 알만 먹어도 치사
       량이죠.

도희   (흔들리는 눈빛으로 약통을 보면)

가영   부탁이에요. 이사장을 구해 줘요.

구원   (off) 진가영!

구원의 목소리에 가영, 약통 숨기고…

도희, 놀라 돌아보면 어느새 저만치 뒤에 나타난 구원.

성큼 걸어와 가영 앞에 서더니 불안한 눈빛으로 가영 보며.

구원	너 지금 여기서 뭐 하는 거야?
가영	…
도희	정구원….
구원	(도희 보면)
도희	그게 사실이야? 오늘 밤 실패하면 네가 죽는다는 거?
구원	(화난 눈으로 가영을 쏘아보며) 가영이 너….
가영	난 그냥 사실을 알려 줬을 뿐이야.
구원	(화 누르며) 저딴 말 들을 필요 없어. 가자. (도희 손잡고 가려 하면)
도희	(손 뿌리치며) 대답해! 그게 사실이냐고!
구원	…
도희	(아무 말 못 하는 구원의 표정에) 말도 안 돼….

도희, 망연자실한데…

그런 도희의 손을 덥석 잡는 가영.

가영	도도희 씨가 이사장을 위해 할 수 있는 유일한 건 죽는 거예요. (구원 몰래 도희 손에 약통을 쥐여 주고)
구원	(약통 보지 못한 채 가영 어깨 잡고 떼어 내며) 그만해, 진가영!
가영	이거 놔!
구원	(떼어 낸 가영에게 소리치는) 내가 선 넘지 말라고 했지!

가영	… (원망스러운 눈빛으로 구원을 보면)
구원	(흥분 가라앉히고 도희를 보며) 도도희…. (도희에게 다가서는데)

뒤로 물러나며 구원을 거부하는 도희.
구원, 걸음 멈춘 채 안타까운 눈빛으로 도희를 보면.

도희	나 지금 너무 혼란스러워. 생각할 시간이 필요해.

도희, 뛰쳐나가고…
구원, 그런 도희를 쫓으려는데, 가영, 구원의 팔을 잡으며.

가영	난 지금 이사장을 살리려는 거야.
구원	(차갑게 가영을 보며) 착각하지 마. 넌 나한테 아무것도 아니야.

구원, 가영의 손을 뿌리치고 도희를 쫓아 달려가면…
상처 받은 눈빛으로 구원의 뒷모습을 보고 선 가영.

S#30.	**미래 F&B 주차장 (낮)**

건물에서 튀어나오는 구원.
저만치 도희가 탄 차가 출발해 주차장을 빠져나가 버리고…
멈춰 선 채 허탈한 표정으로 멀어지는 도희의 차를 바라보는
구원.

S#31.　　　　도희의 차 안 (낮)

　　　　　　혼란스러운 눈빛으로 운전하는 도희.

S#32.　　　　한강변 - 도희의 차 안 (낮)

　　　　　　2화에 구원과 함께 빠졌던 한강변에 세워진 도희의 차.

　　　　　　차 안에 홀로 앉은 도희는 아무것도 믿을 수 없는 표정인데…

　　　　　　이내 결심한 듯 시동을 걸고 차를 출발하는 도희.

　　　　　　'부웅-' 출발하는 도희의 차.

S#33.　　　　선월극장 이사장실 (낮)

　　　　　　소파에 두 손을 모으고 앉아 죄인처럼 눈치 보는 복규.

　　　　　　그 앞에 앉은 도희 보이면.

도희　　　사실이에요? 오늘 밤 타투가 돌아오지 않으면 정구원이 죽는
　　　　　다는 게?
복규　　　네… 이사장도 어젯밤에야 알았어요.
도희　　　그래서 정구원이 어제 그렇게….

　　　　　　가슴 아픈 눈빛으로 절망하는 도희.

S#34.　　　　도희 집 거실 (낮)

그늘진 얼굴로 앉은 구원.
도어 록 열리는 소리에 벌떡 일어나는데…
거실에 들어서는 도희, 구원을 보고 걸음 멈추면.

구원   (미안한 얼굴로) 도도희….

도희   속초 가자.

구원   …

도희   무슨 수를 쓰든 타투 돌아오게 하자. 우리가 어떻게 살아남았
          는데 이렇게 시시하게 죽어 버릴 순 없어. 바다에 백 번을 빠
          지든 천 번을 빠지든 내가 꼭 타투 너한테 돌아가게 만들 거
          야. 내가 무슨 짓을 해서라도 꼭….

          그런 도희를 와락 끌어안는 구원.

구원   나도 무슨 짓이든 할게. 타투 꼭 돌아오게 하자.

          슬픈 눈으로 서로를 꼭 끌어안은 두 사람.

S#35.   **선월극장 앞 (낮)**
          힘없이 터덜터덜 걸어가는 가영. 저만치 앞에 차를 세우고 기
          다리고 선 석훈 보고 걸음 멈추면…
          가영을 보고 다가오는 석훈, 앞에 서자마자.

석훈	도희가 위험하진 않나요? 도희 손목에 있는 타투 말이에요.
가영	그거야… 나도 모르죠.
석훈	… (걱정스러운데)
가영	하지만 분명한 건, 이사장이 만난 인간 중에 해피엔딩인 인간은 아무도 없다는 거예요. 결국 종착지는 지옥이죠. 현실에 남아 지옥을 살든가 영혼을 팔고 지옥을 가든가… (자신 역시 지옥을 사는 듯 슬픈 표정인데)
석훈	도희가 그렇게 되게 놔둘 순 없어요. 무슨 수를 쓰든 막아야 돼요.

가영, 시선 들어 석훈을 보면 절박한 석훈의 눈빛.
가영, 결심한 눈빛 되며.

가영	막으려면 오늘이 마지막 기회예요.
석훈	!

위기감에 사로잡히는 석훈의 눈빛.

S#36.   **도희의 차 안 (낮)**
도로 위를 달리는 차 안.
나란히 앉은 채 손을 잡은 구원과 도희.
두 사람의 꽉 잡은 손이 굳건하다.

S#37.   **속초 해안 도로 (낮)**

해안 도로를 달리는 도희의 차.

바다 너머로 해가 지기 시작하고.

S#38.   **바닷가 (해 질 녘 - 밤)**

바닷가에 앉아 일몰을 보는 구원과 도희.

도희   (애써 밝게) 그러고 보니 너 이제 생일 생기네~

구원   (도희 보며) ?

도희   완벽한 데몬으로 다시 태어나잖아. 어쩐지 케이크를 만들고
         싶더라니. 이번엔 제대로 만들자. 네 생일 케이크.

구원   기분이 괜찮네. 생일이란 게 생기는 것도.

         두 사람, 다시 앞을 보면 바다로 빠르게 떨어지는 태양.
         이내 태양이 바다에 잠기고 사방이 어두워진다.

도희   드디어….

         구원, 자리에서 일어나 도희에게 손 내밀면 손 잡고 일어서는
         도희.
         두 사람, 선 채 하늘을 올려다보면 환한 보름달.

구원   (도희 보며) 갈까?

| 도희 | (구원 보며) 가자. |

어두운 밤바다를 등지고 걸어가는 두 사람의 위로 검은 하늘을 밝히는 환한 보름달.

S#39.   **선월극장 이사장실 (밤)**
이사장실 창문 앞에 서서 보름달을 올려다보는 복규.
걱정스러운 눈빛으로 한숨짓고.

S#40.   **석훈의 차 안 (밤)**
운전하는 석훈과 그 옆 조수석에 앉은 가영.
가영, 시선 들어 하늘을 보더니 환한 보름달에 눈빛 초조해지고… 그런 가영에 석훈 역시 초조한 눈빛으로 속도를 낸다.

S#41.   **고층 빌딩 옥상 (밤)**
구원이 그랬듯 옥상 끝에 선 노숙녀, 발아래 도시의 밤 풍경을 내려다보며.

| 노숙녀 | 인간은 결국 하나를 잃고 하나를 얻는 선택을 하게 되지. 원하든 원하지 않든. 그게 인간의 숙명이야. |

냉정해 보이기까지 하는 노숙녀의 눈빛.

S#42.   **대강당 (밤)**
'제36기 미래 그룹 임시 주주총회'라고 쓰인 스크린 앞에 앉
은 석민, 세라, 수안.
사회자석에 선 이사 1, 마이크에 대고 말을 한다.

이사1   제36기 미래 그룹 임시 주주총회를 시작하겠습니다.

수안   (석민에게) 오빠, 이거 혹시 독이 든 성배 그런 거 아냐? 잘못 먹
         었다가 우리 나락 가는 거 아니냐고.

이사1   (off) 이사회는 회장 후보로 노석민 회장 직무 대행을 추천하
         였습니다.

석민   나락으로 떨어질 용기도 없이 올라갈 생각을 해서야 쓰나. (자
         리에서 일어나면)

수안   ? (의아한 눈으로 석민을 보고)

여유로운 표정으로 사람들에게 인사하는 석민.

수안   (석민이 인사하는 사이 세라에게) 도경이는요?

세라   오늘 몸이 좀 안 좋아서요.

수안   걔는 젊은 애가 몸이 부실해서 어떡해?

석민, 자리에 앉으면, 세라, 긴장된 표정으로 입 다물고.

이사1   노석민 후보의 회장 선임에 대한 찬반 투표를 시작하겠습니다.

전자 투표기로 투표를 시작하는 사람들.

S#43.   **도희의 차 안 (밤)**
도로를 달리는 도희의 차 안.

도희   지난번 한강에서 보단 잘해야 할 텐데. 이번엔 미리 말해 줘
서 고마워. (농담하면)
구원   (받아 치는) 이럴 줄 알고 미리 연습해 뒀지. (내비게이션 보더니)
이제 거의 다 왔어.

두 사람의 얼굴에 긴장감이 떠오르고….

구원   이제 모든 게 제자리로 돌아가는 거야.
도희   내 생일엔 엄마 아빠가 돌아가셨어. 죽지 말자. 오늘은 누구도.

도희, 구원을 향해 처연한 미소 지어 보이면 구원 역시 같은
미소 짓는데…
그때 '띵' 하고 울리는 알람음.
계기판을 보면 주유 경고등에 불이 들어왔다.

구원   이런….

난감한 표정의 구원과 도희.

S#44.   **셀프 주유소 (밤)**
주유구에 주유 건을 꽂는 구원.
도희는 차에서 내려 주유소를 둘러보는데 한쪽에 놓인 엽서
가판대가 보인다.
다가가 보면 속초의 풍경 사진으로 만들어진 엽서들.
그중 구원과 빠졌던 바다와 닮은 사진엽서를 한 장 집어 들
더니.

도희   (구원에게) 나 계산 좀 하고 올게.
구원   그게 뭔데?
도희   엽서. 중요한 날인데 기념해야지.
구원   끝나고 축하 파티하게 내 생일 케이크도 사지?
도희   적당한 게 있으려나~

밝은 표정으로 편의점으로 향하는 도희.
스르륵 저만치 어둠 속에 멈추는 차 한 대.
검게 선팅된 탓에 차 안이 보이지 않는다.

S#45.   **대포차 안 (밤)**
거친 숨소리 들리고 핸들을 꽉 쥔 누군가.

얼굴 보이면 식은땀을 흘리며 앞을 보는 도경이다. 하얀 셔츠를 입은 도경의 팔뚝에서 붉은 피가 배어 나오는데…
구원과 도희를 지켜보며 상처가 아픈지 팔뚝을 부여잡는 도경.
회상으로 넘어가면….

S#46.   **석민 집 홈시어터 (낮) - 회상**
숨기듯 복사폰을 주머니에 넣고는 담배를 비벼 끄고 자리에서 일어나는 도경.

도경   여기 쓰시게요?

하지만 석민, 대답 없이 도경을 보고 두 사람 사이에 긴장감이 흐르는데…
이를 모른 채 문 앞에 다가와 서는 세라.

세라   식사하세요. 중요한 날인데 든든하게 먹어야죠. 도경이 너도.
도경   네.

고개 숙여 석민의 시선 피하듯 홈시어터를 빠져나가는 도경.
세라는 석민이 나오길 기다리고 섰는데…
저만치 책상 위 도경이 비벼 끈 담배를 보는 석민의 싸늘한 눈빛.

S#47.   **석민 집 거실 (낮) - 회상**

홈시어터를 나와 거실로 향하는 도경. 주머니에 넣어둔 복사
폰에서 '위잉- 위잉-' 진동음 울리자 멈칫하는데…
복사폰을 꺼내 보면 발신자명 '집행자'다.
도경, 긴장한 눈빛으로 천천히 돌아보면…
뒤에 선 석민의 손에 들린 광철의 2G폰.
도경, 굳어서 움직이지도 못하고.

석민   내 휴대폰이 왜 너한테 있지? (태연히 자신의 주머니에서 무음으로
          울리는 휴대폰 꺼내 보이며) 내 건 여깄는데 말이야.

          복사폰을 내려다보던 도경, 숨 가빠지며 천천히 두려움에 찬
          시선 들어 석민을 보고…
          점프하면, 붉게 달궈진 벽난로에서 불쏘시개를 들고 가는 석
          민의 손.

석민   잊지 말라고 아무리 몸에 새겨 줘도 시간이 지나면 이렇게
          꼭 잊어버린다니까….

          바닥에 앉은 도경, 겁먹은 눈으로 주춤주춤 뒤로 물러나는데….

S#48.   **석민 집 홈시어터 (낮) - 회상**

문밖 너머에서 들려오는 도경의 고통스러운 비명 소리.

도경	(off) 으아아악!

이질적일 만큼 평온한 명상 영상이 나오는 모니터 앞에 앉은
세라.
떨리는 손으로 헤드폰을 들어 쓰는데…
공포에 질린 눈빛으로 애써 도경의 비명을 무시하는 세라.

S#49.   **석민 집 거실 (낮) - 회상**
바닥에 쓰러져 벌겋게 화상 입은 팔뚝을 움켜쥐고 신음하는
도경. 그 앞에 선 석민, 차가운 눈빛으로 도경을 내려다보며.

석민	내가 말했지. 난 널 어떻게든 고쳐 쓸 생각이라고.

석민의 말에 도경, 절망하고.

석민	증명해. 너의 가능성을.

도경을 내려다보는 석민의 감정 없이 차가운 눈빛.

S#50.   **대포차 안 (밤)**
회상에서 빠져나온 도경.
숨이 더욱 가빠지며 차창 밖 구원과 도희를 노려보더니 약통

을 꺼내 입에 약을 통째로 털어 넣는다.

다시 앞을 보는 도경의 눈에 광기가 떠오르고….

S#51.   대강당 (밤)

이사1   (off) 투표 집계를 하겠습니다.

선한 미소를 띤 채 결과를 기다리는 석민.

옆자리에 앉은 세라 역시 태연히 미소 짓고 있지만 얼굴이

미세하게 떨린다.

S#52.   무인 편의점 (밤)

무인 계산대에서 펜과 엽서를 계산하는 도희.

통유리 앞 스탠드 테이블 앞에 서더니 주머니에서 가영이 건

넨 약통을 꺼내 가만히 내려다보고….

S#53.   셀프 주유소 (밤)

빠르게 올라가는 주유기 숫자판.

주유 건을 잡은 채 도희 쪽을 보던 구원, 고개 들어 하늘에 뜬

보름달을 올려다보면 눈빛에 초조함이 어리는데.

S#54.   **대강당 (밤)**

투표 결과를 들고 단상에 서는 이사 1.

자신을 보는 석민에게 까딱해 보이고 결과를 알겠다는 듯 앞을 보는 석민.

석민의 그 자신만만한 얼굴 위로.

이사1   (off) 78.52퍼센트 이상의 표를 얻어 금일 출석 의결권의 과반수와 발행 주식 총수의 4분의 1 이상의 찬성 결의 여부를 충족한 바, 노석민 후보가 미래 그룹 회장으로 선임되었습니다.

S#55.   **무인 편의점 - 석훈의 차 안 (밤)**

엽서에 편지를 적고 있는 도희.

휴대폰이 울려, 보면 석훈이다.

도희   (전화 받으며) 어, 오빠.

운전 중인 석훈, 핸즈프리로 통화하고 가영은 초조한 눈빛으로 석훈 옆에 앉았는데.

석훈   도희야. 어디야? 지금 혼자 있어?

도희   갑자기 전화해서 어디냐니….

석훈   대답부터 해. 지금 정구원이랑 같이 있는 거야?

도희   바로 옆은 아니고… 왜, 무슨 일인데?

석훈	너 지금 위험해. 당장 정구원한테서 떨어져.
도희	오빠….
석훈	나도 알아. 정구원의 정체.
도희	…
석훈	내가 지금 너 있는 데로 가고 있거든? 그러니까 넌 지금 당장….
도희	무슨 생각하는지 아는데 그런 거 아냐. 정구원은 오빠가 생각하는 그런 위험한 존재가 아니라고.
석훈	도희야, 너 지금 속고 있어! 오늘 밤 정구원이 널 여기까지 끌고 온 목적이 뭔지 알아? 정구원은 자기가 살기 위해 널 죽이려고 온 거야!

S#56.　　**대강당 - 대포차 안 - 셀프 주유소 (밤)**

사람들의 박수를 받으며 강당 앞으로 나서는 석민.
당당히 단상 위로 오르는 석민의 모습과 독기 어린 눈으로 앞을 보며 '부웅' 액셀러레이터를 밟는 도경이 교차 편집되고…
편의점 유리를 향해 돌진하는 차.
밤하늘을 보던 구원, 소리에 시선 내려 돌진하는 차를 발견한다.

구원	!

주유 건을 놓치는 구원.

S#57.	무인 편의점 (밤)
	통화 중인 도희, 도저히 안 되겠는지.
도희	미안해, 오빠. 끊을게.
	도희, 휴대폰을 귀에서 떼어 내 전화 끊으려는데…
	순간 눈앞으로 달려드는 헤드라이트 불빛.
	도희, 놀라 눈이 커다래지는 순간!
	유리를 깨고 들어와 도희를 박는 차.
S#58.	대강당 (밤)
	단상 위에 올라 사람들을 내려다보는 석민.
	마이크에 대고 당선 소감을 시작한다.
석민	오랜 시간 어머니를 보좌하며 보고 배운 건 비단 경영의 기술만이 아닙니다.
S#59.	무인 편의점 (밤)
	유리문이 깨지며 부서지는 유리 조각과 함께 날아가는 도희 슬로우.
	약통에서 쏟아져 나온 하얀 캡슐이 허공에 흩어지고 도희가 쓴 엽서가 날아가는 위로.

| 도희 | (E) 우리에게 만약 가혹한 선택의 순간이 온다면… 나의 선택은 너야. 나를 잃는 것보다 사랑하는 사람을 잃는 게 더 지옥인 걸 아니까. |

허공에서 흩날리는 유리 조각과 도희의 머리칼이 아이러니하게 아름답기까지하다.

S#60. **셀프 주유소 (밤)**
도희에게 달려가는 구원의 모습 슬로우.

| 도희 | (E) 이런 나의 선택을 원망하지 않기를. 내가 아는 지옥을 너에게 선사하고 가는 나를 부디 용서해 주길. |

S#61. **석훈의 차 안 (밤)**
휴대폰 너머 유리창 깨지는 소리와 요란한 소음에 급정거하는 석훈.
휴대폰을 빼들어 휴대폰에 대고 소리친다.

| 석훈 | 도희야! 도희야! |

가영, 무슨 상황인지 몰라 불안한데…
차창 너머 저만치 유리창에 차가 박힌 편의점이 보이자.

가영	!

S#62. **대강당 (밤)**

소감을 마무리하는 현재의 석민.

석민	어머니께 배운 사람에 대한 신뢰를 바탕으로 미래 그룹을 다시 탄탄하게 일으켜 세우겠습니다.

힘찬 박수를 들으며 세상을 다 가진 듯 사람들을 내려다보는 석민의 만족스러운 표정.
수안, 박수 치고, 세라 역시 떨리는 손으로 박수 치면.

수안	(그런 세라를 슬쩍 살피더니) 언니, 왜 그래요? 언니도 어디 아파요?
세라	(언제 그랬냐는 듯 환히 웃으며) 아뇨. 너무 기뻐서 그렇죠. 너무 기뻐서.

또다시 가면을 쓰는 세라다.

S#63. **대포차 안 (밤)**

도경, 충격으로 머리에서 피를 흘리며 고개 드는데…
'화륵' 불이 붙는 보닛.
눈앞에 솟아오르는 불길에 도경, '으아아!' 비명 지르며 문을 열고 도망치고….

S#64.   **무인 편의점 앞 (밤)**
편의점으로 달려가는 구원. 석훈과 가영 역시 차를 편의점 앞에 세우고 내려 달려가는데…
구원이 편의점 앞에 도착한 순간 '펑!' 소리 나며 터지는 도경의 차. 그 바람에 구원, 날아가고 뒤에서 달려오던 석훈 역시 날아간다.
뒤에서 달려오던 가영, 팔로 얼굴을 막고 섰다가 천천히 팔을 내리면 온통 불길에 휩싸인 편의점 입구.

S#65.   **무인 편의점 (밤)**
안까지 번진 불길 속, 바닥에 엎어진 채 피를 흘리며 신음하는 도희.
기어 나오려 애써 보지만 이내 정신을 잃고…
9화 엔딩의 불길 속 도희의 모습이다.

S#66.   **무인 편의점 앞 (밤)**
날아가 바닥에 쓰러진 구원, 힘겹게 몸을 일으키면 황급히 달려와 구원을 부축하는 가영.

가영	이사장! 괜찮아?

석훈 역시 간신히 정신 차리고 일어서려는데.

석훈	아.

아파하며 풀썩 무릎 꿇고…
구원, 정신 차리고 앞을 보면 편의점 깨진 유리창에서 뿜어
나오는 검은 연기와 붉은 화염.

구원	도도희…! (불길로 향하면)

가영, 그 앞을 막아서며.

가영	안 돼! 이사장! 지금 이사장은 그냥 인간일 뿐이야. 들어가면 죽는다고! 잠깐만 눈 감으면 돼! 도도희가 죽어야 이사장이 살 수 있잖아!
구원	(처연한) 아니. 살 수 없어.

그 말에 가영, 맥이 탁 풀리고…
한쪽 어깨를 붙든 채 힘겨운 걸음으로 가영을 지나쳐 걸어가
는 구원.
치솟는 불길을 향해 묵묵히 걸음을 옮기는 구원의 눈빛이 처
연하다.

망연자실했던 가영, 휙 뒤돌아보면…
화염이 집어삼키듯 구원의 뒷모습 사라지고…
가영의 눈에서 흘러내리는 눈물 한 방울.

석훈   (off) 지금 두 사람… 그게 무슨 말이에요?

가영의 뒤로 어느새 다가와 한쪽 팔을 붙들고 선 석훈 보이고.

석훈   (충격) 도희가 죽어야 정구원 씨가 산다는 게….
가영   (슬픈 눈으로 앞을 본 채) 다 끝났어요. 이제… 두 사람 다 죽을 거
예요.
석훈   (그 말에 정신 번쩍 들며) 안 돼… (걸음 옮겨 보는데) 아!

다시 풀썩 다리가 풀리며 주저앉는 석훈.

S#67.   **무인 편의점 (밤)**
힘겨운 걸음으로 불길 속에 들어선 구원.
하지만 온통 붉은 화염일 뿐 아무것도 보이지 않고…
길이 막힌 구원, 어디로 갈지 몰라 멈춰 서면 눈앞에 펼쳐진
풍경이 마치 악몽 속 장면과 같다.
그 압도적인 풍경에 자신의 양손을 내려다보는 구원.
점점 숨이 가빠지며 공포에 잠식되는가 싶은 순간…
발 앞에 놓인 도희의 엽서를 발견한다.

거의 다 타 버린 엽서에는 '나의 선택은 너야.'라는 문장만이
남았는데…
그걸 본 구원의 눈빛 흔들리고…
이내 천천히 고개 드는 구원.
눈빛에서는 공포가 사라지고 도희를 찾아야겠다는 절박함만
이 남았다.
도희의 이름을 부르며 화염 속으로 들어서는 구원.

구원   도도희! 도도희!

그때 저만치 도희의 팔이 보이고 그 위로 선명한 십자가 타투.

구원   (눈 번쩍 뜨이며) 도도희…!

도희에게 걸음을 옮기려는 순간 구원의 머리 위로 떨어지는
불붙은 천장재.
구원, 위를 올려다보며.

구원   !

S#68.   **미래 그룹 회장실 (밤)**
어느새 미래 그룹 로고를 보고 선 석민.

석민	어머니. 저는 어머니의 바람대로 악마가 됐습니다. 이제 속이 시원하세요?

도전적인 석민의 눈빛.

S#69.	**무인 편의점 앞 (밤)**
	더욱 거세진 불길 앞에 선 석훈과 가영.
	석훈이 휴대폰에 대고 절박하게 소리친다.

석훈	빨리 와 주세요. 사람이 안에 있다고요!

가영은 망연자실한 채 눈물을 흘리는데…
갑자기 무언가를 보고 놀라는 가영.
그 시선에 석훈 역시 앞을 보면…
붉은 화염과 검은 연기를 헤치고 나서는 누군가의 실루엣.
석훈, 눈에 힘을 주고 보면… 저만치 도희를 안아 든 채 화염
속에서 나오는 이는 구원이다!

석훈	!

기절한 도희를 품에 안은 구원의 손목 위로 십자가 타투 보
이고… 마치 지옥에서 살아 온 듯한 구원의 모습에서.

10화 엔딩

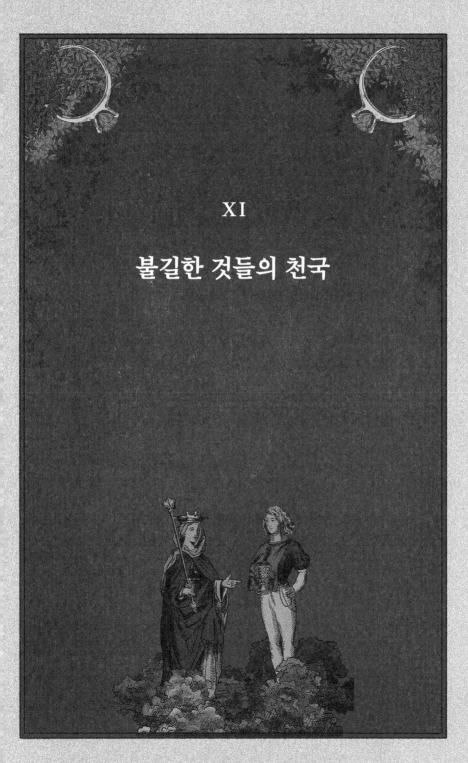

XI

불길한 것들의 천국

S#1.   **무인 편의점 (밤)**

구원 발 앞에 놓인 도희의 엽서.

거의 다 타 버린 엽서에는 '나의 선택은 너야.'라는 문장만이 남았다.

그걸 본 구원의 눈빛 흔들리고…

이내 천천히 고개 드는 구원.

눈빛에서는 공포가 사라지고 도희를 찾아야겠다는 절박함만이 남았다.

도희의 이름을 부르며 화염 속으로 들어서는 구원.

구원   도도희! 도도희!

그때 저만치 도희의 팔이 보이고 그 위로 선명한 십자가 타투.

구원   (눈 번쩍 뜨이며) 도도희…!

도희에게 걸음 옮기려는 순간 구원의 머리 위로 떨어지는 불 붙은 천장재.

구원   (위를 올려다보며) !

잠시 후, 바닥에 엎드려 쓰러진 구원.
저만치 보이는 도희의 손을 향해 힘겹게 손을 뻗지만 잡히지 않고…
불덩이가 되어 '후두둑' 쏟아지기 시작하는 불붙은 천장재 사이로 기어가는 구원.
정신 혼미해지며 흐릿한 시야에 도희의 손이 보이고 힘겹게 도희의 손을 잡으려 애쓰는데…
간신히 도희의 손을 잡는가 싶은 순간 구원, 의식을 잃으며 눈이 감긴다.
도희 손 위에 힘없이 놓인 구원의 손.
불덩이가 쏟아지는 지옥과도 같은 풍경 속 손을 포갠 채 쓰러진 두 사람.
미동 없는 모습이 숨이 끊어진 듯한데…
도희의 손목에서 스르륵 움직이는 타투.
구원의 손목으로 옮겨 오듯 스르륵 타투가 새겨지고….

S#2.   **무인 편의점 앞 (밤)**
더욱 거세진 불길 앞에 선 석훈과 가영.

석훈이 휴대폰에 대고 절박하게 소리친다.

석훈   빨리 와 주세요. 사람이 안에 있다고요!

가영은 망연자실한 채 눈물을 흘리는데…
갑자기 무언가를 보고 놀라는 가영.
그 시선에 석훈 역시 앞을 보면…
붉은 화염과 검은 연기를 헤치고 나서는 누군가의 실루엣.
석훈, 눈에 힘을 주고 보면…
도희를 안아 든 채 화염 속에서 나오는 구원.

석훈   !

기절한 도희를 품에 안은 구원의 손목 위로 십자가 타투 보이
고…
마치 지옥에서 살아 온 듯한 구원의 모습에 석훈과 가영, 놀
라 굳는데…
구원, 도희를 조심스레 바닥에 눕히면 눈을 뜨는 도희.

도희   (구원을 보며) 정구원….
구원   (그런 도희를 보며) 도도희.

도희, 상체 일으켜 앉아 보면 저만치 불타오르는 건물.
그 사나운 불길에 혼란스러운 표정으로.

도희	어떻게….
구원	타투가 돌아왔어.

구원, 손목을 보이면 손목 위 선명한 타투.
그를 본 도희, 점점 벅차오르더니 고개 들어 구원을 보면, 구원 역시 감격스러운 표정으로 도희를 바라본다.
불타오르는 건물을 뒤로 한 채 서로를 보는 두 사람의 모습에서.

#타이틀   *< 불길한 것들의 천국 >*

S#3.   **고층 빌딩 옥상 (밤)**
옥상 난간 끝에 선 노숙녀의 벙찐 표정.

노숙녀	이게… 되네?

'휘이잉-' 황량한 바람 소리와 함께 바람을 맞고 선 노숙녀의 황당한 모습.

S#4.   **도희 집 거실 - 도희 집 테라스 (낮)**
테이블 위에 놓인 채 원두를 가는 핸드밀.
기다란 드립 포트 물줄기가 원두 가루 위로 일정하게 동그라미를 그린다. 이내 잔에 따라지는 블랙커피.

모두 다 허공에서 저절로 벌어지는 일인데…
그 너머 저만치에 보이는 테라스에 선 구원의 뒷모습.

구원　　　(거만한 표정으로 세상을 향해) 오늘도 역시 난 대단해.

뒤를 보지도 않고 핑거스냅하면 턴테이블 위에서 LP판이 돌아가고…
구원, 어느새 손에 들린 커피 잔을 들어 마시며.

구원　　　그래. 이 맛이야. 하찮은 미물들을 내려다보는 완벽한 데몬의 삶. 상위 포식자만이 누릴 수 있는 이 여유. 본래의 나로 돌아온 이 기분이란… 오늘도 인간들은 여전히 하찮군.

언제 왔는지 뒤에서 콧대를 세우며 잘난 척하는 구원을 보고 선 도희.

도희　　　그러게. 본래의 너로 완벽히 돌아왔네.
구원　　　(돌아보며) 도도희! (놀라 황급히 다가가) 움직이지 말라니까.
도희　　　언제까지 누워 있으라는 거야. 출근할 시간 다 됐는데.
구원　　　죽다 살아난 사람이 출근은 무슨. 출근 못 하고 죽은 귀신이라도 붙은 거야?
도희　　　이런 걸 책임감이라고 하는 거야. 회사 대표로써의 막중한 책임이….
구원　　　(안 되겠는지 도희를 번쩍 안아 들면)

도희	왜 이래~
구원	(집 안으로 들어가며) 교통사고 그게 그렇게 만만하게 볼 게 아니야. 겉으론 멀쩡해 보여도 후유증이 오래간다고. (소파에 도희를 소중히 눕히면)
도희	(벌떡 일어나 앉으며) 나 진짜 멀쩡해. 네가 다 낫게 해 줬잖아. 너 설마 네 능력을 못 믿는 거야?
구원	그건 아니지만… (진지해지며) 하마터면 도도희 널 영원히 잃을 뻔했어.
도희	(그 역시 눈빛 애잔해지며 구원의 뺨을 어루만지는) 그러게. 하마터면 우리 서로를 잃을 뻔했네.

두 사람, 서로를 애틋하게 보는데.

도희	(시계 보더니) 어? 늦겠다! (벌떡 일어나 침실로 급히 향하면)
구원	(도희를 쫓으며 다시 안절부절못하는) 살살 좀 움직이라니까. 살살~

S#5.	**도희 집 드레스 룸 (낮)**
	드레스 룸에서 옷을 고르는 도희. 도희가 높은 곳의 옷을 집으려 깨금발 들면, 구원, 냉큼 꺼내 건네고 도희가 바닥에 놓인 가방을 집으려 하면 또 냉큼 들어 건넨다.

도희	(그런 구원 보며) 너도 빨리 출근 준비해. 시간 빠듯하단 말이야.

구원	그건 내 능력이 돌아오기 전의 얘기고.
도희	?

구원, 핑거스냅하면 LP판에서 흘러나오는 음악.
'프리티 우먼'에나 나올 법한 음악인데.

도희	이 음악은…?

구원, 핑거스냅하면 확 바뀌는 구원의 옷. 순백의 슈트다.

구원	한 치의 오점도 없이 다시 태어난 완벽한 나를 상징하는 출근 룩이야. 어때?
도희	완벽해. 한 치의 오점도 없이 완벽하게 재수 없어.
구원	그래?

구원, 빙글 돌아 보이면 바뀌는 의상. 반짝거리는 컬러풀한 슈트다.

구원	(머리를 쓸어 넘기는 포즈 취하며) 그럼 이건 어때.
도희	오늘 어디 행사 뛰러 가세요?

구원, 그 말에 포즈 취하다 멈칫.
문 뒤에서 '짜잔~' 나타나는 구원. 이번에는 제비 꼬리 연미복을 차려입었다.

도희	와우~ (박수 치고)
구원	(뿌듯한 표정으로 턱을 치켜들면)
도희	지휘 잘하게 생겼다. 기립 박수가 아주 절로 나오네.
구원	('띠-' 한 표정으로 도희 보며) 그럼 네가 골라 봐.
도희	오케이.

도희, 휴대폰 들어 뭔가를 찾으면 다가가 고개를 빼꼼 내밀고 보는 구원.
도희가 보고 있는 건 패션 화보다.

도희	(사진 하나에서 멈추더니) 이게 좋겠네.

이내 바뀐 옷차림으로 도희 앞에 나서는 구원.
화보 속 슈트를 입은 멋진 그 모습에 도희, '머엉' 반하고.

구원	왜 아무 말이 없어?
도희	말이 필요 없어서.
구원	(신나) 그럼 우리 커플 룩 할까?
도희	(정신 번쩍 들며) 싫어. 난 커플 룩 같은 건 절대….

구원, 도리질 치는 도희를 끌고 거울 앞에 세우면 어느새 바뀐 도희의 옷.
대놓고 커플 룩이 아닌 구원의 슈트와 잘 어우러지는 색감과 스타일이다.

| 도희 | 나 커플 룩 좋아하네…. |

거울 속 나란히 선 자신들을 보며 흡족한 미소 짓는 두 사람.

S#6. **길거리 (낮)**
커플 룩을 입고 나란히 길을 걷는 구원과 도희.

도희	걸어서 출근이라니.
구원	내일 지구가 멸망해도 나랑 걷고 싶다며. 들를 데도 좀 있고.
도희	이러다 지각하면 어쩌려고.
구원	지각은 걱정 마. 손가락만 튕기면 바로 회사니까.
도희	데몬의 삶이란 이런 거구나~ 네가 왜 그렇게 여유가 넘치나 했더니.
구원	(멈춰서 잘난 척) 필요한 거 있으면 말만 해. 나한텐 모든 게 개꿀이니까.

보면, 이미 저만치 혼자 가 버리는 도희.

| 구원 | 같이 가, 도도희~ (도희 뒤를 쫓고) |

S#7. **지하철역 (낮)**
박스 위에 앉아 황당한 표정으로 올려다보는 노숙녀.

그 앞에 구원과 도희가 당당한 표정으로 손잡고 섰는데.

구원	잘 봐. 네가 다시는 못 볼 줄 알았던 우리의 투 샷.
도희	(구원에게 고개 돌려 속닥) 지금 자랑하러 온 거야?
구원	(속닥) 아니. 약 올리러 온 거야.
노숙녀	다 들려. 그냥 대놓고 말해.
구원	(노숙녀에게) 어때? 예상치 못한 이변을 보는 소감이.
노숙녀	놀랍네. 축하해. (영혼 없이 말하고 고개 내리면)

구걸 통에 '똑또그르~' 떨어지는 동전. 십 원짜리다.
노숙녀, '뭐야?' 따지듯 고개 들어 다시 구원 보면.

구원	영 재능이 없는 거 같은데 도박은 관두고 이제 저축이나 해.
노숙녀	(구원이 얄밉고)
구원	잊지 마. 내가 이긴 거야. (의기양양하게 도희 손잡고 가 버리면)
노숙녀	(동전 들어보며) 이런… 십 원.
도희	(구원과 걸어가며) 도대체 둘이 무슨 사이야?
구원	내 직장 상사.
도희	뭐?

도희, 뒤돌아보면 눈 마주치는 노숙녀.
노숙녀의 손 위에서 십 원짜리 동전이 팽그르르 돌아가고 있다.
'헉. 진짜네.' 싶은 도희.

S#8.   미래 F&B 사무실 (낮)

함께 들어서는 구원과 도희에게 홍보팀, 인사 하려 입을 떼는데.

구원   (새치기) 좋은 아침이야. 오늘도 역시 하찮은 하루가 되겠지만
              열심히들 살아 보라고.

              구원의 인사말에 벙쪄 인사할 타이밍을 놓치는 홍보팀들.
              도희, 못 말린다는 듯 고개 젓고, 홍보팀 삼인방, 두 사람의 뒷
              모습 보며.

한성   정구원 씨 오늘 무슨 좋은 일 있나 봐요.
한 팀장   그러게. 얼굴이 엄청 좋네.
정미   얼굴이야 항상 좋았죠.
한 팀장   그러게. 얼굴이야 항상 좋지. (구원 보며, 자기 얼굴 괜히 만지작대는)

              저만치 대표실 문 앞에 선 신 비서, 도희가 다가가면 눈 피하며
              묵례하고 도희 역시 눈 피하며 어색하게 묵례하고 지나친다.

구원   두 사람 왜 이렇게 어색해?
도희   어색하긴. 그냥 너와 달리 예의를 지키는 것뿐이야.

              태연한 척 대표실에 들어서는 도희.

S#9.   **미래 F&B 대표실 (낮)**
            대표실에 들어선 도희, 부산스레 옷을 걸고 가방을 놓으며.

도희   어제 미뤄 둔 일 처리하려면 오늘 정신없이 바쁘겠….

            하고, 몸을 돌리는데 그 앞에 케이크를 든 구원의 아이처럼
            기대에 찬 표정.
            케이크 위에는 초가 하나 꽂혀 있다.

도희   ?
구원   내 생일 케이크.
도희   아~ 맞다.

            도희, 케이크를 받아 들면 구원, 핑거스냅을 '딱!', 초에 불이
            '팟' 붙고.

도희   이제 소원 빌어.
구원   난 소원 따위 필요 없어. 뭐든지 할 수 있으니까.

            구원, 초를 '후!' 불어 끄면 어디선가 들려오는 '빰빠라빰빠~
            축하합니다!' 하는 술집에서 나올 법한 노래와 함께 허공에
            서 '팡!' 터지는 릴 테이프.
            그 아래 팔 벌려 테이프를 맞으며 만끽하는 구원을 보며.

도희	(중얼) 이백 살이 넘어서 그런가 생일 축하 문화가 좀 올드한 감이….
구원	생일이란 게 이렇게나 기분 좋을 줄이야.
도희	축하해. 데몬 2.0
구원	데몬 뭐?
도희	업그레이드 됐잖아. 이제 깜빡거리지도 않고 충전도 필요 없고.
구원	(괜히 떼떼대는) 누굴 정말 로봇 청소기로 아나. 그리고 충전은 필요하거든? (말투와 달리 도희의 오른손을 다정하게 잡으며 미소)
도희	이러면 케이크는 어떻게 먹어.
구원	(포크로 케이크 잘라 먹여 주며) 내가 뭐랬어. 뭐든 말만 하랬지?
도희	(받아먹더니 '헤에~' 웃으며) 맛있다.

알콩달콩 케이크를 먹는 두 사람.

S#10.   **미래 그룹 회장실 (낮)**
회장실 책상 위에 놓인 불붙은 담배.
하얀 연기가 일렁이며 허공으로 날리고…
창가에 선 석민, 싸늘한 눈으로 창밖을 보며 지포 라이터를 '챙!' 하고 열었다 '탕!' 하고 닫았다 반복한다.

석민   그 불길 속에서 살아남았다…?

어이없는 듯 '피식' 실소하는 석민의 눈빛에 스치는 의구심.

S#11.   **선월극장 로비 (낮)**

             싱글벙글 신난 표정으로 로비에 들어서는 구원. 일렬로 대기
             중이던 들개파, 구원을 발견하고 후다닥 뛰어온다.

넘버 투   (구원 앞에 서더니 꾸벅 인사) 오셨습니까! 형님!

들개파   (복창) 오셨습니까! 형님!

구원   내가 왜 니들 형님… (버럭 하려다 할 말 없는) 이 맞지. 생긴 거랑
           다르게 사람 찾아내는 능력이 있을 줄이야.

넘버 투   저희가 좀 합니다.

           하더니, 팔뚝을 걷어 올리는 넘버 투.
           들개 타투 위로 들깨와 파 모양이 추가됐다.
           줄줄이 팔뚝을 걷어 보이는 들개파들 모두 같은 상황인데…
           들개의 사나운 표정과 들깨, 파의 어우러짐이 영 언발란스 하
           다. 자랑스럽게 '씨익' 웃어 보이는 넘버 투의 표정에.

구원   그래. 아름답네.

넘버 투   (진짜 칭찬인 양) 감사합니다, 형님!

들개파   (복창) 감사합니다, 형님!

구원   아~ 귀청.

           구원, 양손으로 귀를 막은 채 이사장실로 가 버리고….

S#12.　　　　**선월극장 이사장실 (낮)**

책상에 다리를 올리고 눕듯이 앉아 클래식 음악에 맞춰 흥얼
거리는 구원.
책상 위에서는 깃털 펜이 나비처럼 서류 위를 날아다니며 혼
자 사인 중인데…
구원의 눈앞에 들이 밀어지는 서류 한 장.

구원　　　　(서류 읽는) 변경 등기 신청?

보면, 어느새 나타난 복규, 깃털 펜을 낚아채더니 서류에 직
접 사인하며.

복규　　　　이제 선월재단은 내 거야.

구원　　　　(벌떡 일어나 앉는) 아주 호시탐탐 노렸구먼? 맨날 내 방에 와서
죽치고 있을 때부터 알아봤어 내가.

복규　　　　그래. 노렸다! 이사장이 자연 발화 할 날만 아주 손꼽아 기다리
고 있었다. 데몬 주제에 죽을 생각이나 하고 말이야. 차 할부만
갚으면 뭐 다 끝인 줄 알아? 내가 영끌해서 산 아파트 대출금
은 어쩌라고. 그거 다 갚을 때까지 죽을 생각했단 봐, 아주.

구원　　　　(복규의 진심을 알아채고 가만히 복규를 보면)

복규　　　　자기는 그냥 죽어 버리면 끝이지? 어? 공연 준비는 어떡하라
고. 명의 바꾸는 건 뭐 그렇게 뚝딱 되는 줄 알아? 서류가 얼
마나 많고 복잡한데. 그거 다 하려면 내가 얼마나 힘들고 마
음이 아프고…. (울음 터지려 시동 걸면)

구원	뚝.
복규	(그 말에 뚝 울음 멈추고는) 어쨌든 이제 이사장은 내 바지 사장이야.

복규, 사인한 서류를 집어 드는데 손에 들린 채 '화르륵' 불타 사라지고.

복규	(흩날리는 재를 허망하게 휘적이며) 어어. 내 선월재단.
구원	그런 주인 의식 아주 좋아.
복규	(구원 흘기다) 근데 뭐가 어떻게 된 거야? 타투는 어떻게 돌아온 건데?
구원	(다시 의자 젖히며 거만하게) 왜 이래~ 나 데몬이야~ 내가 못 하는 게 어딨어.
복규	(그제야 감격 어린 눈으로 구원을 보는) 진짜 돌아왔구나, 이사장! 밥맛 없는 우리 이사장으로 온전히 돌아왔어! (얼싸안으려 하면)
구원	(한 손으로 막아 포옹 거부하며) 근데 어떻게 알았어? 나 타투 돌아온 거.
복규	진스타가 말해 줬지.
구원	(표정 어두워지더니 자리에서 일어나 문으로 나서고)
복규	어디가?
구원	계약하러.
복규	이제 진짜 모든 게 원래대로 돌아왔네. (안도하는)

S#13.   선월극장 이사장실 앞 (낮)

문 열고 나서던 구원, 문 앞에 기다리고 선 가영과 마주친다.

가영   (호소하는 눈빛으로 구원 보며) 이사장….

구원   (싸늘하게 외면하고 가 버리면)

가영   (울컥해 구원의 뒤에 대고 소리치는) 이사장을 위해서 그런 거잖아.
          왜 내 마음은 봐주질 않는 거야!

구원   (돌아보지 않고)

복규   (가영에게) 무슨 일이야, 진스타… 이사장 왜 저렇게 화났어?

가영   박 실장님… 그거 알아? 가진 적이 없는데도 잃을 수가 있더라.

          슬픈 표정으로 구원의 뒷모습을 보는 가영.

S#14.   미래 F&B 회의실 (낮)
          모니터에 뜬 숙취 해소 음료 런칭 PPT.
          홍보팀과 도희, 신 비서가 회의실에 둘러앉아 회의를 하는데.

한 팀장   저희 미래 F&B가 야심차게 준비한 이번 제품은 숙취 해소 기
          능을 더한 기능성 음료로 크리스마스 시즌에 맞춰 출시할 계
          획입니다.

정미   타깃층은 2030 직장인으로 그에 맞춰 홍보 전략을 짜고 있
          습니다. 아무리 회식 문화가 개선됐다지만 요즘도 직장 상사
          의 권유로 인한 원치 않은 술자리는 비일비재하거든요. (한 팀
          장을 보는데)

도희	(뜨끔 찔리는 표정)
한성	그렇게 원치 않는 회식 자리에서 취하면 꼭 술 먹자고 한 상사한테 진상을 부리게 된다니까요.
신 비서	(이번에는 신 비서가 뜨끔 찔리고)
한 팀장	술만 마셨다 하면 위아래 없이 개가 되고 기억이 삭제되는 (도희와 신 비서를 향해 팔을 펼쳐 보이며) 여러분을 구원하러 왔다. 바로 이게 연말연시 음주 시즌에 맞춘 신제품 마케팅 콘셉트입니다.

홍보팀 삼인방, 칭찬을 바라는 표정으로 도희 보면, 적막이 흐르는 회의실.

도희	신 비서님?
신 비서	(놀라) 네?
도희	다음 일정이 어떻게 되죠?
신 비서	다음 일정은… (당황해 태블릿 거꾸로 들었다가 돌리며) 바쁘시네요.
도희	그럼 다음 일정 갈까요?

도희, 벌떡 일어나 회의실을 나서면 뒤를 쫓는 신 비서.
남겨진 홍보팀 삼인방, 허전한 표정으로 그 뒷모습을 보며.

한 팀장	나 우리 대표님 저렇게 말문 막히는 거 처음 봐.
정미	난 신 비서님 당황한 게 더 신기해요.
한성	그만큼 우리가 오늘 갓벽했던 거죠.

한 팀장	오~ 그런 의미에서 오늘 우리 회식?
한성	메뉴가 뭔데요?
한 팀장	(정미 보며) 최 대리 뭐 먹고 싶어?
정미	전 집밥이요.
한 팀장	(휴대폰 들어 보며) 어디보자 집밥 잘하는 데가 어디더라~
정미	우리 집이요.
한성	(반색) 우리 오늘 최 대리님 집에서 회식해요?
한 팀장	오~

정미의 자포자기한 듯한 표정과 함께 혼란의 홍보팀.

S#15.   **고층 빌딩 옥상 (낮)**
도시의 풍경이 펼쳐지는 고층 빌딩 옥상 끝에 선 구원.

| 구원 | 이게 얼마만인지. |

자유를 느끼듯 눈 감고 공기를 한껏 들이마시는가 싶더니.

| 구원 | (눈을 번쩍 뜨며) 찾았다. |

간만의 먹잇감에 눈을 빛내는 구원.

S#16.   노부부 집 (낮)

낮인데도 어두컴컴한 낡고 지저분한 집안. 머리가 하얗게 센 홍남이 깨진 액자를 들여다보고 앉았는데…
액자 속 환히 웃는 젊은 부부의 모습에 슬프다 못해 화가 나는 홍남.

홍남   (혼잣말) 한 번만 날 알아보면 소원이 없을 텐데….
구원   (뒤에서 off) 그 소원 내가 접수하지.

홍남, 놀라 돌아보면 낡은 집안과 이질적인 구원의 모습.

홍남   누구신지….
구원   난 데몬이야. 쉽게 말해 로또 같은 존재지. 아~ 이 대사도 얼마 만인지. (감격스럽고)
홍남   데… 몬? (갸우뚱하면)
구원   방금 네가 빈 소원 들어줄게. 대신 나랑 계약을 하는 거야. 조건은 너의 영혼이 10년 뒤 지옥에 가는 거고.

그때 구원의 뒤에서 힘겨운 목소리.

오순   (off) 우리 남편 좀 불러 주세요.

구원, 뒤돌아보면 바닥에 깔린 이불에 누운 병색이 완연한 오순의 모습.

홍남	(액자 떨구고 황급히 오순에게 다가가 앉는) 여보… 정신이 좀 들어?
오순	할아버지… 우리 남편 어딨어요? 남편 좀 찾아 주세요. 죽기 전에 얼굴 좀 보고 가게….
홍남	(눈물 글썽이며) 이 사람아… 날 앞에 두고 어디서 찾아.
구원	(바닥에 떨어진 액자 들어보더니 사진 너머 늙어 버린 두 사람 보며) 치매…?
오순	우리 남편 좀 제발…. (힘겨운 숨 쉬며 다시 정신을 잃으면)
홍남	(그런 오순을 보며 가슴 아픈) 이 사람 기억 속엔 늙은 내가 없어요. 유일하게 기억하는 젊은 시절의 나만 하루 종일 찾아 헤매는데 그게 어찌나 안쓰러운지….
구원	(뒤로 다가서 오순을 내려다보고)
홍남	(살풋 고개 돌려) 소원 그거 정말 들어줄 수 있는 겁니까?
구원	물론.
홍남	(결연한 눈빛 되더니) 그럼 당장 합시다.
구원	이 인간 지금 시간이 얼마 안 남았어. 고작 몇 분 널 알아보게 하려고 지옥에 간다는 거야?
홍남	날 알아보면 꼭 해 주고 싶은 말이 있어요.
구원	(얕은 한숨) 소원 먼저 들어주는 미친 짓은 한 번이면 족한데….

구원, '딱!' 손가락을 부딪쳐 핑거스냅하면…
정신이 들며 천천히 눈을 뜨는 오순.
흐릿한 시야 속 자신을 보고 앉은 실루엣이 보이는데…
시야가 점점 또렷해지면 젊은 시절의 홍남이다.

오순	(반가움에 눈물 흘리며) 여보… (떨리는 손을 들어 홍남의 얼굴을 어루만

지며) 어디 있다 이제 와.

젊은 흥남   어디 있긴. 계속 당신 옆에 있었지.

오순   근데 왜 안 보였어.

젊은 흥남   그니까… 왜 안 보였을까. 난 항상 당신 옆에 있었는데.

오순   (안도하며) 난 그것도 모르고… 당신이 나 버리고 간 줄 알았어.

젊은 흥남   버리긴. 당신 없이 내가 어떻게 산다고….

오순   그런 말 마, 여보. 나 없이도 살아야지.

젊은 흥남   (죽는 걸 아는구나 싶어 눈물 흘리고)

오순   내가 보이지 않아도 난 항상 당신 옆에 있는 거야. 알았지?

젊은 흥남   응. 알았어.

오순   우리 꼭 다시 만나자. 당신 나 잊지 마.

젊은흥남   안 잊을게. 죽어도 내가 당신 안 잊을게….

흥남의 그 말에 오순, 미소 띤 얼굴로 눈 감으면…
숨 거둔 오순을 안고 눈물 흘리는 흥남. 다시 늙은 모습으로
돌아왔는데…
그 모습을 보고 선 구원의 한쪽 눈에서 눈물 한 방울이 흘러
내리고…
이상한 느낌에 손을 들어 눈물을 만져 보고 당황하는 구원.

구원   내가… 울어?

S#17.   **고층 빌딩 옥상 (낮)**

비장한 얼굴로 바람을 맞고 선 구원, 누군가에게 변명 중이다.

구원   난 운 게 아니야. 이건 그냥 눈에서 땀이 난 것뿐이라고. 이백
            년 동안 하품을 하면서도 눈물을 흘린 적 없는 내가 우는 게
            말이 돼?

            보면, 옥상 끝에 선 구원 앞엔 텅 빈 허공뿐, 스스로에게 열심
            히 변명인데.

구원   그리고, 고작 일 이 분하고 십 년을 바꾸는 건 상도덕에 어긋
            나잖아. 아무리 내가 데몬이라도 그건 안 될 일이지. (한숨) 인
            간들은 왜 저렇게 금방 낡고 해지는 거야? 하찮기는… 어디
            지옥에 가도 싼 악독한 인간 없나~?

            세상을 내려다보는 구원의 뒷모습.

S#18.   미래 F&B 대표실 (해 질 녘)
            도희, 업무를 보고 있는데, 구원, 문 열고 들어와 소파에 털썩
            앉으면.

도희   왔어? 계약은?
구원   오늘은 허탕이야.
도희   (일어서 재킷을 챙겨 입으며) 그럼 이제 잡으러 가 볼까?

구원	뭘?
도희	진짜 범인. 먼저 평화 협정을 깼으니까 혼내 줘야지.
구원	('피식') 돌아왔네, 도도희. 이래야 도도희지. (일어나 도희 앞에 선 채) 어디서부터 시작할까?
도희	속초. 진짜 범인은 우리가 속초에 간 걸 알고 있었어. 누군가 우리 정보를 누출한 거야.
구원	측근이 돈을 노리고 배신하는 건 흔한 스토리지. 가까운 사람 부터 의심해야 돼.
도희	우리가 속초 간 걸 아는 사람은 석훈 오빠랑 진가영 씨….
구원	박 실장님 그리고….

그때 '똑똑' 하는 노크 소리.

도희	네.
신 비서	(문 열고 여전히 도희의 눈을 마주치지 못한 채) 퇴근하겠습니다.
도희	수고하셨어요.
신 비서	(구원에게도 묵례하고 나서면)
구원	그리고 저 인간.
도희	에이~ 신 비서님은 절대 그럴 사람이….

두 사람 창문 밖의 신 비서를 보면 마침 울리는 신 비서의 휴대폰.
신 비서, 당황한 손길로 전화 받으려다 슬쩍 뒤돌아 구원과 도희 시선을 의식하더니 전화를 받지 않고 걸음을 서두른다.

계속해서 울리며 멀어지는 신 비서의 휴대폰 벨소리.

그 수상한 모습에 구원과 도희 '!'.

S#19.   **한강 주차장 (밤)**

자신의 차에서 내린 신 비서, 주위를 살피며 빠른 걸음으로
걸어가면 그 뒤로 어둠 속 스르륵 멈추는 구원의 차.

S#20.   **구원의 차 안 (밤)**

차 안에 나란히 앉은 구원과 도희.

구원   저렇게 수상할 수가.

도희   … (착잡한 표정인데)

저만치 벤치에 앉는 신 비서의 뒷모습 보이고 그 옆으로 다가
와 앉는 남자.

모자를 눌러쓰고 버버리 코트를 입은 채 사과 박스를 들었다.

구원   사과 박스? 빼박이네. 믿을 인간 하나 없다더니 신 비서 저 인
간이 이럴 줄은…

도희   아직 확실한 건 아니니까 속단하지 마. 신 비서님은 절대 그
럴 사람이 아니야. 난 신 비서님을 믿…

남자가 스윽 사과 박스 밀어 넘기면 딴청 피우듯 반대쪽 보며
스윽 사과 박스를 몸 쪽으로 당겨 받는 신 비서.

도희   (앞으로 몸까지 내밀며 버럭) 신 비서님이 어떻게 나한테 이럴 수가!
구원   (도희를 말리는) 흥분하지 마.
도희   (믿었던 만큼 배신감에 씩씩대는) 덮치자.

S#21.   **한강 (밤)**
         신 비서와 남자의 뒤로 조심스럽게 다가가는 구원과 도희.
         신 비서, 박스를 열어 물건을 확인하는데

도희   (속닥) 증거를 남겨야 돼. (휴대폰을 꺼내들고)
구원   (속닥) 내가 남자 먼저 덮칠게.

         구원, 남자를 덮치려는 순간…
         물건을 확인한 신 비서가 와락 남자를 덮친다.
         구원과 도희, 놀라 멈칫하면, 남자 역시 신 비서를 부둥켜안
         는다.
         요란한 스킨십에 남자의 모자가 벗겨지며 드러나는 익숙한
         뒷모습.

구원   박 실장님?

당황한 도희의 손에 들린 휴대폰에서 플래시가 번쩍 터지고…
놀라 뒤를 '홱' 돌아보며 찍히는 복규와 신 비서의 파파라치 컷.
점프하면, 얼굴에 온통 립스틱 자국인 복규가 케이크를 들고
앉았고, 그 옆에는 신 비서가 복규의 모자를 손에 쥔 채 죄인
인 양 앉았다.

도희	(허탈) 케이크를 왜 그렇게 비밀스럽게 주고받아요?
신 비서	비밀스러운 게 아니라 수줍은 겁니다.
도희	왜 하필 사과 박슨데요.
복규	내 마음을 담기에는 다 작아서…
구원	(기가 찬) 우리가 도대체 뭘 놓친 거야?
복규	신 비서님 취했을 때 집에 데려다주라며. 근데 끝까지 주소를 말 안 하는 거야.

복규의 말과 함께 회상으로 빠지면…

S#22.   **아파트 단지 (밤) - 회상**

복규	도대체 몇 동 몇 호냐고요. 주소를 똑바로 말해야 할 거 아냐.
신 비서	(갑자기 걸음 멈추고 정색하며) 우리 집 주소는 알아서 뭐 하게.
복규	주소를 알아야 집에 데려다주죠.
신 비서	(태블릿을 꼭 끌어안고 복규에게 바싹 다가와 붙으면)
복규	(쫄아서 뒤로 고개 빼며) 왜 이래. 왜 눈을 그렇게 떠요?

신 비서	자상한 남자?
복규	뭐래. 난 그냥 이사장이 데려다주라고 하니까 데려다주는 거 뿐이거든요.
신 비서	책임감 있는 남자?
복규	기가 막히네, 진짜. (어이없어 실소하는데)
신 비서	웃을 때 귀여운 남자!
복규	(싫지 않은) 다 맞는 말이긴 한데 빨리 주소나 말해요.
신 비서	(주위 둘러보더니) 여긴 어디야?
복규	그쪽 동네잖아요.
신 비서	여기 우리 동네 아닌데?
복규	아~ 진짜! (고개 들고 소리치다 하늘 보더니) 어?

신 비서 잡은 손 놓고 달에 손가락질하는 복규.
보름달이 얼마 안 남았다.

| 복규 | 저게 언제 저렇게 살이 쪘대? (후다닥 휴대폰 꺼내 검색하더니) 휴우~ 아직 보름달까진 이틀 남았네. 다행…. |

하늘을 보던 복규, 이상한 느낌에 보면 바닥에 대자로 엎어진
신 비서.

| 복규 | 신 비서님! |

복규, 후다닥 달려가 신 비서를 일으켜 세우면 쌍코피가 주룩

나는 신 비서.

복규   헉. 피!

안절부절못하며 소매로 코피를 닦아 대는 복규의 모습이 신
비서의 시점에서 뽀샤시하게 보이고…
코피를 닦는 복규의 손을 탁 쳐내는 신 비서.

복규   ?
신 비서   운명의 남자.

신 비서, 그대로 복규에게 키스를 날려 버리면 마침 두 사람
의 머리 위로 '탁!' 켜지는 가로등 불빛.

S#23.   **한강 (밤)**
현재로 돌아오면 꿈꾸듯 회상을 하는 복규.

복규   핏빛 키스. 거부할 수 없는 운명의 힘에 이끌린 우리는 그날
밤 뜨겁게 서로를….
도희   (말 막는) 아악! 듣고 싶지 않아요. 가족의 사생활 같은 거 자세히
알고 싶지 않다고요.
신 비서   가족이요…? (그 와중에 감동 받은 눈으로 도희 보고)
도희   신 비서님은 무성애자라면서요.

복규	제가 무성애자 성애자입니다.
구원	골고루 한다, 진짜….
신 비서	여러모로 죄송합니다.
복규	죄송하다뇨? 사랑에 빠진 게 죄는 아니잖아요.
구원	그렇게 당당하면 왜 그렇게 수상하게 군건데?
신 비서	저는 당당한 적 없습니다. 저에게 연애는 언제나 흑역사니까요.
복규	신 비서님…. (섭섭하고)
신 비서	그런데 두 분, 차로 미행하신 건가요?
도희	네… 왜요?
신 비서	능력을 두고 굳이 힘들게 왜 차로.
구원	그거야 자칫하다간 그쪽 차 트렁크나 뒷좌석으로 이동해서… 잠깐. 뭐가 이렇게 자연스러워? 나에 대해서 왜 이렇게 다 아는데? (복규 보며) 설마 다 말한 거야?
복규	사랑에 비밀이 어딨니?
구원	(황당한데)
신 비서	대표님. 회사에는 비밀로 해 주시면 감사하겠습니다.
복규	(또다시 마음의 상처) 신 비서님….

온도차가 심한 복규와 신 비서다.

S#24.   **구원의 차 안 (밤)**
         차에 앉은 구원과 도희.

도희	괜히 오해했네. 하긴. 신 비서님을 안 믿으면 누굴 믿어.
구원	(도희 흉내) 신 비서님이 어떻게 나한테 이럴 수가! 라던 게 누구더라~

도희, 할 말 없고 장난스레 웃으며 차를 출발시키는 구원.

S#25.   **도희 집 침실 (밤)**
침대에 털썩 눕는 도희.

도희	오늘은 완전 허탕의 날이네.

하는데, 불이 '탁' 꺼지며 은은한 조명과 함께 분위기 좋은 음악.
보면, 어느새 구원이 침대에 모로 누워 치명적인 척 포즈를 취하고 있다.

도희	뭐야?
구원	우리도 질 수 없잖아?
도희	미쳤나봐~
구원	미쳤지. 도도희한테. (장난스레 침대에 뛰어들어 도희를 안으면)
도희	꺄아~ 오글거려~

안은 채 깔깔거리며 웃는 구원과 도희.
점프하면, 다정하게 나란히 누워 잠든 구원과 도희.

깊게 잠든 구원의 얼굴로 다가가면….

S#26.   **절경 바위 (낮) - 꿈**
하얀 속적삼에 속치마 차림을 한 여인이 검무를 추는 뒷모습.
위태로운 듯 아름다운 그의 춤 선에 이선, 홀리는데…
점프하면 수풀을 헤치며 나서는 이선.
저만치 바위에 선 여인의 뒷모습이 보인다.

이선   월심아!

이선, 여인을 향해 달려가면 여인 역시 이선을 향해 달려오는
데 여전히 여인의 얼굴은 보이지 않는다.
소매에서 뭔가를 꺼내 여인의 손바닥에 내려놓는 이선.
십자가 목걸이다.
여인의 목에 십자가 목걸이를 걸어 주는 이선의 모습 위로.

이선   (E) 내 나를 잊을지언정 너는 절대 잊지 않겠다.

S#27.   **도희 집 침실 (낮)**
번쩍 눈을 뜨는 구원, 혼란스러운 표정으로 숨을 몰아쉬는
데… 옆을 보면 세상모르고 잠든 도희.
구원, 자리에서 일어나 앉아 옷섶에서 십자가 목걸이를 꺼내

보면 꿈속에서 여인의 목에 걸어 주던 바로 그 목걸이다. 목걸이를 내려다보는 구원의 의문 가득한 눈빛.

S#28.　　**지하철역 (낮)**

광고판 아래 박스 위에서 아침을 준비하는 노숙녀, 계좌 팻말이며 구걸 통을 꺼내는데 그 앞에 다가서는 구원.

구원　　　(대뜸) 왜 이러는 거야?

노숙녀　　(올려다보면)

구원　　　왜 인간 시절의 꿈을 꾸는 건데? 월심이라는 그 여자 얼굴은 왜 안 보이는 거고. 악마의 편집이라는 게 이런 건가?

노숙녀　　하나씩 얘기해. 정신이 하나도 없네.

구원　　　(한 호흡 고르고는) 난 능력도 돌아왔는데 왜 아직도 인간 시절 꿈을 꾸는 거야?

노숙녀　　글쎄… 아무래도 넌 인간으로 남고 싶은가 보지. 네가 느끼는 인간적인 감정들. 그런 걸 잊고 싶지 않아서.

구원　　　(눈살 찌푸리고는) 악마의 편집은?

노숙녀　　그걸 과연 내가 한 걸까?

구원　　　?

노숙녀　　말했잖아. 큰 규칙은 내가 만들었지만 인간들이 규칙대로 안 살면서 이변이 생긴다고. 네가 그랬듯이. (팻말이며 구걸 통 세우며) 이 세상의 모든 것들은 살아남기 위해 발버둥 치며 스스로 진화해. 너 역시 그 여자에 대한 기억이 널 괴롭게 하니까

스스로 지운 걸 거야. 지극히 인간적인 보호 본능이랄까. 방어 기제.

구원　　　　괴로워? 내가 왜 괴로운데.

노숙녀　　　나야 모르지. 본인도 각성을 못 했는데 내가 어떻게 알아?

구원　　　　(화난 얼굴로 돌아서려다 노숙녀 보며 애써 부정하는) 틀렸어. 난 인간적인 본능도 없고 인간으로 남고 싶지도 않아. (돌아서면)

구원의 뒤에 대고 말하는 노숙녀.

노숙녀　　　강력하게 얽힌 인연은 어떤 모습으로든 다시 만나게 될 거야. 운명은 반복되니까.

멈칫했다가 무시하고 걸어가는 구원.

S#29.　　　**선월극장 로비 (낮)**
벽에 걸린 혜원 전신첩 앞에 선 구원, 뒤돌아선 여인의 뒷모습 보며 복잡한 표정인데…
극장에서 들려오는 음악 소리에, 소리 나는 쪽으로 고개 돌리는 구원.

S#30.　　　**선월극장 (낮)**
연주자들 없이 혼자 음악을 틀어 놓고 연습 중인 가영.

꿈속 여인과 비슷한 가영의 모습에 구원, 시선을 떼지 못하고…
가영, 시선을 느끼고 돌아보면 이미 구원은 사라지고 아무도
없다.

S#31.   **선월극장 로비 (낮)**
다시 혜원 전신첩 앞에 선 구원.

구원   (애써 정리하려는) 괴로운 기억이라면 묻어 두는 게 맞아.

그림을 외면하듯 시선 거두고 가 버리는 구원.

S#32.   **미래 F&B 사무실 (낮)**
홍보팀 삼인방을 비롯한 직원들, 각자 열심히 일하다 사무실
에 들어서는 위압적인 양복 무리에 시선 뺏기면…
석민을 선두로 한 그의 비서 및 수행원들이다.
홍보팀 삼인방, 잔뜩 쫄아서 눈치 보는데…
태연히 석민 앞을 가로막듯 서는 신 비서.

석민   (신 비서 얼굴을 보지도 않고) 도희 보러 왔는데.

대표실 안의 도희 보이면, 창문 너머로 석민 무리를 발견하고
표정 굳는다.

S#33.　　　미래 F&B 대표실 (낮)

석민과 마주 앉은 도희.
석민, 도희의 손목을 살피면 블라우스에 가려 보이지 않고.

석민　　(미소 띤 얼굴로 도희 보며) 너의 양보로 내가 회장이 됐는데 가만
　　　　히 있는 건 예의가 아닌 거 같아서. (뒤에 눈짓하면)

뒤에 선 비서, 서류 봉투를 하나 내려놓고…
도희, 봉투를 들어 서류 꺼내 보면 '미래 그룹 투자 계약서'다.

도희　　투자 계약서네요?
석민　　미래 F&B 미주 사업 확장에 자본력을 좀 보태려고.
도희　　(서류 내려놓으며) 성의는 고맙지만 투자도 다 빚이라.
석민　　아쉽네. 도움이 되고 싶었는데… (가슴팍에서 사진 한 장을 꺼내며)
　　　　어머니 유품 정리하다 발견했어. 이거라면 부담 없이 받겠지.

석민, 사진 내려놓으면 천숙이 도희 부모와 함께 찍은 낡은
사진이다.
도희를 임신해 만삭으로 부푼 도희 모의 모습에 도희 눈빛
흔들리는데.

석민　　(그런 도희의 동요를 알아채고) 너도 가지고 있는 사진이니?
도희　　(표정 감추며) 아뇨.
석민　　어머니는 너희 부모님을 워낙 각별히 여기셨어. 너희 아버지

가 회사를 관둘 때도 어찌나 상심하시던지… 상황이 잔인하게 흘러가다 보니 충돌이 좀 있었지만 널 가족으로 여긴다는 말은 진심이야.

가만히 사진을 내려다보는 도희.

S#34.   **미래 F&B 사무실 (낮)**
도희와 함께 대표실을 나서는 석민.

석민   (손을 내밀며) 지금까지 묵힌 감정은 풀고 앞으로 잘해 보자.

도희, 무슨 꿍꿍인지 몰라 석민의 손을 보며 고민하는데…
사무실에 들어서던 구원, 두 사람 보더니.

구원   손님이 있었네.

석민   (구원 보고 손 내리면)

구원   (도희 옆에 붙어 서며) 불청객도 손님은 손님이니까.

석민   (구원에게) 이제 정구원 씨도 우리 가족인데 뭐라고 부를지 모르겠네.

구원   정 그러면 형이라고 불러. (석민의 어깨에 손 올리면)

석민   (자신의 어깨 위 구원 손을 슬쩍 보더니 '피식', 도희에게) 또 보자.

석민, 사무실을 빠져나가면 기다리고 있던 수행원들 따라붙고… 구원, 그런 석민의 뒷모습을 지켜보고 선 도희에게.

구원   뭐 하러 온 거야?

도희   글쎄. 회장됐다고 너처럼 약 올리려 왔던가 아니면 뭔가 꿍꿍
        이가 있던가.

경계심이 가득한 도희의 눈빛.

S#35.   **미래 F&B 엘리베이터 앞 (낮)**
        엘리베이터 앞에 멈춰 서는 석민.

인서트   *자신의 어깨 위 구원의 손을 슬쩍 보는 석민.*
        소매 사이로 살풋 십자가 타투의 끝이 보인다.

석민   돌아왔구나.

날카롭게 빛나는 석민의 눈빛.

S#36.   **미래 F&B 대표실 (낮)**
        테이블 위에 놓인 부모님과 천숙의 사진을 들어 보는 도희.
        그리움이 가득한 눈빛으로 회상에 잠기는데….

S#37.　　　주천숙 자택 도희 방 (밤) - 회상

"흐어엉~ 엄마~" 울며 악몽에서 깨는 어린 도희.

그림자가 기괴하게 드리워진 창문을 보자 더욱 겁이 나 움츠러든다.

S#38.　　　주천숙 자택 서재 앞 (밤) - 회상

눈물을 닦으며 겁먹은 표정으로 어둡고 낯선 복도를 걷는 어린 도희. 저만치 복도 끝 방에서 새어 나오는 따스한 불빛에 멈춰 서고….

S#39.　　　주천숙 자택 서재 (밤) - 회상

스탠드 불빛 아래 도희 부모와 자신이 함께 찍은 사진을 보고 앉은 천숙.

아직 낡지 않은, 석민이 가져온 바로 그 사진이다.

사진을 들여다보는 천숙의 눈에 회한과 그리움이 복잡하게 얽혔는데…

기척에 돌아보면 문 앞에 선 채 천숙을 보고 있는 어린 도희.

천숙　　　(황급히 사진 뒤집으며) 너는 노크도 없이 들어오니?

어린 도희　뭐 보고 있었어요?

천숙　　　아무것도 아냐. (사진 서랍에 넣으며 중얼) 쥐새끼도 아니고 왜 남을 훔쳐보는지….

어린 도희	잠이 안 와요.

그 말에 고개 돌려 보는 천숙, 어린 도희 눈의 눈물 자국을 발견한다.

어린 도희	그냥 그렇다고요. (돌아서면)
천숙	(뒤에서) 나도 잠이 안 오는구나.

어린 도희, 뒤돌아 천숙을 보고…
점프하면 따뜻한 우유 잔을 든 채 나란히 창밖을 보고 앉은
두 사람.

어린 도희	(우유 홀짝이다) 아, 뜨거!
천숙	천천히 식혀 마셔야지. 성격도 급하긴… (하고, 본인도 마시려는데 저도 모르게) 아, 뜨거!

하다, 시선 느껴 옆을 보면 빤히 천숙을 보는 어린 도희.
천숙, 민망한 표정으로 다시 앞을 보고 앉아 우유를 '호오~'
불어 식히면 어린 도희 역시 우유를 '호오~' 불어 식히고…
그렇게 똑 닮은 두 사람의 뒷모습.

S#40.   **미래 F&B 대표실 (낮)**
회상에 잠긴 도희를 애잔한 눈빛으로 보고 선 구원.

도희, 상념 털어 내며 회상에서 빠져나오면, 구원, 눈빛 감춘다.

도희	(구원 보며) 우리 가족사진이야. 볼래?
구원	(다가와 사진 보더니) 넌 없는데?
도희	(엄마의 볼록한 배를 가리키며) 난 여기. 엄마 배 속에 있어.
구원	아….
도희	부모님 돌아가시던 날. 그날은 내 열한 번째 생일이었어.
구원	(도희를 보면)
도희	그해 생일은 유난히 기대가 컸어. 아빠가 절대 잊지 못할 최고의 생일 파티를 열어 주겠다고 호언장담했거든. 덕분에 며칠을 들떠 있었는데 하필이면 그날 급히 회사에 다녀오겠다는 거야. 일도 관둔 지 오랜데. 이해도 안 되고 어린 마음에 내가 울고불고 난리를 쳤어.

슬픈 도희의 얼굴 위로 메아리치듯 들리는 어린 도희의 울음 섞인 목소리.

어린 도희	(E) 지금 가면 다시는 아빠 얼굴 안 볼 거야!
도희	(죄책감으로 어두워지는) 사고 원인은 과속이었어. 나 때문에 너무 서두른 거지. 그날이 내 생일만 아니었어도 엄마 아빠 살아 있었을 거야.
구원	인간들은 소중한 존재에게 불행이 닥치면 자기 탓을 하는 습성이 있지.
도희	알아. 바보 같은 생각인 거. 하지만 수백 번, 수천 번 자꾸 생

각하게 돼. 내가 그렇게 재촉하지 않았더라면. 나도 같이 갔었더라면. (구원 보며) 필요한 건 말만 하라고 했지? 나 필요한 거 있어.

구원 ?

도희 네가 내 옆에 있는 거. 그니까 다시는 혼자 멀리 가 버린다는 말 하지 마.

구원 (자신이 떠난다는 말을 한 게 꿈이 아닌 걸 아는구나 싶어 도희를 보면)

도희 꿈이 아니었던 거지? 네가 그 말 한 거. (애잔하게 웃어 보이면)

구원 (그런 도희를 애잔하게 보며) 소원 접수했어. 난 무슨 일이 있어도 절대 널 떠나지 않을 거야.

구원, 도희에게 키스하면 두 사람 얼굴 사이 창문 너머 반짝이는 햇빛.

S#41.　**고층 빌딩 옥상 (낮)**
홀로 옥상 끝에 선 채 목에 걸린 십자가 목걸이를 만지작대는 구원.

구원 역시 나한테는 현재가 중요해. 도도희가 있는 지금 이 순간이.

말끔히 정리된 표정으로 십자가 목걸이를 옷 속에 넣어 버리는 구원.

구원	(시선 들어 멀리 앞을 보며 한숨 쉬듯) 오늘은 지옥에 갈만한 인간이 있어야 할 텐데….

S#42.　**미래 F&B 사무실 (낮)**
신 비서와 함께 회의실을 나서는 도희, 대표실로 향하는데 뒤에서.

석훈	(off) 도희야!

도희, 돌아보면 한쪽 팔에 깁스를 한 석훈.

S#43.　**미래 F&B 대표실 (낮)**
도희와 마주 앉은 석훈.
도희에게서 이야기를 다 들은 듯 혼란스러운 표정으로 한숨 쉬더니.

석훈	정말 믿기 힘든 얘기네. 계약이니 능력이니 하는 것도 모자라 데몬이 수호신처럼 널 지켜 준다니… 남들이 말하면 미쳤다고 했을 거야.
도희	오빠도 직접 봤잖아.
석훈	그래서 더 혼란스러워. 내가 그동안 믿어 왔던 선과 악이 완전히 뒤집혔으니까. 결국 악한 건 인간일 뿐인 건가….

도희	그럴지도.
석훈	범인은 도대체 왜 다시 널 노렸을까? 넌 유산 상속도 포기하고 모든 걸 내줬는데.
도희	(생각에 잠기는) 어쩌면 돈이니 회장 자리니 다 핑계고 그저 날 죽이고 싶은 건지도.
석훈	(걱정스럽게 도희를 보면)
도희	참, 노석민이 찾아왔어.
석훈	무슨 일로?
도희	갑자기 우리 회사에 투자를 하겠다면서 친한 척하더라고. 원래 악마는 웃는 얼굴로 다가온다던데… 목적 없이 이럴 사람이 아니야.
석훈	(생각에 잠겼다가) 내가 한번 가 볼까?
도희	응?
석훈	가서 한번 떠보지 뭐. 내가 가진 무기 있잖아. 속없어 보이는 거.

'씨익' 웃어 보이는 석훈.

S#44.　　석민 집 거실 (밤)
　　　　　퇴근한 석민, 집에 들어서면 묘한 눈빛으로 어색하게 석민을 맞이하는 세라.

세라	오셨어요?

석민, 그런 세라가 의아한데 저만치 소파에서 일어나 환히 웃는 석훈.

석훈　　형, 늦었네?

석민, 석훈 팔의 깁스를 보더니 경계하는 눈빛으로 석훈을 보고… 그런 시선에도 아랑곳없이 미소 짓는 석훈.

S#45.　　**석민 집 다이닝 룸 (밤)**
　　　　식탁에 마주 앉아 식사하는 석훈과 석민, 세라.

석훈　　그냥 삐끗했는데 이렇다니까. 테니스가 이렇게 위험하다.

석민　　그게 다 평소에 운동이 부족했다는 증거지.

석훈　　내 말이. 근데 도경이는 어디 갔어요? 전화도 안 받던데.

세라　　(긴장하면)

석민　　(끼어드는) 도경이는 출장 중인데 왜?

석훈　　그냥. 본지 좀 된 거 같아서. 간만에 집밥 먹으니까 너무 맛있네~ 맛있어요, 형수님. (너스레 떨고)

세라　　(태연한 척) 갈 때 반찬 좀 싸 드릴게요.

석훈　　감사합니다~

석민　　(그런 석훈 살피며 식사하는데)

석훈　　아, 회장 된 거 축하해, 형.

석민　　고맙다.

석훈	나 설마 자르는 거 아니지?

세라, 눈치 보더니 반찬 그릇 들고 일어나고, 석민, 석훈을 가만히 보면.

석훈	솔직히 말할게. 나 라인 타러 왔어. 너무 늦었나?
석민	('피식') 늦긴. 안 그래도 오늘 도희 만나고 왔어.
석훈	(모른 척) 그래? 무슨 얘기 했는데?
석민	너랑 비슷하지 뭐. 가족끼리 얼굴 붉히지 말자 그런. 아직 도희는 나한테 섭섭한 게 많은가 보더라. 네가 중간에서 애 좀 써 줘.
석훈	아… 그래? 알았어. 좋은 게 좋은 거지.

다시 밥 먹는 석훈, 석민의 말이 진심인가 아닌가 살피는 눈빛인데….

S#46.   **석민 집 화장실 (밤)**
세면대 수전기에서 '쏴-' 소리를 내며 쏟아지는 물.
석훈, 웃음기 없는 얼굴로 거울에 비친 자신을 보고 섰다.

S#47.   **석민 집 복도 (밤)**
화장실을 나서는 석훈.

거실을 슬쩍 의식하고 복도를 보면 저만치 홈시어터 문이 보인다.

S#48.   **석민 집 홈시어터 (밤)**
석훈, 조심스레 문을 열면 어두운 홈시어터에 들이치는 한 줄기 빛.
석훈, 홈시어터에 들어서려는데 어느새 석훈 너머 복도에 선 석민 보이고.

석민   석훈아.
석훈   (석민 보고 놀라면)
석민   화장실 가는 거 아니었어?
석훈   (당황 감추며 거짓말) 어… 여기 문이 열려 있길래.
석민   가자. 후식 준비됐어.

재촉하는 석민에 할 수 없이 홈시어터 문을 닫고 돌아서는 석훈.
석훈의 뒤를 쫓는 석민의 얼굴, 굳는데….

S#49.   **미래 F&B 대표실 - 석민 집 앞 (밤)**
도희가 업무를 보고 있는데 문 벌컥 열리며 들어서는 구원.

구원	(소파에 털썩 앉으며) 아~ 오늘도 허탕이야.
도희	너무 조급해하지 마. 아직 손가락도 멀쩡한데.
구원	자연 발화는 언제 갑자기 찾아올지 몰라. 미리미리 대비해야 한다고.
도희	하긴. (휴대폰을 슬쩍 보면)
구원	기다리는 전화 있어?
도희	어, 석훈 오빠가….

설명하려는 그때 도희의 휴대폰 울려서 보면, 석훈이다.

도희	(받으며) 어. 오빠.
석훈	(E) 도희야.

석민 집에서 멀어지며 통화 중인 석훈.

석훈	나 지금 석민이 형 집에서 나오는 길인데 확실히 이상해.

그런 석훈을 멀리 위에서 보는 누군가의 시선.

석훈	도경이는 출장 중이라고 하는데 뭔가 숨기는 낌새야. 그리고 결정적으로 이상한 걸 봤는데….
도희	이상한 거?
석훈	(걸음 멈추며) 그게….

인서트	*닫히는 문 사이로 홈시어터를 살피는 석훈.*
	한줄기 빛이 들이치는 책상 위, 초록색 책 표지에 쓰인 'Demon'
	글씨.

석훈	초록색 책이었는데 데몬이라고 써 있었어.
도희	!

S#50.   **석민 집 도경의 방 (밤)**

창문 앞 커튼 뒤에 선 석민.

통화하며 멀어지는 석훈을 내려다보는 눈빛이 싸하다.

S#51.   **병원 VIP실 (밤)**

등에 온통 화상을 입은 도경, 침대에 앉은 채 간호사에게 물

건을 던지며.

도경	진통제 가져와! 몰핀이든 뭐든 다 가져오라고!

문 열리고 석민이 들어서면 겁먹은 듯 조용해지는 도경.

간호사, 황급히 나가고, 석민, 자리에 앉더니.

석민	아프겠네.
도경	괜찮아요… 처음 겪는 것도 아니고. 도도희는… 죽었어요?

석민	넌, 널 증명하는 데 실패했어.

도경, 좌절해 고개 숙이고, 천천히 담배를 꺼내 입에 무는 석민.
지포 라이터를 꺼내 '쳉!' 하고 열면, 고개 숙인 도경, 멈칫 굳
는다.
'챡!' 불을 켜 담배에 불붙이더니 '후우~' 연기를 내뿜는 석민.
연기 너머 고개 드는 도경의 눈빛이 겁먹었는데.

석민	급한 치료 끝나는 대로 자수하자.
도경	(눈빛 흔들리며) 아버지….
석민	(도경에게 다가가) 그게 감형에 좋아. 그간 네가 한 일들, 용서받기 쉽지 않다는 건 알겠지. 재산에 눈이 멀어 할머니를 죽이고 가족 같은 도희까지 죽이려고 하다니….
도경	(굳어 선 채 숨을 몰아쉬고)
석민	(도경 어깨에 손 올리며) 하지만 난 널 포기하지 않아. 넌 죽을 때까지 내 아들이니까.

어깨 위를 짓누르는 듯한 석민을 올려다보는 도경의 억눌린
표정.

S#52.	**석민 집 홈시어터 (밤)**

데몬 책이 사라지고 없는 책상 너머에 선 도희의 당혹스러운
표정.

도희	분명 여기 책상 위라고 했는데….

그 뒤에 선 구원, 서랍을 향해 손짓하면 서랍 저절로 열리며 '끼익' 소리.

도희	(뒤돌아) 쉿.
구원	(아주 천천히 서랍 열리게 하며) 이래가지고 어디 오늘 안에 끝나겠어?

하는데, 밖에서 문 여는 기척에 멈칫하는 두 사람.

S#53. **석민 집 거실 (밤)**
침실 문 열리며 잠옷 차림으로 나오는 세라.
벽난로 옆으로 다가가 약통에서 약을 하나 꺼내 들고 물을 가지러 가다 홈시어터 문을 보더니 걸음 멈춘다.

S#54. **석민 집 홈시어터 - 석민 집 도경의 방 (밤)**
문 뒤에 숨어 선 채 긴장한 구원과 도희.
세라, 문을 확 열면 아무도 없고 텅 비었다.
그새 텅 빈 도경의 방으로 이동한 구원과 도희.
도희는 놀란 가슴을 부여잡고…
반쯤 열린 서랍을 발견한 세라.

서랍으로 천천히 다가가더니 무심한 표정으로 서랍을 '탁!' 닫는다.

문에 귀를 댄 도희, 홈시어터를 나서 침실로 돌아가 문 닫는 세라의 기척에 안도의 한숨 내쉬며 돌아서는데…

그새 엉망으로 뒤져진 방 안.

저만치 등 돌리고 선 구원의 뒷모습 보이고.

도희 (구원 뒤로 다가가) 그새 다 뒤져 본 거야?

보면, 구원의 손에 들린 2G폰.

구원 기광철이 쓰던 휴대폰이야. (도희에게 2G폰 화면 보여 주면)

'아브락사스'에게 보낸 '그놈이 내 얼굴을 봤어요. 그놈이 찾아올 거예요.' 하는 발신 문자.

도희 (표정 싸늘해지는) 노도경한테 가자.

S#55. **형사과 (밤)**

야근 중인 박 형사와 이 형사.

박 형사 (칠판에 속초 화재 사건 사진을 추가로 붙이더니) 대체 배후가 누굴까?

이 형사 살인에 방화에… 미친놈인 건 확실하네요.

그때 형사과 입구로 기운 없이 터덜터덜 들어서는 발걸음.

이 형사   (돌아보더니) 무슨 일이십니까?

박 형사   (뒤늦게 돌아보고 알아보는) 노도경 씨?

그제야 도경의 얼굴 보이면 고개를 푹 숙인 채 작은 목소리로.

도경   내가⋯ 다 죽였어요.

박 형사   네?

도경   내가 다 죽였다고. 차 팀장도 기광철도 할머니도! (점점 목소리
         커지며 고개 드는)

박 형사   !

S#56.   **경찰서 앞 (밤)**
         황당한 표정으로 선 구원과 도희.
         두 사람 앞에는 경찰서 입구가 보인다.

도희   노도경이 여길 왜⋯.

         의아하고 불길한 표정으로 경찰서 간판을 보는 두 사람인데⋯.

S#57.   **형사과 (밤)**

형사과로 들어서는 구원과 도희.
저만치 책상 앞에 수갑을 차고 앉은 도경의 뒷모습에 멈춰
서면.

박 형사   (구원과 도희를 발견하고) 두 분은 여길 어떻게….

박 형사의 시선에 도경, 뒤돌아 멍한 눈으로 구원과 도희를
보더니.

도경   도도희는 내가 못 죽였어… 악마의 손을 잡는 바람에.
구원, 도희   !

S#58.   형사과 취조실 (밤)
         고개를 푹 숙인 채 박 형사와 마주 앉은 도경.

박 형사   차 팀장을 통해 회사 자금을 불법적으로 빼돌렸고 그 돈은 대
         부분 불법 도박으로 탕진. 자신의 몫에 불만을 품은 차 팀장이
         주천숙 회장과 도도희 대표에게 폭로하려 하자 기광철을 시
         켜 차 팀장과 주 회장을 살해하고 도도희 대표도 살해하도록
         사주했다. 맞나요?
도경   …
박 형사   대답하세요.
도경   네….

박 형사	기광철은 왜 죽였어요?
도경	꼬리를 밟혔으니까.
박 형사	기광철하고는 어떻게 알았어요?
도경	인터넷에 사람들이 안 쓰는 게시판이 있어요. 거기에 의뢰하면 뭐든 다 해 준다길래… 글을 남겼는데 연락이 왔어요.
박 형사	(얕게 한숨 쉬는) 지금 자백하는 이유는 뭡니까?

그 말에 고개 들어 박 형사를 보는 도경의 멍한 눈빛.

S#59.   **석민 집 거실 (낮)**

소파에 앉아 통화하는 석민.

석민	외부에는 최대한 알려지지 않게 부탁드리겠습니다. (사이) 네… 어쩔 수 없죠. 부모로서 마음이 아프지만 지금은 더 큰 대의가 있으니까요. 청장님이 신경 써 주신 은혜는 잊지 않겠습니다. (전화 끊고 표정 차가워지며 세라에게) 사람들한텐 장기 출장이라고 둘러대.
세라	도경이는 언제 빼줄 거예요? 애가 상태가 안 좋아서 오래는 못 버틸 텐데….
석민	(싸늘하게 세라를 보며) 언제부터 그렇게 관심이 많았어?
세라	…
석민	사람을 죽였어. 그것도 친족 살인이라고. 괴물을 낳고 키운 책임을 당신한테 물을까?

세라	미안해요, 여보… 다 내 잘못이에요. (떨리는 손을 감추듯 꽉 붙들고)

석민, 앞을 본 채 생각에 잠기면.

인서트	**석민 집 도경의 방, 창문 앞 커튼 뒤에 선 석민.** 통화하며 멀어지는 석훈을 내려다보는 눈빛이 싸하다. 이내 광철의 2G폰을 도경 방 서랍에 숨기고 서랍을 '탁' 닫는 석민의 손.

현재로 돌아오면 석민의 얼굴에 안도의 빛이 스친다.

S#60.   **형사과 (낮)**
출입문으로 달려 들어오는 석훈.
저만치 밤새도록 앉아 기다리고 있던 구원과 도희 발견하고는.

석훈	도희야!
도희	(자리에서 일어나) 오빠….
석훈	갑자기 도경이가 자수라니 그게 무슨….
도희	나도 아직 들은 얘기가 없어서 기다리는 중이야.

그때 취조실에서 박 형사가 나오자, 도희, 황급히 다가가고.

박 형사	(도희 앞에 멈춰 서더니) 범죄 사실을 모두 인정했습니다.

도희	이제 와서 갑자기 자백한 이유가 뭐죠?
박형사	그게… 무서웠답니다. 악마에게 벌을 받을까 봐.

황당한 도희.

S#61.   **경찰서 앞 (낮)**
경찰서를 나서는 구원, 도희, 석훈.

석훈	(경찰서 앞에 멈춰 서더니) 데몬 책이 사라진 게 언제예요?
구원	꽤 됐어.
도희	네가 데몬인 걸 이미 알고 있었는데 이제 와서 갑자기 무섭다고? 난 도무지 이해가 안 돼.
구원	(멈춰 서며) 그럼 직접 물어보자. 왜 이러는 건지.

S#62.   **형사과 취조실 (낮)**
무력한 표정으로 중얼거리는 도경.

| 도경 | 내가 다 죽였어, 내가 싹 다 죽여 버렸어. |

뭐가 웃긴지 '피식' 비웃는 도경인데…
이상한 낌새에 고개 들면 그 앞에 선 구원과 도희.

도경	(멍한 눈으로 도희 보며) 도도희⋯.
도희	노도경. 마지막으로 딱 한 번만 물을게. 정말 네가 한 거 맞아?
도경	(빤히 보기만 할 뿐 대답 없고)
도희	기광철을 시켜서 주 여사도 죽이고 나도 죽이려고 한 게 너고. 대답해!
도경	할머니는 기광철이 죽인 게 아냐⋯.
도희	(충격) 그럼⋯ 네가 직접 죽였다는 거야?
도경	아니야. 내가 한 거. 난 그냥⋯ 시키는 대로 했어.
도희	누가 너한테 시켰는데?
도경	(고개 들어 구원 보더니) 악마.
도희	!
도경	(멍한 눈빛으로 자신의 가슴팍을 두드리며) 여기 악마가 살거든. 난 그냥 악마가 시킨 대로 한 것뿐이야.
구원	또 시작이네. 지들이 해놓고 맨날 내 탓이지.
도희	(도경 멱살 잡으며) 똑바로 말해! 주 여사 네가 죽였냐고! 말해! 말하라고!
구원	소용없어, 도도희. (도희를 말리는데)
도경	(구원의 손을 덥석 잡는) 나랑 계약하자. 나 소원 있어. 한 놈도 빠짐없이 다 뒤져 버리게 싹 다 불태워 버릴 거야. (상처 난 팔뚝을 벅벅 긁어 대며) 다들 지옥 불에 타 죽으면 그제야 회개하겠지.

하더니, 갑자기 눈앞에 불이 보이는 듯 기겁하며 뒤로 물러나는 도경.
의자에서 떨어져 바닥에서 뒷걸음질 치며.

도경	으아아~! 뜨거워! 살려 줘!!
도희	(그런 도경에 눈빛 흔들리고)
구원	(도경 내려다보며) 영혼이 망가졌어. 자기가 무슨 말을 하는지도 모른다고.

도경을 보는 도희의 울분에 찬 눈빛.

S#63.   **경찰서 앞 (낮)**

혼자 경찰서 앞에 선 채 초조한 석훈.
구원과 걸어 나오는 도희에 뛰듯 다가가는데…
울분에 찬 도희의 표정에 멈춰 서는 석훈, 눈빛만 봐도 알겠다는 듯 아무것도 묻지 않고 걱정스러운 표정으로 볼 뿐이다.

S#64.   **미래 F&B 대표실 (낮)**

소파에 앉은 도희와 그를 걱정스럽게 보고 앉은 구원, 석훈.

도희	허무해. 그래서 더 화가 나. 주 여사가 죽은 게 그저 정신 질환 때문이라니… 저렇게 미쳐 버리면 되는 거야? 비겁해. 자기 죄에서 도망쳐 버리는 거잖아.
구원	내가 어떻게 해 줄까? 뭘 어떻게 혼내 주면 마음이 좀 풀리겠어?
도희	(힘없이 고개 젓는) 소용없어. 주 여사가 살아오지 않는 한. 범인

	을 잡아서 복수하고 싶었는데 저래서는 복수도 의미 없어.
석훈	그런 상태면 치료 감호소에 수감될 거야. 감형 받으려고 연기
	하는 것 같진 않았어?
구원	그게 연기라면 감호소가 아니라 할리우드에 보내야지.
석훈	연기가 아니면 우리가 여태 몰랐던 걸까?
도희	원래도 좀 불안정하긴 했잖아.
석훈	(한숨 쉬더니) 정신 감정 결과 나올 때까지 기다려 봐야겠네.

석훈, 자리에서 일어서면, 구원과 도희, 배웅하려 일어서는데.

| 석훈 | (구원에게) 정구원 씨. 나랑 술 한잔하죠? |

도전적인 석훈의 말에 '?' 한 표정으로 석훈을 보는 구원.

S#65. **칵테일 바 (낮)**
구원과 마주 앉은 석훈, 술을 원샷 하면.

구원	그렇게 마시면 뼈 안 붙을 텐데…. (중얼거리며 홀짝)
석훈	정구원 씨. 도희 사랑해요?
구원	악마가 하는 말 따위 믿을 수 있겠어?
석훈	믿어 보려고 애쓸게요.
구원	난 원래 인간을 싫어해. 아니 극혐에 가깝지. 인간들은 한심
	하고 하찮고 비굴하거든.

석훈	도희도 인간이에요.
구원	맞아. 그래서 덕분에 인간들이 조금은 사랑스러워졌어. (미소 지으면)
석훈	(조금은 허탈한 실소) 도희와 결혼한 남자가 그냥 나쁜 남자도 아니고 악마라니… 그런데 더 말이 안 되는 건 내가 안심이 된다는 거예요. 도희 옆에 정구원 씨가 있는 게.
구원	그렇게 안심이 되면 이제 그만 좀 오지?
석훈	싫거든요? 앞으로 매일같이 툭하면 찾아올 거예요. 도희한테 잘하는지 못하는지 감시할 거라고요. 기억해요. 내가 이 두 눈으로 똑똑히 지켜보고 있다는 걸.
구원	(반어) 엄청 무섭네.
석훈	그리고 존댓말 좀 하고, 족보상 내가 정구원 씨보다 위니까.
구원	나도 싫거든? 진짜 사촌도 아닌 주제에.

괜스레 틱틱거리며 고개 돌려 술을 마시는 두 사람.

S#66.   **미래 F&B 앞 (낮)**
미래 F&B 건물 앞에 선 가영, 용기 내 건물로 들어가는데 도저히 안 되겠는지 금세 다시 나온다.
건물에서 멀어지는 가영, 멈칫하더니 다시 용기 내 뒤돌아서는데 마침 건물을 나서던 도희와 떡하니 마주친다.
서로를 보고 굳어 선 두 사람.

S#67.　　　**편의점 앞 (해 질 녘)**

　　　　　　도희, 일회용 소주잔에 술을 채워 가영 앞에 '탁' 내려놓으며.

도희　　　　마셔요. (자신의 잔에도 소주를 따라 원샷 하면)

　　　　　　가영, 지지 않고 원샷 하더니 '탁' 소주잔을 내려놓는다.

도희　　　　무슨 일로 왔어요?

가영　　　　사과하러 온 거 아니에요.

도희　　　　그런 생각 안 했는데. 사과하러 왔구나?

가영　　　　(아차 싶고) …

도희　　　　(자신의 잔과 가영의 잔에 소주 따르며) 뭐 이왕 만났으니 축하나 하
　　　　　　죠. 아무도 죽지 않았고 정구원의 능력은 돌아왔으니까. (건배
　　　　　　하듯 잔 들면)

가영　　　　그냥 해요. 욕이든 뭐든.

도희　　　　너무 심하게 나쁜 놈이 있어서 그런가 진가영 씨한테 낼 화
　　　　　　가 안 남았어요.

가영　　　　… 잡았다면서요. 진짜 범인.

도희　　　　네. 근데 내가 예상한 기분이 아니네요. 복수라는 게 결국 이
　　　　　　런 건가… (씁쓸한 표정으로 원샷 하면)

가영　　　　빨리 마음 정리하고 일상으로 돌아가요.

도희　　　　(가만히 보면)

가영　　　　그래야 이사장도 마음 편할 거 아니에요.

도희　　　　진가영 씨도 참 한결같다. (하며, 자신의 잔에 술을 따르는데)

가영	(원샷 하더니) 이사장을 만나기 전의 내 세상은 지옥이었어요. 그 지옥이 깨졌을 때 내가 처음 본 얼굴이 바로 이사장이에요. 이사장은 나한테 어미 새나 마찬가지예요. (눈빛 슬퍼지면)
도희	(표정 복잡해지고)
가영	미친 소리로 들리겠지만 이사장을 위해 희생할 수 있는 것조차도 난 부러웠어요.
도희	이해해요. 나한테도 정구원은 그런 존재니까.
가영	(화나는) 이해하지 마요. 너무 그렇게 괜찮은 사람이지 말라고요. 그럼 내가 너무… (미안함이 묻어난) 나쁘잖아요.
도희	(가영의 진심을 알겠다는 듯 가만히 보면)
가영	(민망함에 자리에서 일어나 가려다 말고 귀엽게 틱틱대는) 그리고, 나 사과 안 했어요.

확 돌아서 가 버리는 가영의 뒷모습을 보며 귀엽다는 듯 '피식' 웃는 도희.

S#68. **미래 투자 대표실 (밤)**
술에 취해 소파에 내동댕이쳐지는 석훈.
소파에 누운 채 고래고래 소리친다.

석훈	너 도희한테 상처 주면 내가 가만 안 둬! 내가 신부님 돼서 너 퇴마할 거야!

그 앞에 선 채 황당한 표정으로 석훈을 보는 구원.

구원   어떻게 된 게 이 집안은 술만 마셨다 하면 다 개가 돼?

석훈   우리 도희 행복해야 돼! 꼬옥 행복해야 된다고….

구원   걱정 마. 내 온몸 바쳐서 행복하게 해줄 테니까.

석훈   약속 지켜! 안 지키면 내가 지옥까지 쫓아갈 거야~

석훈을 두고 돌아서는 구원, 멈칫하더니 뒤돌아 석훈의 깁스를 보고….

S#69.   **도희 집 거실 (밤)**
허브차를 들고 소파로 향하는 도희.
소파에 앉으면 털썩 옆에 나타나 앉는 구원.

도희   깜짝이야.

구원   너무 진을 빼서 현관문 열고 들어올 힘이 없었어. 아무래도 주석훈이 질투한 건 너 때문이 아니라 나 때문인 거 같아. 날 너무 좋아해.

도희   ('피식' 웃고)

구원   (도희 보더니) 너도 술 마셨어?

도희   (발뺌) 아니~?

구원   (바싹 다가와 얼굴 들이대더니) 술 냄새 나는데? 술은 기분 좋을 때 마시는 거야. 속상하다고 술 마시면 내가 더 속상해.

도희	진짜 아니라니까~ (일어나 가 버리면)
구원	내 냄새가? (갸우뚱)

S#70.	**미래 투자 대표실 (밤)**
	부스스 잠에서 깬 석훈. 숙취에 머리를 부여잡다 이상한 느낌에 보면 깁스에 낙서가 적혀 있다.

구원	(E) 선물이야. 포장 풀어 봐.
석훈	?

예쁘게 반으로 잘린 깁스를 쪼개는 석훈.
팔을 움직여 보면 멀쩡하다.
석훈, '피식' 웃고….

S#71.	**도희 집 침실 (밤)**
	침대 위에 나란히 잠든 구원과 도희.
	구원은 꿈을 꾸는지 감은 눈 속 눈동자가 움직이는 렘수면 상태에 빠져들었는데…
	그 위로 번쩍이는 플래시 컷.

인서트   **옥빛의 앵삼을 입은 채 유가¹를 하는 누군가의 모습.**

걸음걸이를 따라 어사화가 머리 위에서 하늘거리며 움직인다.

더욱 빠르게 움직이는 구원의 눈동자.

S#72.   **절두산 (낮) - 조선 시대**

붉은 피에 젖은 채 흔들리는 어사화. 피로 절여진 어사복을
입은 채 칼을 내려 든 남자의 뒷모습이 보이면…
그 뒷모습에서조차 터질 듯한 분노가 느껴지는데…
칼을 쥔 남자의 손목에 감겨 흔들리는 십자가 목걸이.
그 손을 들어 피가 튄 입가를 닦으며 뒤돌아 얼굴 드러나면…
구원의 전생, 이선이다. 마치 피에 굶주린 듯 광기 어린 눈빛
이 그야말로 악마와도 같은데…
그의 앞에 놓인 하얀 소복을 입은 채 꽃밭에 쓰러진 여인의
주검.
눈 감은 여인의 창백한 얼굴이 드러나면…
현재의 도희와 똑 닮은 모습의 월심이다!

S#73.   **도희 집 침실 (낮)**

1   유가(遊街): 과거 급제한 사람이 풍악을 울리면서 거리를 돌며 친척 등을 찾
아보는 일.

눈을 번쩍 뜨며 자리에서 일어나 앉는 구원.

식은땀에 젖은 채 숨을 헉헉대는데….

구원   도도희였어. 내가 도도희 널 죽였어.

충격에 빠진 구원의 얼굴에서.

11화 엔딩

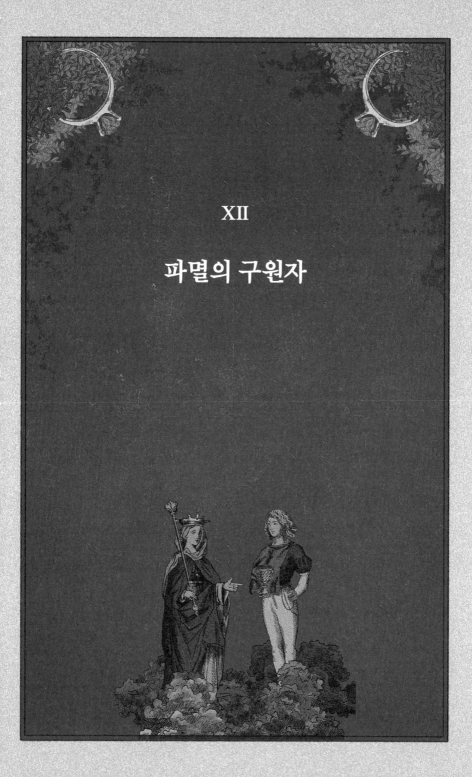

XII

파멸의 구원자

S#1.   **절두산 (낮) - 전사**
              어둠 속 선행되는 구원의 내레이션.

구원   (E) 우리에게는 이미 주어진 운명이라는 것이 있을까?

              F.I. 되면 누군가의 손에 들린 홍패가 바람에 펄럭이다 날아
              가고.

구원   (E) 만약 운명이라는 것이 있다면… 우리는 반복되는 운명의
              틀에서 벗어날 수 없는 걸까?

              붉은 피에 젖은 채 흔들리는 어사화.
              피로 절여진 어사복을 입은 채 칼을 내려 든 남자의 뒷모습이
              보이면, 그 뒷모습에서조차 터질 듯한 분노가 느껴지는데…
              칼을 쥔 남자의 손목에 감겨 흔들리는 십자가 목걸이. 그 손
              을 들어 피가 튄 입가를 닦으며 뒤돌아 얼굴 드러나면…

이선의 마치 피에 굶주린 듯 광기 어린 눈빛.
그야말로 악마와도 같은 그의 모습 위로.

#타이틀   *< 파멸의 구원자 >*

S#2.   **이선 집 마당 (낮) - 전사**
              햇살이 쏟아지는 사대부 가옥의 마당을 거니는 젊은 도령의 뒷
              모습.
              햇빛을 받은 도포 자락이 걸음마다 '사라락' 흩날리고 사뿐히
              걷는 걸음걸이가 경쾌한데.

구원   ⒠ 나는 인간이었다.

              저만치에서 총총히 걸음 옮겨 지나치는 노비, 도령을 보더니
              환히 웃으며.

노비   기침하셨습니까, 이선 도련님.
행랑어멈   날이 좋네요, 이선 도련님.

              줄줄이 바쁘게 일하는 일손들을 지나치는 도령.
              하나같이 도령에게 "이선 도련님."이라 살갑게 부르며 환히
              웃는다.

석이   (off) 이선 도련님!

뒤에서 부르는 소리에 도령, 돌아보면…
양반집 도령 차림을 한 이선의 한 점 그늘 없이 해맑은 눈빛.
싱그럽게 웃는 이선의 모습 위로.

구원　　(E) 존재만으로도 마을 사람들의 존경과 사랑을 받던 아주 특별한 인간.

S#3.　　**거리 (낮) - 전사**
이어 밝은 햇살이 쏟아지는 조선 시대의 거리를 걷는 이선.
화사한 도포 자락을 휘날리며 미소 지은 채 유유자적 걷는
이선의 뒤를 몸종 석이가 쫓으며 목이 터져라 이름을 불러
댄다.

석이　　도련님~ 이선 도련니임~!
이선　　(느긋하게 앞을 보고 걸으며) 어허. 내 이름 닳겠다. 그만 좀 불러라.
석이　　독선생님 오실 시간이 다 됐는데 꽃구경이라뇨. 대감님 아시면 이번엔 절대 그냥 넘어가지 못한다니까요.
이선　　너만 입 다물면 모두가 평화롭다.
석이　　에잇! (풀썩 주저앉으면) 저는 못 갑니다.
이선　　그럼 더 좋지. 좋은 풍경은 다 내 거다. (혼자 가 버리면)
석이　　(울상) 진짜 안 갑니다. 혼자 몰래 가신 거예요!

바닥에 주저앉아 소리치는 석이를 남겨둔 채 미소 띤 얼굴로

걸음 옮기는 이선.

S#4.   **절경 바위 (낮) - 전사**
            물소리가 들리는 수풀에 들어서는 이선.

이선   명당자리가 여기 어딘데….

            중얼거리며 수풀을 거두면 저만치 바위 끝에서 움직이는 하
            얀 형체.
            이선, 눈에 초점을 모으고 보면 하얀 속적삼에 속치마 차림을
            한 여인이 검무를 추는 뒷모습이다.
            위태로운 듯 아름다운 그의 춤 선에 홀리는 이선.
            여인이 뒤를 도는 순간 검에 비친 햇빛에 눈이 부셔 눈을 찡
            그리면…
            눈이 멀 듯 강렬한 그 빛에 여인의 얼굴이 보이지 않고…
            한 손을 들어 부신 눈을 가리는 이선.
            빛이 사라지고 손 내리면 그제야 드러나는 여인의 얼굴.
            어딘가 처연함이 감도는 아름다운 월심이다.
            이선, 넋이 나간 듯 멍하니 월심의 모습을 보고 섰는데…
            뒤늦게 이선을 발견한 월심, 놀라 칼을 떨구면 '챙그랑!' 하는
            소리.
            그 요란한 소리에 새들이 푸드덕 날아가고…
            이내 적막감 속에 서로를 보고 선 두 사람.

마치 세상이 멈춘 듯 고요한데…

정신을 차린 월심, 화가 난 듯 표정 바뀌며 휙 돌아서고.

이선   아니, 잠깐….

황급히 월심의 뒤를 쫓으려다 스텝이 꼬이는 이선.

나뭇가지를 잡아 균형을 잡는가 싶더니 우지끈 부러지며 휘청한다.

이선   으앗!

그 소리에 월심, 돌아보면 휘청한 상태로 굳어 선 이선.

월심의 시선을 의식하고는 자연스럽게 멋진 척 포즈 취하며.

이선   초면에 실례가 많았습니다. 학문에 열중하던 중 잠시 머리를 식히러 왔다 그만….

월심   (경계하는 눈빛으로 보면)

이선   이상한 사람이 아니니 놀라지 마십시오. 내 이름은….

월심   서이선. 이 마을에서 그 이름을 모르는 이는 없죠.

이선   (뿌듯) 하. 내가 마을에서 좀 유명하긴 하죠. 헌데 낭자의 얼굴은 영 낯선 것이 외지에서 오셨나 봅니다. 아니라면 내가 이런 미인을 모를 리가….

월심   (시니컬한 표정으로 보면)

이선   (말 바꾸는) 물론 여인들과 말 한마디 나눌 시간도 없이 학문에 열중하다 보니 제가 모르는 걸 수도.

월심　그런가요? 듣던 소문과는 다른데.

이선　무슨… 소문?

월심　이 고을 최고 명문가의 삼대독자로 공부에 영 뜻이 없고 일찍이 병으로 어머니를 잃은 탓에 안쓰러워 대감께서도 잔소리를 못 하니 한량도 그리 팔자 좋은 한량이 없다고.

이선　(그조차도 기쁜) 저한테 관심이 많으시군요.

월심　(어이없고)

이선　낭자는 저에 대해 이리 다 꿰고 있는데 저는 낭자에 대해 아는 것이 하나 없다니. 낭자의 이름은 뭡니까?

그때 뒤에서 숨을 헥헥거리며 뛰어오는 석이의 목소리.

석이　(off) 이선 도련님! 그렇다고 진짜 그렇게 혼자 가 버리시면…
　　　(수풀 헤치며 나타나 월심 보더니) 어? (놀라고)

이선이 석이에게 시선 돌린 사이 칼과 장옷을 주워 드는 월심.

이선　석이 넌 안 온다 하지 않았느냐. 넌 왜 그리 쓸데없이 성실한지….

석이에게 투덜대다 월심을 보면 장옷에 모습을 감추고 멀어지는 뒷모습.

| 이선 | (손 뻗으며) 잠시만…. |

뒤도 돌아보지 않고 풀숲으로 사라지는 월심에, 이선, 허탈하
게 손을 내리는데…
따가운 시선에 옆을 보면 석이가 이선을 한심하게 보고 섰다.

이선	왜 그런 눈으로 보느냐?
석이	공부를 멀리할 거리가 또 하나 생겼구나 싶어서요.
이선	어허, 석이 너… 내가 안 해서 그렇지 마음먹고 하기만 하면 아주 난리가 (난다) ….
석이	(맨날 듣는 소리 무시하며 월심이 사라진 방향을 보는) 소문대로 미색이 긴 하네요.
이선	(냉큼) 너 저 여인을 아느냐?
석이	알다마다요.
이선	나만 몰랐구나, 나만. 대체 어느 양갓집 규수길래?
석이	양갓집 규수는 아니고… 얼마 전 한양에서 온 일패기생입니다.
이선	기… 생?
석이	춤이며 학식이며 아주 대단해서 한양에서는 이름 꽤나 날렸 다던데 어쩌다 이런 시골에 내려왔는지. 그래서 이름이 뭐라 더라….

석이의 말에 충격 받은 이선의 표정.

S#5.	**기생집 (밤) - 전사**

기생집에 젊은 선비들과 모여 앉은 이선.
초조한 얼굴로 술잔은 드는 둥 마는 둥 닫힌 문을 하염없이
바라보는데…
문이 열리고 들어서는 여인의 버선발.
여인의 등장에 이선의 얼굴이 활짝 피는데…
여인의 얼굴 보이면 다소 차가운 표정으로 눈을 내리깐 월심
이다.

월심	(고개 숙여 인사하며) 월심이옵니다.

월심, 고개 들면 앞에 앉은 젊은 선비들 속에 앉아 자신을 보
며 눈을 빛내는 이선의 모습.
월심의 시선에 이선, 자신을 알아봤구나 싶어 기쁜데…
표정 싸늘해지며 말도 없이 홱 돌아서 나가 버리는 월심.
선비들, 황당하고, 이선 역시 당혹스러운데.

선비 1	무슨 이런 황당한 경우가…?
선비 2	한양에서도 그리 비싸게 굴었다더니 아주 콧대가 하늘을 찌르네.

선비들, 화내거나 허탈해 하고…
이선의 실망과 당혹감이 어린 눈빛.

S#6.   **절경 바위 (밤) - 전사**

홀로 바위 위에 앉아 하릴없이 달만 바라보며 한숨짓는 이선.
밤하늘 위 휘영청 밝은 보름달을 보며.

이선   월심… 월심이라….

그때 바스락하는 소리에 돌아보면 처음 봤을 때와 달리 단아
한 한복 차림을 한 월심. 이선을 보고 멈칫하더니 뒤돌아 가
버리려는 월심에, 이선, 벌떡 일어나며.

이선   (다급히) 미안하오!
월심   (멈칫하고)
이선   지난번엔 그저 낭자의 얼굴을 보고 싶다는 생각에 찾아갔는
         데 실례를 하였다면 사과합니다.
월심   (뒤돌아 이선을 보며) 무엇이 실례입니까?
이선   (난감한) 무언지는 모르나… 왠지 그런 기분이 들어서.
월심   이유도 모르는 사과는 하지 마셔요.

확 돌아서면 이선, 자신이 또 뭘 잘못했나 싶어 자책하며 한
숨짓고….

S#7.   **이선의 방 (낮) - 전사**

이선의 방문을 열고 들어서는 석이.

석이	이선 도련님~ 밥보다 잠이 좋으신 건 알지만 게으름도 쉬엄 쉬엄 피우셔야지 그러다 몸 축나십니….

하고, 앞을 보면 말끔히 단장한 채 책을 챙기는 이선.

석이	(놀라며) 누구냐, 넌!
이선	(태연히 책을 챙기며) 잠이 덜 깼느냐? 평생을 모신 나도 못 알아보고.
석이	우리 도련님이 이 시간에 깨있을 리가 없는데?
이선	석아. 내 오늘부터 학문에 정진하기로 마음먹었다.

석이, 이건 또 무슨 꿍꿍인가 싶어 미심쩍게 보고…
그러거나 말거나 신나서 책을 챙기는 이선.

S#8.	**절경 바위 (낮) - 전사**

말과 달리 풀을 입에 문 채 농땡이를 피우는 이선.
팔을 머리에 괴고 거만한 자세로 바위 위에 누웠는데…
바스락 소리가 들리자 후다닥 일어나 앉아 '대학장구보유'
책을 들어 소리 내어 읽는다.

이선	번지문인 자왈 애인 문지 자왈 지인….

풀숲을 헤치며 월심이 나타나도 모른 척 계속 책만 읽는 이선.

이선	번지가 인을 묻자 공자께서, '사람을 사랑하는 것이다.'라 하시고 지혜에 관해 묻자….
월심	(가만히 이선을 보다) 뭐 하시는 겁니까?
이선	(놀란 척) 낭자! 어찌 이런 우연이~
월심	(수작을 다 아는 표정으로) 우연입니까?
이선	(너스레) 저는 폭포 소리를 들으며 대학을 읽고 있었습니다. 풍류와 학문을 한 번에 잡는 달까요.
월심	(믿지 않는) 아~
이선	낭자도 같은 연유로 여길 오는 듯한데… 남녀칠세부동석이라. 낭자는 저어~기 바위를 쓰시죠. 여기는 제 겁니다. (다시 책으로 시선 돌려 큰 소리로 읽는) 지혜에 관해 묻자 '사람을 알아보는 것이다.'라 하셨다.

월심, 황당하고…
점프하면 다른 날, 바위 위에 누워 서책을 얼굴에 덮고 잠든 이선.
햇빛을 가리며 서는 누군가의 그늘에 이선, 책을 거두며 보면 그를 내려다보는 월심.

월심	아예 여기서 사시는 겁니까?
이선	여기서 공부를 하면 그리 잘 돼서.
월심	제 보기에 지금 공부를 하시는 것 같진 않은데.

그 말에 누운 채 책을 들어 읽는 이선.

| 이선 | 명부정 즉언불순 언불순 즉사불성. 명분이 올바르지 않으면 말에 순종하지 아니하고 말에 순종치 않으면 일이 이루어지지 않는다. |

그 모습에 월심, 어이없어 '피식' 웃어 버리고…
점프하면, 월심이 바위 위에서 춤을 추고, 이선은 옆의 바위 위에서 책을 들고 공부한다.
하지만 저도 모르게 자꾸만 월심의 춤사위에 시선이 가는 이선.
결국 넋을 놓고 보는 이선의 시선에 월심이 춤을 멈추면, 이선, 책으로 황급히 시선 돌린다.
다시 춤을 시작하는 월심의 얼굴에 살풋 미소 번지고….

S#9.   **절경 바위 몽타주 - 전사**
시간이 흐르며 낮이 되고 밤이 되고…
밤하늘의 달이 반달에서 그믐달로, 그리고 다시 초승달로 변함에 따라 낮에 각자 바위 위에서 춤을 추고 책을 읽는 두 사람의 거리가 점점 가까워진다.

S#10.   **절경 바위 (낮) - 전사**
따로 또 같이의 느낌으로 각자 책과 춤에 열중한 이선과 월심.
월심, 춤 끝내고 이선 쪽을 보는데 어느새 진심으로 책에 빠져든 이선.

진지하게 눈을 빛내며 몰두한 이선의 모습에 월심 마음을 뺏기는데…

뒤늦게 그녀의 시선을 느낀 이선, 고개 들면, 당황한 월심, 홍조 띤 얼굴로 다시 황급히 춤을 추려다 바위에 걸려 한쪽 신발이 벗겨진다.

바위 위를 굴러가는 꽃신.

월심　　어?

이선, 벌떡 일어나 주우려 뛰어가지만 절벽 아래로 떨어져 버리는 꽃신.

절벽 끝에 선 채 황망하게 절벽 아래를 보는 이선과 월심.

이선　　(호기롭게) 내가 주워오겠소. (하더니, 절벽으로 내려가려 하면)

월심　　(다급히 이선의 소매를 붙들며) 위험합니다!

이선, 월심이 잡은 소매를 보면, 월심, 화들짝 손을 거두고.

이선　　(허세) 일찍이 검술, 창술, 궁술까지 온갖 무예로 심신을 단련해 온 저한테 이 정돈 식은 죽 먹깁니다.

월심　　하지만…

도희가 말리기도 전에 이미 풀숲을 헤치며 한 걸음 내딛는 이선. 내딛자마자 밑으로 쑥 몸이 빠지며 떨어지는데.

이선	(off) 으악. 앗. 헉! 욹. 억. 으아아~~

'퉁퉁' 튕기며 떨어지는 무시무시한 소리에 월심, 놀라 황급히 반대쪽으로 뛰어 내려가고….

S#11.	**절경 바위 아래 물가 (낮 - 밤)**

월심이 숨이 차도록 뛰어 내려와 물가에 멈추면 고요한 계곡물. 이선의 모습이 보이지 않자 월심, 가슴이 철렁한데…
주저 없이 계곡물로 들어가 물살을 헤치며 절박하게 이선을 찾는 월심.

월심	도련님! 이선 도련님!

그때 갑자기 물속에서 '푸하!' 솟아오르며 일어서는 이선.
한 손에는 젖은 꽃신을 들었다.

이선	(놀라 굳어 선 월심을 향해 손 흔들며 해맑게) 여깄소, 꽃신! 내가 찾았소!

물살을 헤치며 다가오는 이선, 월심 앞에 꽃신을 내밀며 환히 웃는데.

월심	(화나는) 도련님은 대체 생각이 있으신 겁니까!
이선	낭자….

월심	그깟 꽃신이 뭐라고… 그러다 큰일이라도 나면 어쩌려고…
	(눈물 글썽이고)
이선	(월심의 눈물에 놀라는) 나를… 걱정한 겁니까?
월심	(민망함에 눈물 감추며) 내가 왜 도련님을 걱정합니까. 다신 이러지 마십시오. (홱 꽃신을 뺏어 들고 돌아서는데)
이선	에취.
월심	(바로 걱정스러운 얼굴로 이선을 살피며) 괜찮으십니까?
이선	괜찮다마다… (요).

말도 끝나기 전에 "에취, 에취" 연달아 재채기하는 이선.
이내 해가 지고 어두워진 물가.
모닥불을 피워 놓고 이선과 월심이 나란히 앉았는데… 이선, 젖은 몸을 말리며 추워서 오들거리자 월심이 바싹 붙어 앉는다.

이선	(놀라 월심을 보면)
월심	(민망해 앞을 본 채) 사람의 온기만큼 따뜻한 건 없으니까요.

이선, 기분 좋아 앞을 보고 배실 거리면, 월심, 역시 배시시 웃는다.
두 사람의 머리 위 밤하늘에 뜬 초승달 보이고….

S#12.   **절경 바위 (밤) - 전사**
초승달에서 반달로 반달에서 보름달이 되면…

밤하늘 아래 바위 끝에 다리를 허공에 내놓고 다정하게 붙어 앉아 마을의 밤 풍경을 구경하는 이선과 월심.

이선 한양은 어떠냐? 여기보다 훨씬 크고 재밌는 것도 많겠지?

월심 훨씬 크고 사람도 많고 훨씬 시끄럽죠.

이선 그런데 넌 어쩌다 한양에서 여기까지…

월심 (표정 어두워지면)

이선 미안하다. 내가 괜한 소릴.

월심 (대수롭지 않은 척) 높으신 분의 춤 요청을 거절했습니다. 제가 비록 기생이긴 하나 우러나지 않는 춤은 손끝 하나도 출 수가 있어야죠. (시니컬한) 한낱 기생이 제 기분에 취해 귀하신 분의 청을 거절했으니 이리 목숨이 붙어 있는 것만도 감사할 일이죠.

이선 분명 뭔가 이유가 있었겠지. 도저히 춤을 추지 못할 무언가.

월심 …

이선 (너스레) 그렇게 높으신 분도 보지 못한 귀한 춤을 이리 매일 보다니 내가 무엇으로 갚아야 할지.

월심 도련님은 이미 갚으셨습니다.

이선 내가?

월심, 속을 알 수 없는 미소를 빙그레 짓는데 두 사람의 눈앞으로 날아드는 반딧불이 하나.

월심 반딧불이….

반딧불이가 바위에 앉자 조심스레 다가가 손을 덮어 잡는 이선.
돌아와 조심스레 월심의 눈앞에서 손을 펼쳐 보이면 반딧불이가 눈앞에서 춤을 추듯 날아오른다.
두 사람, 눈으로 반딧불이를 좇으며 자리에서 일어나면 하나둘 모여드는 반딧불이.
밤하늘의 별과 어우러져 어디까지가 밤하늘인지 구분하기 어려운 장관이 눈앞에 펼쳐지는데…
가슴이 벅차오르는 두 사람.
이선, 고개 돌려 감탄하는 월심의 옆모습을 보며.

이선　　　연모한다, 월심아.

이선의 그 말에 급격히 어두워지는 월심의 표정.

이선　　　(당황) 너도 나와 같은 마음인 줄 알았는데….
월심　　　(슬픈 표정) 이제 꿈에서 깰 시간이군요.
이선　　　?
월심　　　인간이 지닌 것 중 가장 어리석은 것이 바로 연모라는 감정입니다.
이선　　　가벼운 마음으로 이러는 것이 아니다. 나는 너와 혼인하고 싶다.
월심　　　우린 혼인할 수 없습니다. 저는 도련님의 첩이 될 수밖에 없는 신분입니다.
이선　　　도망치자. 우리 둘이 도망치면….
월심　　　이 세상에서 영원히 도망칠 순 없습니다. 이 세상이 변하지 않는 한 우리의 끝은 변하지 않습니다.

이선   월심아….

월심   제가 한양에서 쫓겨나게 된 날, 춤을 추지 못한 이유가 있을 거라 하셨죠. 그날은 제가 아끼던 친구가 스스로 목숨을 끊은 날입니다. 그 친구는 사대부 도련님과 연모의 정을 나누었죠.

이선   (놀라고)

월심   사람들의 착각과 달리 연모의 마음은 사람을 구하지 못합니다. 오히려 우릴 약하게 만들고 나락으로 떨어뜨릴 뿐이지요.

(도망치듯 풀숲으로 향하는데)

이선   내가 보여 주겠다!

월심   (멈칫하고)

이선   연모의 마음이 사람을 살린다는 걸. (표정 굳건해지며) 만약 나락으로 떨어지는 걸 막을 수 없다면 기꺼이 너와 함께 떨어지겠다.

월심, 슬픈 눈으로 달려가 버리고, 혼자 남은 이선, 좌절하는데….

S#13.   **교방 현관 (낮) - 전사**
밖에서 요란하게 현관 두드리는 소리와 함께 들려오는 이선의 목소리.

이선   (off) 월심아! 월심아!

마당을 울리는 소리에 현관으로 나서는 월심, 문을 열며.

월심   도련님, 사람들 눈이 있는데 여기서 이러시면….

열린 문 너머로 모습 드러나는 이선, 희망에 찬 눈빛으로 성큼 다가서며.

이선   월심아! 내가 끝내주는 걸 찾았다. (손에 들린 '천학초함' 서책을 보이면)

월심   (그걸 보며) 천학이라면… 서양에서 들어온 서학 아닙니까?

이선   그래. 이 책에선 모든 이가 귀천 없이 평등하다 말한다. 멋지지 않으냐? (눈 빛내면)

'천학초함'을 내려다보는 월심 역시 희망이 차오르고….

구원   (E) 사랑에 빠졌지만 신분의 벽에 가로막힌 우리에게 평등을 말하는 새로운 학문은 마치 구원과도 같았다.

S#14.   **교방 안 월심의 방 (밤) - 전사**
작은 방에 눈 감은 채 모여 앉아 주기도문을 외우는 천주 집회의 풍경.
다양한 신분과 나이의 교인들이 남녀를 구분해 앉았다.

신자들	하늘에 계신 우리 아비신 자여 네 이름의 거룩하심이 나타나며 네 나라이 임하시며 네 거룩하신 뜻이 하늘에서 이룸 같이 땅에서 또한 이루어지이다.

혼자 눈을 뜬 이선, 멀찍이 여자 무리 속에 앉은 월심을 보는데… 눈 감은 채 누구보다도 열심히 주기도문을 외우는 월심.

신부님	(이선 들으란 듯 헛기침 off) 크흠.

냉큼 눈을 꼭 감고 주기도문을 외우는 이선.
하지만 금세 다시 살그머니 눈을 뜨면 월심이 그런 이선을 보고 웃는다.
눈 마주친 채 웃음을 참으며 주기도문을 외우는 두 사람.

두 사람	우리를 유감에 빠지지 말게 하시고 또한 우리를 흉악에서 구하소서. 아멘.

마치 서로에게 기도하는 듯한 두 사람이다.
점프하면, 단둘이 남아 '천학초함'을 함께 읽는 이선과 월심.

이선	천주는 만물의 할아버지요 할머니시며 만물을 처음으로 만드신 분이다. 따라서 뒤에 태어난 것들은 모두 천주의 평등한 자애에 기대어서 자신을 지킬 수 있다. 그리고 그 은혜 또한 매우 커서….

월심	(생각에 잠겼다가 문득) 모두가 천주의 자녀로 평등하다면 존대 하대할 거 없이 서로 똑같은 말을 써야 하는 거 아닙니까?
이선	그렇지.
월심	이선아~
이선	(놀라는가 싶더니 좋아하며) 다시 한번 불러 주거라.
월심	서이선~ 네 이놈~
이선	이리 달콤한 하대라니.

웃음 터지는 두 사람.

월심	조선 사람들이 모두 그리되면 좋겠네요. 서로의 이름을 부르 고 어느 누구도 천한 대접을 받지 않는….
구원	그런 세상이 오면 우린 혼인할 수 있다.
월심	그런 세상이 언제 올까요?
이선	(생각에 잠기더니 결심한 표정) 아무래도 내 과거 급제를 꼭 해야겠 다. 세상이 바뀔 기다릴 것이 아니라 내가 직접 바꿔야지.

희망과 기대감으로 벅차올라 서로를 보는 두 사람.

| 구원 | (E) 어쩌면 우리가 믿은 건 서로였는지도 모른다. 함께 행복할 수 있다는 그 연약하고 위태로운 믿음에 우리는 열병에 걸리 듯 순식간에 빠져들었고 서로를 전염시켰다. |

S#15.　　　**이선 부의 방 (밤) - 전사**

　　　　　　미간을 찌푸린 채 시름에 잠긴 이선 부의 모습 위로.

구원　　　ⓔ 그것이 몰고 올 끔찍한 후유증도 모른 채.

　　　　　　그 앞에 앉은 석이가 보이면.

석이　　　관아에 소속된 관기인데 월심이라고… 도련님이 하루가 멀
　　　　　　다 하고 매일 같이 찾아가 함께 천주쟁이들과 어울리는 게
　　　　　　너무 걱정이 돼서….

　　　　　　이선과 월심의 관계에 대해 고해바치는 석이의 말에 이선 부
　　　　　　의 표정, 엄해지고….

S#16.　　　**절경 바위 (낮) - 전사**

　　　　　　이선이 수풀을 헤치면 저만치 바위에 선 월심의 뒷모습.

이선　　　월심아!

　　　　　　이선, 월심을 향해 달려가면 월심 역시 이선을 향해 달려오
　　　　　　고… 서로의 손을 마주 잡는 두 사람, 애달픈 눈빛으로 서로
　　　　　　를 본다.

| 월심 | 한양 길은 멀고 험합니다. 게다가 요즘 도적떼가 기승이라는데… 부디 조심하세요. |
| 이선 | 걱정 말거라. 난 반드시 돌아와 너와 혼인할 것이니. 내가 눈 감는 순간에 보는 마지막 풍경은 월심이 너의 얼굴이 될 것이야. |

월심, '피식' 웃으면 소매에서 뭔가를 꺼내 월심의 손바닥에 내려놓는 이선. 십자가 목걸이다.
그걸 보고 감격하는 월심의 목에 이선, 목걸이 걸어 주며.

이선	다녀올 동안 날 잊지 말라고 준비했다.
월심	오실 때까지 한시도 몸에서 멀리하지 않겠습니다. 도련님이야말로 절 잊지 마셔요.
이선	내 나를 잊을지언정 너는 절대 잊지 않겠다.

단단한 믿음의 눈빛으로 서로를 보는 두 사람.

S#17.   **한양길 (낮) - 전사**

봇짐을 멘 석이와 함께 과거 길에 오르는 이선.
걱정과 미련이 가득한 얼굴로 뒤를 돌아보면 앞선 석이가 재촉한다.

| 석이 | 도련님~ 이러다 해 다 지겠습니다. |

마음 다잡으며 다시 앞을 보고 걷는 이선.

맑은 하늘 위 해가 지고 어두워지는데…

'우루루 쾅쾅!' 천둥 번개가 치며 세차게 내리기 시작하는 비.

S#18.　　**박해 몽타주 - 전사**

세찬 빗소리를 들으며 편지를 쓰는 사대부 대감의 모습.

거침없는 필체로 빽빽하게 채워지는 글씨 위로.

대감　　(E) 모친상을 당한 아들이 모친의 제사를 폐하고 신주를 불태
　　　　워 땅에 묻는 패악을 저지른 사건이 있었으니 이는 천학이라
　　　　는 가증스러운 도를 좇는 짐승 같은 무뢰배들의 소행이오.

대감의 편지를 펼쳐 읽는 좌의정의 심각한 표정.

대감　　(E) 이들은 육회라 하여 서로의 집에서 돌아가며 집합해 남녀
　　　　가 한 방에 모여들어 불손한 믿음을 전파하고 하물며 기생집
　　　　에까지 모여들었다고 하니 이 얼마나 통탄할 일입니까.

기도 중인 천주 집회에 들이닥치는 나졸들.

대감　　(E) 지금껏 그들을 처단하지 않았기에 이런 극악한 짓이 발생
　　　　했으니 이대로라면 삼강오륜이 있어야 할 사천 년간 지켜 온
　　　　예의의 땅이 금수와 무뢰배의 수중에 들어가게 될 것이오.

절두산에서 오라에 묶인 채 줄줄이 무릎을 꿇고 앉은 천주교인들.
망나니가 칼날을 휘두르며 피가 튀고….

대감   Ⓔ 이를 막기 위해 우리는 천학을 믿는 자들의 머리를 베어 거리에 매달아 교훈을 주고 그들의 집에 못질을 하여 폐쇄시킨 후 그 마을은 불태워야 마땅합니다.

횃불로 초가집 지붕에 불을 지르는 나졸의 손.

S#19.   이선 부의 방 (밤) - 전사
         어두운 방 안에 모여 앉은 이선 부와 대감들.

대감 1   옆 마을은 지금 쑥대밭이 됐습니다. 이대로면 우리 마을도 무사하지 못합니다.
대감 2   노론에서 우리를 죽이기 위한 명분으로 천학을 꺼내 든 걸 알면서도 어찌 손쓸 도리가 없으니….

말없이 생각에 잠겼던 이선 부, 드디어 입을 여는데.

이선 부   피 흘리는 걸 막을 수 없다면 한 명의 피만 흘리게 하죠.

대감들, 의아한 눈으로 보면 이선 부의 비정한 눈빛.

S#20.	정자 (낮) - 전사

정자에서 연주자의 연주에 맞춰 쌍검무를 추는 월심.
격렬한 춤사위에 목에 건 십자가 목걸이가 옷섶 밖으로 튀어
나와 햇빛에 빛나며 찰랑이고, 월심은 그것도 모른 채 춤에
열중하는데…
불시에 끊기는 음악에 놀라 돌아보는 월심.

월심	!

놀란 월심의 얼굴 슬로우 위로.

구원	(E) 잔인한 시절이 왔다.

S#21.	관아 (밤) - 전사

횃불이 켜진 관아 마당.
오라에 묶인 채 홀로 무릎 꿇고 앉은 월심의 초췌한 모습.
월심 뒤에 모여 선 무리 속 이선에게 상냥하게 인사하던 행
랑어멈과 노비, 교방 기생들과 이선 부의 모습 보이는데.

구원	(E) 잔인한 시절은 희생양을 필요로 했고… 사람들은 자신이
	살기 위해 기꺼이 돌팔매질을 자처했다.

서슬 퍼런 칼을 든 수령이 마을 사람들 앞에 서면 하나, 둘 손

가락을 들어 월심을 가리키는 마을 사람들.
그 모습에 월심, 좌절하며 무너져 내리고.

수령   (월심 보며) 모두가 천주쟁이는 저 계집 하나뿐이라 말하는구나. (월심 앞에 다가와서) 내가 이깟 기생 하나 잡으려고 이러는 줄 아느냐?

수령, 월심의 눈앞에 십자가 목걸이를 들어 보이며.

수령   너 같은 기생 따위가 가지고 있을 물건이 아니다. 너에게 이 것을 건넨 자가 누구냐.

월심의 눈동자 떨리고 이선 부, 월심의 입에서 이선의 이름이 나올까 긴장하는데.

수령   (월심 눈앞에 얼굴을 들이대며 악마의 속삭임처럼 비열한) 말해라. 그럼 너는 살려 주마.

그 말에 수령을 올려다보는 월심.

월심   (결연한 말투로) 제 것입니다. 처음부터 저의 것이었습니다.

이선 부, 안도감과 죄책감에 고개를 떨구고…
모든 것을 받아들인 처연한 월심의 얼굴 위로.

구원	⒠ 하지만 단 한 사람. 그 한 사람만은 사랑하는 사람을 구하기 위해 자신을 버렸다.

S#22.　　　**거리 (낮) - 전사**

하늘거리며 허공에서 경쾌하게 흔들리는 어사화에 매달린 꽃.
홍패를 든 이선이 뿌듯한 표정으로 거리를 돌며 유가를 하는데 줄지어 선 마을 사람들, 이선과 눈을 마주치지 못하고 피한다.
그 모습이 의아한 이선, 걸음 멈추고….

S#23.　　　**절두산 - 절두산 가는 길 (낮) - 전사**

망나니 앞에 무릎 꿇고 앉은 월심.
월심의 처형 장면을 구경하러 모여든 사람들 속에는 어린아이도 보인다.
꽃이 만발한 들판을 뛰어 올라가는 이선의 모습 슬로우.
망나니가 칼을 휘두르며 칼춤을 추면 월심, 고개 들어 자포자기한 눈빛으로 태양을 가리는 칼의 움직임을 멍하니 올려다본다.
드디어 언덕 꼭대기에 도착한 이선, 숨을 헉헉거리며 앞을 보면… 저만치 마을 사람들 사이로 보이는 쓰러져 누운 여인의 치마폭 아래 신이 벗겨져 더럽혀진 버선발 하나.
다른 발에 신겨진 신은 이선이 주워다 준 바로 그 꽃신이다.

이선, 설마 하는 표정으로 다가가면…

이선의 눈치를 보며 홍해처럼 갈라지는 마을 사람들.

꽃들 사이로 쓰러져 누운 월심의 창백한 얼굴이 이선의 눈에 들어오고…

털썩 주저앉아 떨리는 손으로 월심을 끌어안는 이선.

점점 숨이 가빠지며 터질 듯 분노가 치밀어 오르는데…

이선, 천천히 고개 들면 마치 필름이 끊기듯 암전.

구원   (E 화를 품은 차가운) 복수심에 불타고 분노에 눈이 먼 난, 악마가 되었다.

이어 암전 사이사이 보이는 장면들.

수령에게 달려들어 그의 허리춤에서 칼을 뺏어 들어 수령의 목을 베는 이선. 암전.

보이는 대로 사람들에게 칼을 휘두르는 이선의 성난 칼날.

핏줄기가 솟아오르며 피 묻은 칼끝이 허공을 가르고… 암전.

그의 칼날에 쓰러지는 행랑어멈과 노비를 포함한 마을 사람들.

이선 앞을 막아서며 "도련님!"이라고 외치는 석이마저 베어 버리는 칼날. 암전.

F.I. 되면 붉은 피에 젖어 흔들리는 어사화.

피로 절여진 어사복을 입은 채 칼을 내려 든 이선의 뒷모습 보이면 그 뒷모습에서조차 터질 듯한 분노가 뿜어져 나온다.

칼을 쥔 이선의 손목에 감겨 흔들리는 십자가 목걸이.

그 손을 들어 피가 튄 입가를 닦으며 뒤돌아보는 이선의 얼굴이 드러나면 마치 피에 굶주린 듯 광기 어린 눈빛이다.
고개 들어 하늘을 올려다보는 이선.

이선   당신이 있는 곳이 천국이라면 난 가지 않겠어.

이선, 도전적인 눈빛으로 미련 없이 자신의 목을 그으면…
허공에 피를 흩뿌리며 만발한 꽃밭에 풀썩 쓰러지는 이선의
얼굴.
숨이 끊어지는 이선의 눈앞에 눈감은 월심의 창백한 얼굴 보
이고… 눈 감는 이선의 손목 위에 마치 타투처럼 놓인 십자
가 목걸이.

S#24.   **도희 집 침실 (낮)**
눈을 번쩍 뜨며 자리에서 일어나 앉는 구원.
식은땀에 젖은 채 숨을 헉헉대는데.

구원   도도희였어. 내가 도도희 널 죽였어.

충격에 빠져 눈빛이 흔들리는 구원.
자신의 목에 걸린 십자가 목걸이를 부여잡는데…
혼란에 빠진 구원의 모습 위로.

구원   (E) 내 사랑이, 내 믿음이 그녀를 죽게 했다.

S#25.   도희 집 거실 (낮)

핸드 드립 커피를 내리는 손.

도희가 주방에서 눈을 내리깔고 차분히 커피를 내리고 있다.

넋이 나간 얼굴로 침실을 나서던 구원, 그런 도희를 발견하고

멈칫 굳으면. 현재 도희의 얼굴 위로 플래시 터지듯 겹치는

장면.

인서트   *꽃밭 위로 눈감은 월심의 창백한 얼굴.*

구원, 혼란과 두려움에 도희에게 차마 다가가지 못하는데…

도희, 구원의 기척에 고개 들어 보더니.

도희   데몬은 잠 같은 거 안 자도 된다더니 늦잠이네. (커피 잔 들고 다

           가와 건네며) 자. 네가 좋아하는 핸드 드립 커피.

구원   (말없이 받아 들면)

도희   (구원의 얼굴 살피더니) 얼굴이 왜 그래? 식은땀 좀 봐. 어디 아파?

구원   그냥… 꿈을 좀 꿨어.

도희   도대체 무슨 꿈이길래.

구원   … 인간 시절에 있었던 일들.

도희   (놀라는) 기억이 돌아온 거야?

구원   응. 조금씩.

도희   (흥분하는) 왜 말 안 했어~ 궁금해! 어떤 사람이었어?

구원   사랑하는 사람이 있었어. 월심이라고 (도희도 기억하나 싶어 보면)

도희   (기억이 떠오른 듯 표정 변하는가 싶더니 장난스레) 인간 시절 꿈이 아

니라 전 여친 꿈이었네.

구원   (기억 못 하는구나 싶고)

도희   그래서? 전 여친이랑은 해피 엔딩이야?

구원   …

도희   설마… 새드 엔딩?

구원   (괜찮은 척 거짓말) 어느 쪽도 아니야. 그냥… 다들 그렇듯 시시
       하고 별 볼 일 없는 흔한 엔딩.

도희   아….

구원   씻어야겠다. 땀을 너무 흘렸어. (욕실로 향하면)

괜찮나 싶어 구원이 사라진 쪽을 보는 도희.

S#26.   **도희 집 화장실 (낮)**
        쏟아지는 물줄기 속에 선 채 생각에 잠긴 구원.
        목에 걸린 목걸이를 뜯어내 십자가를 보는 눈빛에 화가 치밀
        어 오르고….

S#27.   **홀덤 바 (낮)**
        사람들과 둘러앉아 게임을 하는 노숙녀.
        테이블 맞은편에 다가가 선 구원에 고개 들면 구원의 화난
        눈빛.

노숙녀	(사람들에게) 다들 잠깐 빠질까? 얘랑 좀 놀게.

사람들, 잔을 들고 빠지면.

노숙녀	(카드를 섞으며) 각성했네?
구원	했지. 당신이 있는 천국에 가기 싫어서 자살했더니 데몬으로 만들 줄이야.
노숙녀	(구원과 자신 앞에 카드를 나누며) 나한텐 일꾼이 필요했거든. 천국의 일꾼뿐만 아니라 지옥의 일꾼도. 인간에 대한 복수심과 신의 필요가 만나 데몬이 생겨난 셈이지.
구원	믿음의 대가가 그토록 참혹한 죽음이라니….
노숙녀	원래 믿음이란 건 위험한 거야. 어쩌면 세상에서 가장 위험한 걸지도.
구원	(화나는) 죄책감도 없는 거야? 하찮은 인간 따위도 느끼는 죄책감을 어떻게 신이라는 작자가…!
노숙녀	(구원 보며) 네가 이렇게 화를 내는 건 나 때문이야, 너 때문이야? 아니면 너의 반복될 운명이 두려워서 그러는 건가? 네가 또 그 여자를 불행하게 할까 봐?
구원	그게 무슨 말이야.
노숙녀	말했잖아. 운명은 반복된다고. (노숙녀 역시 이제야 알아챈 듯 카드를 만지작대며) 그래서 타투가 옮겨간 거였어… 둘의 운명이 지독하게 얽혀서 불행이 반복되려고.
구원	닥쳐!

화가 폭발한 구원, 한 손을 백핸드 하듯 휘저으면 구원 앞에
놓인 카드가 노숙녀를 향해 칼처럼 날아가고…
노숙녀, 시선 들어 보면 그의 눈앞에서 카드가 붉은 장미꽃잎
이 되어 흩날린다.
흩날리는 꽃잎 사이로 서로를 노려보는 구원과 노숙녀.
화난 얼굴로 거센 숨을 내쉬는 구원에게.

노숙녀   네가 만든 운명이야. 네가 저지른 일에 대한 대가지.

노숙녀의 말에 고통으로 얼룩지는 구원의 얼굴.

S#28.   **선월극장 로비 (낮)**
벽에 걸린 혜원 전신첩 앞에 선 구원.
뒤돌아선 여인의 뒷모습을 보는 눈빛이 괴로운데.

구원   운명….

S#29.   **선월극장 이사장실 (낮)**
여전히 괴로운 표정으로 이사장실 문을 열고 들어서는 구원.
책상 뒤에 앉아 심각한 표정으로 서류를 보던 복규, 구원 보
더니.

복규	이사장! (벌떡 일어나 구원에게 다가오고)
구원	(대답도 않고 홈 바로 다가가 와인을 따르면)
복규	(옆에 다가와 서는) 마침 잘 왔어. 아무래도 내가 이사장의 전생을 찾은 거 같아.
구원	(와인 따르다 멈칫)
복규	전생에 이사장 이름이 뭐였는지 알아?
구원	서이선.
복규	어? 어떻게 알았지?
구원	돌아왔어. 인간 시절의 기억.
복규	그럼 어떻게 죽었는지도…? (조심스레 살피면)
구원	… (표정 어두워지고)
복규	(다 기억났구나 싶어 안쓰러운 눈빛 되는) 나 서이선의 기구한 일생을 알고 나서 이사장을 더욱더 이해하게 됐잖아. 왜 그렇게 인간을 혐오하나 했더니….
구원	(말없이 와인을 들이켜고)
복규	근데… 다 기억났으면 이제 알겠네? 월심은… 이뻐?
구원	도도희야.
복규	응?
구원	도도희가 월심이라고. 우리가 얽힌 게 우연이 아니었어.
복규	(충격) 말도 안 돼… (생각이 미치는) 그럼 혹시… 도도희를 만난 순간부터 인간화가 시작됐던 건가?
구원	? (복규를 보면)
복규	이사장이 그랬잖아. 도도희 처음 만났을 때 능력이 말을 안 듣더니 타투가 옮겨 갔다고. 우린 여태 능력을 잃어서 인간화

가 된 줄 알았는데 순서가 반대였던 거야. 전생에 얽힌 도도
희를 만나서 인간화가 되고 그래서 능력이 불안정해진 거지.
알이 먼저냐, 닭이 먼저냐 하는.

구원   (그제야 구원도 깨닫고)

복규   도도희한테는 말할 거야?

구원   (잠시 고민하더니 와인 잔을 내려놓으며) 아니. 모르는 게 나아.

그늘진 구원의 표정.

S#30.   **미래 F&B 대표실 (낮)**
                 책상에 앉아 메모장에 뭔가를 끄적이는 도희.
                 보면, '월심'을 써 놓고 그 위에 동그라미를 그리며.

도희   월심… 어쩐지 익숙하단 말야. (곰곰이 생각하더니) 말을 피하는
게 혹시 아직도 못 잊은 거 아냐? (문득) 헉. 나 지금 너무 남편
과거에 집착하는 여자 같았어. 아우, 조심해야지.

메모 치워 버리는데 '똑, 똑' 노크 소리 들리고.

도희   네.

신 비서   (들어와) 신제품 매출 데이터 클라우드에 업로드 했습니다.

도희   네. 확인할게요.

신 비서   그럼. (나서려는데)

도희	신 비서님.
신 비서	네?
도희	만약 신 비서님이 기억 상실증이었는데 갑자기 기억이 돌아오면 기분이 어떨 거 같아요?
신 비서	(잠시 생각하더니) 갑자기요?
도희	네. 갑자기 오랫동안 잊었던 기억이 떠오른 거예요. 그러면 무척이나 혼란스럽겠죠? 놀라고 당황스럽고… 그럴 때 옆에선 지켜봐 주고 기다려 주는 게 최선일 거예요.
신 비서	네… 뭐… 그렇겠죠.
도희	(말하면서 스스로 정리된) 고마워요. 신 비서님 덕에 해결됐어요.
신 비서	별 말씀을.

갸웃하며 나가는 신 비서.

S#31.   **치료 감호소 면회실 (낮)**
면회실 테이블에 마주 앉은 세라와 도경.
도경, 눈빛이 멍한 채 중얼거린다.

도경	내가 세상을 구한 거야. 난 너희들을 위해 피 흘린 거라고….
세라	도경아. 조금만 참으면 아빠가 금방 빼 주실 거야. 그러니까 약 잘 챙겨 먹고 건강 챙기면서….

모성애 가득한 엄마의 가면을 쓰고 걱정하는 듯한 세라의 모

습에 '피식' 웃으며 정신 돌아오는 도경.

도경	(세라를 보며) 엄만 다 알고 있었죠…? 다 알면서 눈 감았어. 나만 아니면 되니까.
세라	도경아….
도경	내가 엄마 대신 당한 거예요. 내가 당신 방패막이였다고.
세라	(눈빛 흔들리는데)
도경	진짜 악마는 당신이야.
세라	… 난 착하게 살았어. 그래서 난 벌을 받지 않은 거야.
도경	(그 말에 폭발하는) 그럼 난! 난 무슨 잘못을 했는데!
세라	넌 아버지 말을 안 들었잖아! 아버지 뜻대로 살지 않아서… 그래서 벌 받은 거야. 넌 혼날 만했어! 네가 나쁜 거야!

그 말에 무너지는 도경, 눈물 흘리며 고개 숙이고…
세라, 그런 도경을 보며 자신의 말을 후회하듯 입술을 깨무는데… 이내 '큭큭' 거리며 웃음 터지더니 책상을 '쾅쾅' 치며 미친 듯 웃어 대는 도경.

도경	푸하하하! (점점 소리치는) 아악! 으아악!
교도관	(달려와 도경을 자리에서 떼어 내 데려가며) 진정해, 노도경! 조용히 해!

교도관을 뿌리치고 달려온 도경, 세라의 귀에 대고 속삭인다.

도경	이제 당신 차례야.

도경 끌려가고…

자리에 앉아 굳은 채 한 줄기 눈물을 흘리는 세라.

S#32. **갤러리 (낮)**

쫓기는 듯 불안한 눈빛으로 전시된 고가구와 미술품 사이를
걸어가는 세라.

세라   (닥치는 대로 물건들을 가리키며) 이거 할게요. 이것도.

세라, 자신의 뒤를 쫓으며 바쁘게 태블릿에 체크하는 큐레이
터에게.

세라   좋은 데 기부하는 거 맞죠?
큐레이터   네. 수익은 전액 아동복지협회에 기부될 예정입니다.
세라   좋네요. 이것도.

하고, 걸어가는데 울리는 세라의 휴대폰.

세라   (전화 받으며) 네. 김세라입니다.

상대가 하는 말을 듣더니 충격으로 굳는 세라의 표정.
큐레이터, 세라가 고른 고가구 앞에 선 채 직원을 향해 손짓
하면 직원이 와서 탭을 붙이는데…

'쾅!' 하는 소리에 놀라 보면 휴대폰을 든 채 바닥에 쓰러진 세라.

S#33.　　　미래 F&B 엘리베이터 앞 (낮)
　　　　　　무거운 표정으로 엘리베이터를 기다리고 선 구원.
　　　　　　엘리베이터 문 열리고 멍하니 올라타려는데.

석훈　　　(off) 정구원 씨.

　　　　　　그 소리에 구원, 고개 들면…
　　　　　　이미 타고 있던 석훈, 구원을 보는 눈빛에 반가움이 묻어난다.

S#34.　　　미래 F&B 엘리베이터 (낮)
　　　　　　나란히 선 채 엘리베이터를 타고 가는 구원과 석훈.

석훈　　　선물 고마워요. (팔 움직이며) 덕분에 멀쩡해요.
구원　　　이뻐서 해 준 거 아니야.
석훈　　　('피식') 근데 오늘은 왜 또 왔냐고 잔소리 안 하네요?
구원　　　…
석훈　　　도경이 정신 감정 결과가 나왔어요. 간헐적 폭발성 장애에 극
　　　　　　도의 불안과 우울이 겹친 아주 위험한 상태더라고요. 언제 터
　　　　　　져도 이상하지 않을 폭탄이었던 거죠. 그동안 정구원 씨가 없

었으면 도희는 무사하지 못했을 거예요. 고마워요. 그동안 정 구원 씨에 대해 오해해서 미안하고.

구원 오해한 거 없어.

석훈, 의아한 표정으로 보면 구원의 슬픈 눈빛.
마침 도착해 문 열리면 구원, 먼저 내리고 따라 내리는 석훈.

S#35. **미래 F&B 대표실 (낮)**
어느새 업무에 집중한 도희.

도희 (모니터를 보며 고심하는) 인지도에 비해 제품 점유율이 아쉽네….

그때 휴대폰이 울려서 보면 박 형사다.

도희 (전화 받으며) 네, 박 형사님.

그때 구원이 문 열고 들어서고 석훈, 그 뒤로 들어서며.

석훈 도희야. 도경이 정신 감정 결과가 나왔는데….

책상 뒤에 굳어 선 도희의 뒷모습에 석훈, 말 멈추면 뒤돌아 멍한 눈빛으로 두 사람을 보는 도희.

도희   노도경이 죽었어….

          구원과 석훈 놀라고….

S#36.   **치료 감호소 (낮)**
          허공에 매달려 삐그덕대는 도경의 발.
          신발조차 신지 않은 맨발이 안쓰럽다.

S#37.   **화장터 (낮)**
          통유리 너머 불타오르는 도경의 관을 보는 구원과 도희.
          도희는 화난 눈빛이고, 구원은 차갑게 감정 없는 눈빛이다.
          그 옆에 선 석훈은 착잡한 표정으로 한숨짓는데…
          비통한 표정으로 눈물 흘리는 석민의 옆에 선 채 넋이 나간
          표정의 세라.
          석민, 슬픔을 참기 힘든 듯 울음소리 커지며 오열하고…
          세라, 그런 석민을 눈물 없이 메마른 표정으로 멍하니 바라본다.

S#38.   **화장터 여자 화장실 (낮)**
          세면대에서 손을 씻는 세라.
          블라우스 소매가 물에 젖자 소매를 걷어 올리면 드러나는 화상
          자국. 새로 생긴 듯 아직 벌겋다.

그 화상 자국을 바라보는 세라의 눈에 두려움이 떠오르고….

S#39.   화장터 화장실 앞 (낮)
          기운 없이 화장실을 나서는 세라.
          저만치 자판기에서 생수를 뽑던 석훈이 세라 보더니 안쓰러
          운 눈빛으로 다가와 물을 건넨다.

석훈   물 좀 드세요.
세라   괜찮아요.
석훈   형수님 충격이 제일 크실 텐데… (한숨) 제가 도울 일 있으면
          뭐든 말씀하세요.

          대답 없는 세라.

S#40.   화장터 로비 (낮)
          여전히 슬픔이 어린 표정으로 앉은 석민.
          도희가 다가가면 자리에서 일어나 도희 앞에 선다.

석민   힘든 자린데 와줘서 고맙다.
도희   (차갑게 화난) 주 여사를 죽인 범인의 마지막인데 내 눈으로 똑
          똑히 봐야죠.
석민   진작 내가 찾아가서 사과했어야 했는데… 내 아들이 그런 괴

물이라는 걸 인정하기 힘들어서··· 미안하다, 도희야. 내가 아들을 잘못 키웠어.

도희   자살이라고요.

석민   (끄덕) 자기가 저지르고도 그 죄를 감당하기 어려웠던 건지··· 이걸로 죗값을 다했다고 생각하진 않아. 내가 어떻게든 너에게 보상할 방법을 찾아볼게. 그러니까 회사를 위해 외부에는 모르게 조용히 넘어가 줬으면 고맙겠다.

도희   지금 이 상황에서도 회사 걱정이네요?

석민   어머니와 너희 아버지가 같이 만들고 피땀 흘려 키운 회사야. 정신병에 걸린 손주가 돈에 미쳐서 할머니를 죽였다는 사실이 알려지면 회사가 입을 타격이 얼마나 클지 너도 알잖아.

도희   ···

석민   사람들에게 알려지면 가족 모두에게도 큰 상처가 될 거야. 회사뿐 아니라 가족을 위해서라도 부탁한다. 너도 우리 가족이잖니.

도희   보면 항상 뭔가 바라는 쪽만 크게 느끼는 게 가족이라는 건가 봐요. (싸늘하게 말하고 돌아서면)

석민   (그런 도희의 뒷모습을 향해) 연락할게. 조만간 보자.

도희, 말없이 멀어지고 그런 도희의 뒷모습을 보는 석민의 싸한 표정.
도희, 저만치에서 기다리고 선 구원에게 다가가는데···
술에 취해 소리치며 들어서는 수안.
눈물에 화장이 번진 얼굴로 하이힐 한쪽을 벗어 들어 손에

든 채 절뚝거리며 악에 받쳐 소리친다.

수안   도경이 그 악마 새끼 어딨어! 어떻게 손주가 할머니를 죽일 수
                가 있냐고!

석민   (다가가며) 수안아!

수안   (하이힐 내던지며) 네 아들이 우리 엄말 죽였어! 심장 마비가 아
                니라 살인이었다고! 우리 엄마 살려 내!

석민   (그런 수안을 꽉 끌어안으며) 미안하다, 수안아. 내가… 미안해.

수안   우리 엄마 불쌍해서 어떡해! 으아아~ (석민을 붙들고 엉엉 울고)

구원과 도희, 그런 두 사람을 보고 섰고…
석훈과 세라, 함께 걸어 나오다 부둥켜안고 우는 석민과 수안
에 걸음 멈춘다.

도희   (구원에게) 가자. 숨 막혀서 더 이상 여기 못 있겠어.

구원과 함께 나서는 도희.

S#41.   **구원의 차 안 (낮)**
          구원, 운전하고, 도희, 조수석에 앉았는데…
          조용히 생각에 잠겼던 도희, 앞을 본 채.

도희   기광철 휴대폰에 저장된 노도경 이름 말이야.

구원	아브락사스?
도희	어디서 들었나 했더니 소설 데미안이었어. (읽는) 새는 알에서 나오기 위해 투쟁한다. 알은 세계이다. 태어나려고 하는 자는 누구든 하나의 세계를 파괴하지 않으면 안 된다.
구원	새는 신을 향해 날아간다. 그 신의 이름은 아브락사스다.
도희	날개를 펴기 위해 어쩔 수 없이 주 여사를 죽였다는 건가….
구원	자신의 죄를 그렇게 합리화하다니 최악이네.
도희	그런데 정말 몰랐을까?
구원	노석민?
도희	응. 노도경이 그런 짓을 벌이는데 아무것도 몰랐다는 게 난 납득이 안 돼.

화난 눈빛으로 차창 밖으로 시선 돌리는 도희, 이내.

| 도희 | 우리 주 여사 보러 갈까? |

그 말에 구원, 핸들 돌리고….

S#42. **화장터 휴게실 (낮)**
이내 눈물이 잦아든 수안, 얼룩진 눈매를 휴지로 닦으면 손수
건을 내미는 석민.
수안, 훌쩍이며 손수건 받아 화장을 지우는데.

석민	어머니도 잃고 자식도… 나한테 남은 건 이제 수안이 너뿐이야.
수안	우리가 뭐 언제부터 그랬다고…. (입을 삐죽대면)
석민	지금까진 소원했지만 유일하게 남은 가족인데 잘해 보자. 앞으로 미래 그룹을 물려받을 후계자는 오스틴, 저스틴 둘 뿐이잖니.

그 말에 훌쩍임 멈추고 손수건 든 채 석민을 보는 수안.
두 사람에게서 떨어져 혼자 앉은 세라, 두 사람을 보는 눈빛에 경멸의 빛이 스치고…
'벅벅' 화상 자국을 긁기 시작하는 세라.

S#43.   **납골당 (낮)**
천숙의 납골함 앞에 선 도희.
납골함 옆에 놓인 시든 꽃을 빼고 새로운 꽃을 넣어 주며.

도희	주 여사… 정말 다 끝났어. 근데 끝나도 바뀌는 게 아무것도 없네. 결국 도경이는 자기 죄에서 도망쳐 버렸고 나는 여전히 화가 나. 시간이 지나면 괜찮아질까?

뒤에 선 채 그런 도희를 보는 구원 보이고.

도희	(뒤돌지 않은 채 구원에게) 어때? 시간이 지나면 정말 다 괜찮아져? 넌 이백 년을 살았으니까 알 거 아냐.

구원	(인간 시절 기억을 떠올려 슬픈) 괜찮아지지 않아. 그냥 잠시 잊을 뿐.
도희	(슬픈 눈으로) 역시… 그럴 줄 알았어. (천숙의 납골함 쓰다듬으며) 갈게, 주 여사. 다음엔… 좀 더 나아져서 올게.

납골 칸 문을 닫고 돌아서는 도희, 구원과 함께 납골당을 나선다.

S#44.   **한강 (해 질 녘)**
해가 지는 한강의 전경.
풍경 좋은 곳에 돗자리를 깔고 어깨에 기대앉은 복규와 신비서의 뒷모습.
솜사탕 하나를 복규가 든 채 사이좋게 나눠 먹는 중인데.

복규	아~

하며, 신 비서의 입에 솜사탕을 넣어 주면 솜사탕을 받아먹는 신 비서.

복규	우리 신 비서님은 솜사탕 좋아하고 일몰 좋아하고 또 뭐가 좋아요?
신 비서	달달한 디저트류는 대체로 다 좋아합니다.
복규	하긴. 디저트 앞에선 누구라도 아이가 되는 법이죠.
신 비서	그리고…. (복규를 보면)

복규	? (신 비서를 보면)
신 비서	박복규 씨도 좋아합니다.
복규	(부끄) 신 비서님도 차암….

하더니, 품 안에서 티켓 하나를 꺼내 수줍게 스윽 바닥에서
내미는 복규.

신 비서	이게 뭐죠?
복규	내일 저희 공연해요. 보러 오세요.

신 비서, 티켓을 들어보면 가영의 공연 티켓인데…
신 비서, 도로 바닥으로 스윽 내밀며.

신 비서	됐습니다, 전.
복규	네? 왜요?
신 비서	공과 사는 구분해야죠. 박복규 씨 업무에 방해가 되고 싶지 않습니다.
복규	방해라뇨. 와 주시면 오히려 힘내서 잘할 거 같은데….
한 팀장	(off) 키야~ 죽인다.

그 익숙한 목소리에 신 비서, 놀라 보면 저만치 걸어오는 홍
보팀 삼인방.
신나서 돗자리를 챙겨 든 한 팀장과 아이처럼 알루미늄 풍선
을 든 한성.

그리고 억지로 끌려온 텐션의 정미가 복규와 신 비서 앞을
지난다.
홍보팀 삼인방을 알아본 신 비서, 재빨리 뒤돌아 숨으며 복규
를 억지로 뒤돌아 숨게 하면.

복규   왜요, 왜? (슬쩍 뒤돌아봤다가 홍보팀 삼인방 발견하고 손가락질하며)
      어? 홍보팀….

신 비서   (억지로 복규 다시 숨기면)

복규   사랑하는 게 죄는 아니잖….

신 비서   (복규 입 막으며) 쉿.

정미   깔끔하게 딱 맥주 한 캔씩만 먹고 빠이빠이 하는 거예요.

한성   라면도 먹어두 돼요?

한 팀장   치킨도 먹자.

정미   자리 먼저 잡아야겠네.

한성   자리가… (두리번대다 복규와 신 비서 쪽을 보는) 어?

하는 소리에 불길해 눈을 굴리는 신 비서.
복규마저 입 막힌 채 긴장해 굳는데.

한성   (복규와 신 비서 옆을 가리키며) 여기 어때요?

한 팀장   그래. 거기 좋네.

뭣도 모르고 다가오는 홍보팀 삼인방.
고민하던 신 비서, 안 되겠다 싶어 냅다 복규의 얼굴을 잡고

키스를 갈겨 버리고…
다가오던 한 팀장과 정미, 멈칫.

한 팀장   딴 데로 가자. 딴 데로.

한 팀장과 정미 돌아서는데 한성, 눈치 없이.

한성   왜요? 저기가 딱 좋은데.
정미   딱 보면 몰라? 불륜이잖아.
한성   아~ 불륜이구나.
복규   (열 받아 입술 떼고 뒤돌며) 불륜 아니거든….

홍보팀 삼인방, 그 소리에 고개 돌리면 다시 복규를 붙들고
또다시 입술 박치기를 해 버리는 신 비서.
복규, 허우적대고. 못 볼 꼴 본 듯 그런 두 사람을 피해 가 버
리는 홍보팀 삼인방.

정미   저 정도면 잡아먹히는 중인 거 아냐?
한 팀장   살벌하다~
한성   (아쉬운) 자리 좋았눈뎅….

S#45.   **선월극장 전경 (밤)**
건물 한 면을 가득 채운 가영의 공연 현수막.

'검무, 칼로 피우는 꽃.'이라는 공연명 아래 가영의 멋스러운 사진이 조명을 받아 빛난다.

S#46.　　　선월극장 로비 (밤)

차려입은 채 팔짱 끼고 들어서는 구원과 도희.

포토라인 앞에서 사진 찍히는 가영을 보는데…

가영이 두 사람을 발견하고 다가오면 팔짱 풀고 꽃다발을 건네는 도희.

도희	축하해요.
가영	고마워요. (구원에게) 공연 끝나면 바로 한국 떠날 거야. 앞으로 다신 귀찮게 할 일 없어.
구원	…
도희	다신 안 돌아올 생각인 거예요?
가영	(도희 보며 밝게) 이사장을 빼면 온통 상처뿐인 곳이라… 이젠 완벽히 상처뿐인 곳이 됐네요.
구원	(가영의 말에 표정 어두워지고)
복규	(다가와) 이사장이랑 진스타 같이 사진 찍어야 되는데.
가영	(도희에게) 잠깐 이사장 좀 빌려도 되죠?
도희	오늘만 봐줄게요. 특별한 날이니까.
가영	(구원에게) 마지막으로 부탁할게. 오늘 밤엔 선월재단 이사장으로서의 역할에 충실해 줘.

가영, 구원의 팔짱을 끼면 가영과 보조 맞춰 포토라인에 서는 구원.
기자들 신나서 두 사람의 사진을 찍으면 환히 웃는 가영과 달리 구원의 표정 어둡다.
도희, 그런 구원을 가만히 지켜보고….

S#47.   **선월극장 이층 객석 (밤)**
이층 VIP 객석에 나란히 앉는 구원과 도희.
도희는 구원의 기분을 애써 모른 척 앞을 보고 앉는다.

S#48.   **선월극장 무대 뒤 (밤)**
무대 뒤에 대기한 채 등장 타이밍을 기다리고 선 가영.
그 옆에는 복규가 긴장한 모습으로 섰는데.

가영   (무대를 보며) 내가 왜 무용을 시작했는지 알아?

복규   그거야 재능이 있으니까.

가영   로비에 걸린 쌍검대무 그림… 그 그림을 보는 이사장의 눈빛이 좋았어. 어딘가 애잔하고 따뜻한. 이사장답지 않게 말랑해진 그 시선이 너무 갖고 싶었거든.

복규   …

가영   내가 몸이 부서져라 추면 언젠가 나를 그런 눈빛으로 봐주지 않을까 생각했어. 그런데… 도도희를 그런 눈으로 보더라.

복규   진스타….

가영   이사장의 눈빛은 못 받았지만 나한테 그래도 춤이 남았네.

가영, 처연한 표정으로 한줄기 눈물을 흘리고…
그런 가영을 안쓰럽게 보는 복규.

S#49.   **선월극장 - 선월극장 이층 객석 (밤)**
연주자들이 연주를 시작하면 무대 위로 영사되는 영상.
관중들 박수 치고 이층 객석에 구원과 나란히 앉은 도희 역
시 박수를 치는데…
굳은 표정으로 그저 앞을 볼 뿐인 구원.

S#50.   **선월극장 무대 뒤 (밤)**
관중들의 박수 소리에 눈물을 닦아 내는 가영.
애써 미소 지으며 무대 위로 오르고….

S#51.   **선월극장 - 선월극장 이층 객석 (밤)**
무대 위 쌍검무를 추는 가영의 춤사위와 그 위로 영사되는
영상이 멋지게 어우러지는데…
그 슬프도록 아름다운 춤 선에 몰입하는 도희.
구원은 월심과 똑 닮은 가영의 춤사위에 가슴이 아픈데…

가영의 춤 위로 겹치는 월심의 모습.

인서트 *이선과 처음 만나던 순간, 절경 바위 위에서 검무를 추는 월심의 모습.*

고통으로 얼룩지는 구원의 얼굴 위로 월심에 대한 기억이 봇물처럼 쏟아지면….

S#52.   **월심 몽타주 - 회상**
- 바위 위에 누운 이선을 위에서 내려다보는 월심의 얼굴.

- 모닥불 앞에 나란히 앉은 월심과 이선.
  이선, 기분 좋아 배실거리면, 월심 역시 배시시 웃는다.

- 반딧불이를 보며 감탄하는 월심의 옆모습.

- 월심의 방, 희망과 기대감으로 벅차올라 서로를 보는 월심과 이선.

- 절경 바위 위 월심을 향해 달려가는 이선.
  월심 역시 이선을 향해 달려오면 서로의 손을 마주 잡는 두 사람, 애달픈 눈빛으로 서로를 본다.

- 월심의 목에 목걸이를 걸어 주는 이선의 모습.

- 망나니의 칼이 허공을 가르면 풀썩 쓰러지는 월심.

- 숨이 끊어지는 이선의 눈앞에 보이는 눈감은 월심의 창백
  한 얼굴.

S#53.   **선월극장 - 선월극장 이층 객석 (밤)**
          현재로 돌아오면 가슴이 찢어질 듯 아픈 구원.
          옆자리의 도희, 그런 구원의 감정을 알아채고 나지막이.

도희   정구원.
구원   (도희의 부름에 고개 돌려 도희의 걱정스러운 눈빛을 마주하는데)
도희   괜찮아?

          도희의 시선을 외면하듯 고개 돌리는 구원.
          가만히 아래를 내려다본 채 힘겹게 입을 뗀다.

구원   인간 시절 나는 사람들을 죽였어. 나를 사랑하고 나도 사랑
          한, 아주 많은 사람들을.
도희   (놀라지만 차분히) 이유가… 있었어?
구원   그들이… 내가 사랑하는 여인을 제물로 바쳤어.
도희   (충격 받고)
구원   나 때문이야. 내가 그 여인을 사랑하지 않았다면 그 여자는
          죽지 않았어.

도희	정구원…. (안쓰러운 눈으로 구원의 손을 잡으려 하면)
구원	(손 피하며) 난 데몬이야. 인간을 불행하게 만들고 지옥으로 이끄는. 그래서 두려워… 나 때문에 네가 불행해질까 봐.

구원을 말없이 가만히 보던 도희.

도희	너 없인 난 이미 불행해. 만약 어떻게 해도 불행하다면 함께 불행하자 우리.

그 말에 고개 돌려 도희를 보는 구원, 눈빛 흔들리고…
이선과 월심 시절 나눈 대화가 떠오르는데….

인서트	**절경 바위 위, 도망치듯 숲으로 향하는 월심의 뒷모습에 대고 소리치는.**

이선	*내가 보여 주겠다!*
월심	*(멈칫하고)*
이선	*연모의 마음이 사람을 살린다는 걸. 만약 나락으로 떨어지는 걸 막을 수 없다면 기꺼이 너와 함께 떨어지겠다.*

슬픈 눈으로 이선을 보는 월심과 한 치의 흔들림 없는 눈빛으로 월심을 보는 이선.

현재로 돌아오면 구원, 마치 그때의 자신처럼 흔들림 없는 도희의 눈빛을 마주하는데…

서로가 뒤바뀐 듯한 두 사람의 모습 위로.

구원   (E) 우리에게는 이미 주어진 운명이라는 것이 있을까?

무대 위 공연이 클라이맥스로 다다르며 빠르게 턴을 하는 가영.
점점 감정이 벅차오르는 구원의 얼굴 위로.

구원   (E) 만약 운명이라는 것이 있다면… 이번엔 내가 반드시 해피
엔딩으로 만들어 보이겠다.

구원, 다짐한 얼굴로 도희의 손을 잡으면…
회오리처럼 휘몰아치며 돌아가는 가영의 치마폭에서 생겨나
날아오르는 나비들.
구원의 능력이지만 홀로그램으로 오해한 관중들, 감탄하며
놀라고… 턴을 돌던 가영마저 놀라 턴을 멈추며 나비들을 올
려다보는데…
흔들림 없이 구원을 보는 도희와 그런 도희를 보는 구원의
결연한 눈빛.
여전히 서로를 볼 뿐인 두 사람의 뒤로 나비가 아름답게 날
아오르고….

S#54.   **성당 복도 (밤)**
칠흑 같은 어둠 속, 초에 불을 밝히는 손.

일렁이는 초의 불빛을 받은 얼굴 보이면 미카엘 신부다.
촛불을 들고 어두운 성당의 복도를 걸어가는 미카엘.
그 뒷모습이 멀어지고….

S#55.   **성당 십자가 앞 (밤)**
단상에 놓인 촛불만이 불 밝힌 어두운 성당 안.
십자가 아래 무릎 꿇고 앉아 묵주를 든 채 손을 모으고 중얼
거리듯 기도하는 미카엘.
기도를 끝내고 고개 들어 십자가를 올려다보면….

S#56.   **도로 (밤) - 회상**
어두운 도로 위 전복된 차량 한 대.
아스팔트 위 액정 깨진 휴대폰 울리며 발신자명 '우리 딸 도희'.
전복된 차를 향해 다가가는 누군가의 떨리는 발걸음.
얼굴 보이면 17년 전, 지팡이를 짚지 않은 천숙이다.
공포에 질린 얼굴로 차를 향해 걸어가는데.

도희   (E) 만약 우리에게 운명이라는 것이 있다면….

무언가를 보고 놀라 멈춰 서는 천숙.

도희   (E) 그 피할 수 없는 운명의 틀 안에서 우리는 과연….

차 옆에 선 검은 실루엣의 누군가.
천숙의 기척에 어둠 속에서 뒤돌아보면…
구원이다!

도희   (E) 파멸할 것인가 아니면 구원받을 것인가.

마치 사신과도 같은 싸늘한 구원의 표정 위로.

12화 엔딩

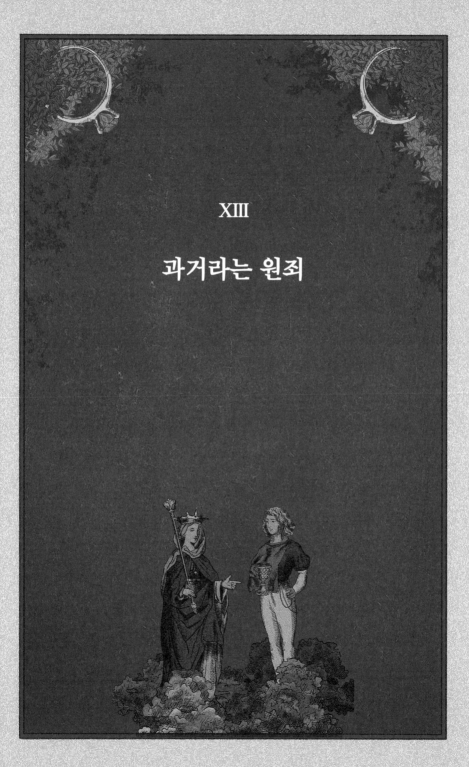

XIII

과거라는 원죄

S#1.　　　　**성당 복도 (밤)**

칠흑 같은 어둠 속, 초에 불을 밝히는 손.

일렁이는 초의 불빛을 받은 얼굴 보이면 미카엘 신부다.

촛불을 들고 어두운 성당의 복도를 걸어가는 미카엘.

그 뒷모습이 멀어지고.

S#2.　　　　**성당 십자가 앞 (밤)**

단상에 놓인 촛불만이 불 밝힌 어두운 성당 안.

십자가 아래 무릎 꿇고 앉아 묵주를 든 채 손을 모으고 중얼

거리듯 기도하는 미카엘.

기도를 끝내고 고개 들어 십자가를 올려다보면 십자가 위에

못 박힌 예수의 모습이 처연하다.

생각이 많은 미카엘의 얼굴에서 회상으로 넘어가면….

S#3.	성당 고해 성사실 (해 질 녘) - 회상

고해 성사실 안 사제 석에 앉은 미카엘.

17년 전의 젊은 모습이다.

맞은편 나무 창살 너머 신자 석에 앉는 누군가의 실루엣.

미카엘, 고개 숙인 채 상대의 말을 기다리지만 아무 소리도 들리지 않고…

주저하는 실루엣의 누군가.

미카엘	하느님의 자비를 굳게 믿으며 그동안 지은 죄를 사실대로 고백하십시오. 아멘.
천숙	(그 말에 용기 내 입을 떼는 입술) 저는… 악마를 보았습니다.

미카엘, 무슨 말인가 싶어 고개 들어 천숙의 실루엣을 보면…

그제서야 보이는 신자 석에 앉은 천숙의 얼굴.

두려움이 가득한 눈빛으로 묵주를 꽉 쥐었는데….

S#4.	성당 (해 질 녘) - 회상

붉은 노을빛이 쏟아지는 고해 성사실 밖.

죄를 고하는 천숙의 목소리가 이어지며 고해 성사실로부터 멀어진다.

천숙	(off) 탐욕에 눈이 먼 저는 악마에게 홀린 것처럼 무슨 짓이든 닥치지 않고 했습니다. 그걸 막으려던 사람이 있었는데 그 사

람은 제가 저지른 죄를 세상에 폭로하겠다고 했습니다….

점점 멀어지며 무슨 말을 하는지 잘 들리지 않는 가운데.

#타이틀　　　< 과거라는 원죄 >

S#5.　　　**선월극장 시계탑 방 (밤)**
　　　공연이 끝나고 시계탑 방에 들어선 구원과 도희.
　　　구원은 뒤에 섰고 도희, 시계탑 옆을 걸어가며.

도희　　　공연 너무 좋더라. (장난스레) 네가 왜 그렇게 전통, 전통 노래
　　　를 불렀는지 이제 알겠네.
구원　　　(살풋 미소 짓고)
도희　　　(걸음 멈추며) 인간 시절의 너 말야… (몸 돌려 구원 보며) 그래서 넌
　　　결국 어떻게 됐어?

　　　그 말에 표정 어두워지는 구원, 슬픈 눈으로 시선 내리며.

구원　　　스스로 목숨을 끊었어. 자살한 영혼은 천국에 못 간다길래.
　　　난 천국에 가고 싶지 않았거든. 자격도 없고.

　　　안쓰러운 눈으로 구원을 보는 도희, 구원에게 다가와 양팔로
　　　안아 주며.

도희	불쌍하다. 서이선….

구원, 도희에게 안긴 채 슬픔과 그리움이 교차하는 표정인데…
도희, 몸을 떼고 구원 올려다보더니 다시 장난스레.

도희	근데 순 거짓말쟁이네. 해피 엔딩도 새드 엔딩도 아닌 흔하고 시시한 결말이라더니.
구원	(그런 도희 보며) 이제부터 해피 엔딩으로 만들려고.
도희	?

의아해하는 도희의 눈앞에 주먹 쥔 손을 꺼내 보이는 구원.
도희, 그걸 내려다보는 순간 조명이 '탕!' 꺼지며 온통 어두워지고…
구원, 천천히 손을 펴 보이면 손바닥 위 빛을 내는 반딧불이 하나.

도희	반딧불?

반딧불이가 춤을 추듯 눈앞에서 날아오르면 시선 들어 반딧불이를 쫓는 구원과 도희.
그런 두 사람의 옆으로 반딧불이가 하나둘 생겨나더니 마치 조선 시대의 그때처럼 시계탑 주위를 가득 채운다.

도희	와~

감탄하며 반딧불이를 보는 도희의 옆모습을 바라보는 구원의 얼굴 위로.

구원   ⒠ 긴 시간을 지나 우리가 다시 만난 건 어쩌면 나에게 주어진 두 번째 기회인지도 모른다.

도희, 고개 돌려 구원을 보며 행복한 미소 지으면 반짝이는 반딧불이 너머 그 모습이 너무도 아름다운데…
구원 역시 미소 지어 보이며 도희의 손을 잡으면 손잡은 두 사람 너머 반딧불이가 날아다니는 동화 같은 풍경 위로.

구원   ⒠ 이번엔 절대 너를 불행하게 하지 않겠다.

S#6.   **빌딩 숲 벤치 (낮)**
이른 아침부터 하루를 시작하는 사람들로 바쁜 빌딩 숲속 벤치.
노숙녀가 벤치에 앉아 사람들을 보며 미소 짓는데…
그 옆자리에 구원이 앉으면 옆을 보지도 않고 그인지 아는 노숙녀.
구원의 목에는 12화에서 뜯어냈던 목걸이가 다시 걸려 있다.

노숙녀   왔어?
구원   오늘은 웬일로 여기야?
노숙녀   나도 가끔은 힐링이란 게 필요하니까.

구원	인간들을 보는 게 힐링이야?
노숙녀	상처가 되기도 하고 힐링이 되기도 하고… 뭐든 동전의 양면이니까.
구원	(그 말을 가만히 듣다) 도도희와 전생의 불행을 반복하고 싶지 않아. 어떻게 하면 돼?
노숙녀	도움을 청하는 건가?
구원	아니. 어차피 도와주지도 않을 거잖아.
노숙녀	… (조선 시대 일을 뜻하는 걸 알고 쓸쓸한데)
구원	그냥 의견을 묻는 거야.
노숙녀	글쎄. 미리 막을 수 있다면 그건 이미 불행이 아니겠지.
구원	정말 도움 안 되네.
노숙녀	도움 청하는 거 아니라며.
구원	쳇. (자리에서 일어나면)
노숙녀	불행이 있어야 행복도 있는 거야. 인간은 행복하기만 하면 그게 행복인지 모르거든.
구원	(시니컬한) 불행이 무슨 대단한 가치가 있는 것처럼 말하네. 몰라도 돼, 그딴 거. 인간의 삶은 행복하기만 하기에도 짧다고.

구원, 가 버리면, 그 뒷모습을 보던 노숙녀, 다시 인간들로 시선 돌리며.

| 노숙녀 | 행복도 가끔은 독이 되는 법이지. |

얕게 한숨 쉬는 노숙녀의 눈빛에 언뜻 슬픔이 스친다.

S#7.   **도희 집 침실 (낮)**

침대 위 곤히 잠든 도희.

도희의 귓가에 구원의 입술이 다가와 속삭이면.

구원   도도희. 일어나.

도희   으응… 오 분만. (뒤척이면)

그런 도희를 사랑스럽다는 듯 보는 구원, 다시 도희의 귀에

대고.

구원   너 좋아하는 집밥 먹자.

도희   (눈 번쩍 뜨는) 뭐? 집밥?

S#8.   **도희 집 거실 (낮)**

신나서 거실로 튀어나오는 도희.

하지만 식탁은 텅 비었는데.

도희   집밥이… 어디?

도희를 따라 나온 구원, 식탁보를 '촥' 펼쳐 식탁 위에 놓으면

마치 마술처럼 식탁보와 함께 '타랑~' 소리 내며 내려놓아지

는 음식 담긴 그릇들.

한 상 차려진 먹음직스러운 집밥에 도희, 두 손 붙든 채 감격

스러운 눈빛으로 구원을 보며.

도희	기억하고 있었던 거야? 내가 집밥 먹고 싶다고 한 거?
구원	당연하지. 네가 한 말은 다 기억해.
도희	(또다시 감동하는) 정구원~
구원	먹자. (자리에 앉으려는데)
도희	기다려! 금방 양치하고 올게. 혼자 먹음 안 돼!

신나서 양치하러 달려가는 도희.
그 모습 보며 구원, '피식' 웃고….

S#9.　**도희의 차 안 (낮)**
운전하는 구원과 조수석에 앉은 도희, 다정하게 손잡은 채.

도희	벌써 12월이라니. 시간 참 빠르다. 가짜 맞선에서 진짜 결혼까지… 벌써 그게 오래전 일 같아.
구원	그동안 참 많은 일이 있었네.
도희	그러고 보니 올해 크리스마스, 우리가 같이 보내는 첫 크리스마스네? (들뜨는가 싶다가) 참, 넌 크리스마스 싫어하지.
구원	이제 좋아해. 네가 좋아하는 건 다 좋아.
도희	(웃음) 기대된다~ 너랑 보내는 첫 크리스마스.
구원	크리스마스엔 캐럴송이지~

구원, 핑거스냅하면 캐럴이 흘러나오고, 도희, 신난 표정으로
고개 돌려 앞을 보는데 차가 막히는 도로.

도희   근데 왜 이렇게 막히지?
구원   교통사고 났나 본대.

도희 표정, 급격히 어두워지고…
저만치 교통사고 현장이 다가오면 구급 대원들 사이로 하얀
천이 덮인 베드.
사고가 심각한지 붉은 피가 가득 배어 나왔는데…
그걸 보고 굳은 도희의 얼굴 위로.

인서트   **안치실에 나란히 놓인 두 구의 흰 천이 덮인 베드.**
친척 어른 서넛 사이로 베드를 보는 어린 도희 보이면 공포
와 슬픔이 뒤얽힌 눈빛.

현재의 구원, 이상한 낌새에 옆을 보면, 도희, 사고 현장에서
눈을 떼지 못하고 굳었는데.

구원   도도희.
도희   (정신 차리며) 어. 우리 무슨 얘기하고 있었지?
구원   크리스마스.
도희   그래. 크리스마스….

문득 차 안에 울려 퍼지는 캐럴이 거슬리는 도희.

도희   음악 *끄자.*

구원, 음악 꺼 버리면 차창 밖으로 시선 돌리는 도희.
유리창에 비친 도희의 어두워진 얼굴을 구원, 걱정스럽게 본다.

S#10.   **카페 (낮)**
카페에 혼자 앉은 구원.
음료를 든 석훈이 다가와 맞은편에 앉더니 구원에게 음료 건
네며.

석훈   마셔요.
구원   (말없이 음료 마시면)
석훈   (그 역시 음료 마시고는) 웬일이에요? 정구원 씨가 먼저 보자고
        다 하고.
구원   도도희에 대해서 제일 잘 아는 사람이 그쪽이잖아.
석훈   (바로 걱정하는 눈빛 되며) 도희한테 무슨 일 있어요?
구원   출근길에 도도희가 교통사고를 봤어. 근데 아무래도 그게…
        부모의 사고를 떠올리게 한 것 같아.
석훈   아….
구원   난 도도희를 행복하게 해 주고 싶은데 도도희는 행복에 늘상
        죄책감을 느껴.

석훈	죄책감일 수도 있고 불안감일 수도 있고⋯ 도희는 부모님 돌아가시기 전의 몇 년이 인생에서 가장 행복했던 때라고 말했어요. 행복의 절정에 불행이 찾아왔으니 어쩌면 도희는 행복이 무서운 건지도 모르겠네요.
구원	(표정 어두워지는) 사고가 나고 도도희는 바로 주천숙과 지낸 건가?
석훈	아뇨, 사고 후 한동안 친척 집을 전전했어요. 유산이랑 보험금을 노린 친척들이 도희를 데려갔다가 돈이 떨어지자 짐짝 취급한 거죠.
구원	⋯ (안타까운 눈빛)
석훈	내가 도희를 처음 봤을 때 도희는 완전히 고슴도치였어요. 또다시 버림 받고 혼자가 될 거라고 생각해 날을 바싹 세웠죠. 그런 도희를 치유한 건 고모님이에요. 그런데 그런 고모님까지 잃었으니⋯ (한숨) 그동안은 고모님을 죽인 범인을 찾아야 한다는 목표 때문에 잊고 있던 상처가 이제서야 다시 도졌나 보네요.

석훈의 말에 걱정스러운 구원의 눈빛.

S#11. **미래 F&B 대표실 (낮)**
책상 앞에 앉아 석민이 준 부모님과 천숙의 사진을 들여다보는 도희.
도희의 눈빛에 슬픔보다는 죄책감이 뒤얽혔는데⋯
'똑똑' 노크 소리 들리고.

도희	네.
신 비서	(들어와) 회의 준비 됐습니다.

도희, 괜찮은 척 표정 바꾸고는 사진 뒤집어 놓고 대표실을
나선다.

S#12. **미래 F&B 회의실 (낮)**
홍보팀, 신 비서와 회의 중인 도희.

한 팀장	우리 미래 F&B 신제품의 인지도를 더욱 극대화하고 구매 고객을 적극적으로 확보하기 위해 신제품 프로모션 이벤트를 진행할 예정입니다. (토스하는) 최정미 대리?
정미	네. 이벤트를 진행할 장소로는 헬스장, 마라톤 대회, 대학 축제 등 다양하게 리스트 업 해 봤는데요….
도희	(말 막는) 다른 데는 없어요? 그런 뻔한 곳 말고 좀 더 신선하고 힙한.
한 팀장	신선하고 힙한 곳이라면….

홍보팀들 눈을 굴리며 고민하는데.

한성	거기 어때요? 선월극장.
신 비서	(뜨끔)
한 팀장	정구원 이사장님의 그 선월극장?

한성	네. 요즘 전통 힙이라는 말이 있을 정도로 전통문화에 대한 반응이 좋거든요. 지금 하는 진가영 씨 공연도 엄청 핫하고.
도희	음···. (생각에 잠기면)
정미	진가영 씨 공연은 좀···.
한 팀장	근데 진가영 씨가 누구···?
정미	왜 그때··· 그···. (말로 하기 곤란한 듯 눈짓하면)
한성	정구원 씨 죽다 살아났을 때 회사까지 찾아와서 사람들 앞에서 정구원 씨랑 포옹한 여성분 있잖아요. 그때 한 팀장님이 사랑과 전쟁보다 재밌다고 난리를··· (한 팀장 잽싸게 입을 막으면) 읍읍.
한 팀장	죄송합니다. (냉큼 도희에게 머리 숙여 사과하는데)
도희	좋은 생각이네요. 선월극장에서 진행해 보죠.

놀라는 신 비서, 한 팀장, 정미. 그리고 입 막힌 채 화색이 도는 한성.

S#13.   **미래 F&B 대표실 (낮)**
텅 빈 대표실에 들어서는 구원.
도희 책상 위에 뒤집어져 놓인 사진을 발견하고 뒤집어 보면
사진 속 다정한 천숙과 도희 부모의 모습.
도희에게 상처가 되는 그들을 보며 구원, 안타까운데···
문 열고 들어서는 도희에 구원, 고개 들며 사진 내려놓는다.

도희	(구원 보더니 언제나처럼 밝게) 정구원! 우리 회사 제품 프로모션 이벤트를 선월극장에서 할까 하는데. 어때?
구원	(애써 장난스럽게) 우리 도도희 하고 싶은 거 다 해.
도희	그런 게 어딨어. 정식으로 제안하는 거야. 너도 선월극장 이 사장으로서 정식으로 고려해 줘.
구원	음… (고민하는 척하더니) 그럼 정식으로 오케이.

도희, 못 말린다는 듯 웃더니 허리 숙여 책상 위 노트북 화면 보여 주면, 구원 역시 허리 숙여 머리를 맞댄 채 노트북 화면 을 본다.

도희	그럼 바로 그쪽 마케팅 담당자한테 정식으로 제안서를 보낼 건데 간략하게 말하자면 공연 스케줄이랑 맞춰서 날짜를 협 의한 다음에 SNS에 올릴 거야.

구원, 일에 집중한 도희의 모습을 보며.

인서트	*카페에서 구원에게 말하는 석훈.*

석훈	걱정이네요. 도희는 힘들 때면 자신을 다그치는 버릇이 있거 든요. 상처가 떠오를 여유를 아예 없애 버리는 거죠. 너무 무 리하지 않게 정구원 씨가 옆에서 좀 도와줘요.

석훈의 말을 떠올린 구원, 다시 모니터로 시선 돌려 도희의

말을 경청한다.

S#14.　　　미래 그룹 회의실 (낮)

이사진들과 둘러앉은 석민, 책상 위에 놓인 서류를 살펴보면
이사들 긴장한 채 그 모습을 보는데…
마음에 안 드는 눈빛으로 미래 그룹 조직도 위로 손가락을
'톡톡' 두드리는 석민.

석민	산재 보상 위원회….
이사 2	(눈치 보며 아부하듯) 네, 그게 주 회장님께서 한국 기업 최초로 세우셨는데 산업재해로 인한 부정적 기업 이미지 개선에 크게 기여한데다 여러모로 상징하는 바도 아주…
석민	(말 끊으며) 이런 게 먹히던 시대는 갔죠. 정리하세요.
이사들	(당혹감 애써 감추고)
석민	그리고 현장직 30프로 이상 비정규직 전환합니다. 각 계열사별 구조조정 계획안 제출하세요.
이사 1	(놀라) 지금까지 미래 그룹은 주 회장님의 뜻에 따라 비정규직 고용을 금지해 왔는데….
석민	(찌릿)
이사 1	(변명하듯) 아직 주 회장님의 경영철학을 미래 그룹의 핵심 가치로 믿고 있는 주주들의 반발이 심할 겁니다.
석민	어머니는 죽었습니다. 어머니가 만든 세상도 함께.
이사들	… (굳고)

| 석민 | 안 그래도 돌아가신 어머니의 망령에 휘둘리는 사람들과 대적하기 위해 더 큰 힘을 모으는 중입니다. 혁신엔 피비린내가 풍기기 마련이니까. |

앞을 본 채 눈을 빛내는 석민.

| S#15. | **석민 집 거실 (밤)** |

화장기 없는 초췌한 얼굴로 모닥불 옆에 놓인 약통을 들어 손바닥 위에 약을 한 움큼 덜어 내는 세라.
입에 약을 털어 넣으려다 멈칫하면.

| 인서트 | ***치료 감호소 면회실.*** |

교도관을 뿌리치고 달려온 도경, 세라의 귀에 대고 속삭인다.

| 도경 | *이제 당신 차례야.* |

현재로 돌아오면 괴로운 눈빛의 세라, 입에 약을 털어 넣고는 신경질적으로 자신의 화상 입은 손목을 긁어 대기 시작하는데… '벅벅' 긁는 소리, 불길하게 점점 커지다 암전.

| S#16. | **도희 집 서재 - 도희 집 거실 (밤)** |

스탠드 불빛과 프로모션 이벤트 관련 PPT가 떠 있는 노트북

화면만이 불 밝힌 서재 안.

각종 서류와 마케팅 서적에 둘러싸인 도희, 일에 열심인데…

서재 앞을 지나던 구원, 유리창 너머 도희를 보더니 걱정스러운 표정 짓는다.

점프하면, 어느새 노트북 앞에 엎드려 잠든 도희.

무슨 꿈을 꾸는지 표정이 슬픈데….

S#17.   **숲속 (밤) - 꿈**

울창한 숲속을 잠옷 차림으로 홀로 걸어가는 어린 도희.

길을 잃었는지 서럽게 울며 헤맨다.

어린 도희   다 어디 간 거야…? 엄마… 아빠. 할머니….

사람들을 찾으며 서럽게 울어 대면….

S#18.   **도희 집 서재 (밤)**

잠결에 흐느끼는 도희의 모습.

찻잔을 들고 들어서던 구원, 잠든 도희를 보더니 다가가 잔을 조심스레 내려놓는데 도희 눈에서 흘러내리는 눈물.

구원, 안쓰러운 눈빛으로 도희를 보며.

구원   도도희….

S#19.   숲속 (밤) - 꿈

주먹으로 눈물을 훔치며 걸어가는 어린 도희.
그때 검은 실루엣이 앞을 가로막고 나타나면.

어린 도희   아빠?

어린 도희, 올려다보면 구원이다.

어린 도희   정구원….

구원, 어린 도희 앞에 무릎 꿇고 앉아 눈높이를 맞추면.

어린 도희   나만 두고 다 가 버렸어. 나만 여기 버리고….

서럽게 우는 어린 도희를 말없이 꼭 안아 주는 구원.
구원의 품에 안긴 채 울던 어린 도희는 어느새 울고 있는 어른 도희로 모습 바뀐다.

도희   내가 잘못해서 그래. 잘못했어, 내가.
구원   (몸 떼어 내고 도희 보며) 도도희. 넌 아무 잘못 없어.
도희   그런데 왜 다들 떠난 거야? 왜 나만 남겨 두고….
구원   떠난 게 아냐. 그냥 잠시 못 보는 거지.
도희   그럼 다시 볼 수 있어?
구원   그러엄~ (도희 눈물 닦아 주며) 지금 보러 갈까?

도희, 끄덕해 보이면 손을 잡고 나서는 두 사람.

S#20.　　　**도희 집 거실 (밤) - 꿈**
　　　　　　구원, 문손잡이를 잡아 문을 열면 도희의 집 거실이다.
　　　　　　두 사람, 문 열고 나서면 화려하게 전등이며 장식이 붙은 크
　　　　　　리스마스트리 앞에 모인 엄마, 아빠, 그리고 천숙.
　　　　　　세 사람은 함께 트리를 꾸미느라 한창인데…
　　　　　　천숙은 지팡이도 짚지 않은 멀쩡한 모습이다.

천숙　　　(도희 부 손에 든 노란 별 장식을 보며) 그건 뭐가 그렇게 커?
도희부　　이건 젤 위에 다는 거예요.
천숙　　　아~ 그래?
도희모　　(고개 돌려 도희 보더니) 도희야, 깼어?
도희　　　(눈물을 글썽이며) 엄마, 아빠….
천숙　　　(도희 보며) 빨리 와. 더 늦으면 너 선물 없어.
도희　　　주 여사….
도희부　　마무리는 도희가 해야지.

　　　　　　도희 부, 노란 별 장식을 도희에게 내밀면 안도감과 기쁨이
　　　　　　뒤섞인 채 다가가는 도희.
　　　　　　별 장식을 받아 단에 올라 트리 꼭대기에 별을 달고 내려온다.
　　　　　　모여 서서 완성된 트리를 함께 보는 이들.

천숙	이제 드디어 완성이네.
도희	(곱씹는) 그러게… 드디어.
도희모	그럼 이제 케이크 먹을까?
도희	정구원은?

하고, 뒤돌면 크리스마스 케이크를 들고 선 구원.
도희, 안도하며 미소 짓는데…
점프하면, 다 같이 둘러앉아 케이크를 먹으며 행복한 도희 부
모와 천숙, 그리고 구원, 도희.
마치 한 가족처럼 따스한 풍경이다.

S#21.   **도희 집 서재 (밤)**
잠든 도희의 얼굴에 미소 떠오르고…
도희 옆에 앉은 구원, 그런 도희의 머리를 쓰다듬으며.

구원	진짜를 줄 수 있다면 좋을 텐데… 내가 해 줄 수 있는 건 고작 이것밖에 없네.

안타까운 구원의 눈빛.

S#22.   **도희 집 침실 (낮)**
어느새 잠옷으로 갈아입고 침대에 편히 누워 잠든 도희. 뒤척

이며 습관적으로 구원을 안으려는데 구원이 잡히지 않고…
잠에서 깨 눈을 뜨면 옆자리 구원의 자리가 비었다.

S#23.   **도희 집 거실 (낮)**
도희, 거실로 나서면 장식 없는 크리스마스트리가 놓였고, 그
앞에 선 구원의 뒷모습.

구원   (엉킨 조명 선을 든 채) 이게 왜 이렇게 꼬인 거야? 풀면 풀수록
어째 더 꼬이는 거 같은데… (하다 도희, 발견하고는) 깼어?

도희   (다가가 트리 앞에 서더니) 크리스마스트리?

구원   이게 보기보다 쉽지가 않네.

도희   능력을 안 쓰고 왜….

구원   너랑 같이 만들려고. 그리고 트리는 손맛이지. (조명 선 풀어 보
려 애쓰면)

도희   안 그래도 나 크리스마스 꿈꿨어.

구원   (모른 척) 그래? 어땠어?

도희   행복했어. 꿈에서 깨고 싶지 않을 만큼.

구원   (안도하는) 꿈보다 더 행복하게 해 줘야겠네. (조명 선 쫙 풀어내며)
풀렸다.

하는데, 우수수 떨어지는 전등들.

구원   (굳었다가 휙 내던져 버리며) 그냥 능력으로 하자. (핑거스냅하려는데)

도희	나랑 천천히 해. 아직 크리스마스까지 시간 많잖아.
구원	(손 거두며) 맞아, 네 말이.

나무뿐인 트리를 나란히 서서 보는 구원과 도희.

구원	근데 이대로도 괜찮지 않아?
도희	(구원의 어깨에 머리 기대며) 이건 크리스마스트리가 아니라 그냥 트리지.
구원	맞아, 네 말이. (도희의 머리 위로 머리 기대면)

서로에게 기대선 두 사람의 다정한 뒷모습.

S#24. **행복 몽타주**

이어지는 구원과 도희의 행복한 시간들.

- 도희 집 욕실.
  마주 보고 선 채 서로에게 양치질을 시켜 주는 두 사람.
  점프하면, 나란히 허공을 보며 '오로로로~' 가글을 한다.

- 도희 집 거실.
  식탁에 나란히 앉아 번갈아가며 입을 '아~' 벌리면 어미 새 처럼 집밥을 먹여 주는 두 사람.

- 도희의 차 안.

  수다를 떨며 웃는 두 사람.

  지루하지 않은 출근길인데….

- 미래 F&B 엘리베이터.

  직원들과 함께 엘리베이터에 탄 구원과 도희.

  앞을 본 채 사람들 몰래 마치 약속하듯 새끼손가락 끝으로
  손잡는다.

- 한껏 꾸미고 와인 바에서 데이트를 하는 두 사람.

  와인 잔을 부딪쳐 건배하고 '홀짝홀짝' 와인을 마시던 도희,
  발그레해진 얼굴로 구원의 어깨에 기댄다.

- 도희 집 엘리베이터.

  손잡고 엘리베이터에 나란히 타는 구원과 도희.

  닫히는 문 사이로 누가 먼저랄 것도 없이 키스를 하면…

엘리베이터 문 닫히며 몽타주 끝난다.

S#25.   신 비서의 차 안 (낮)

             차 안에서 손잡은 두 사람.

             구원과 도희인가 싶은데…

             빠지면 운전 중인 신 비서와 조수석에 앉은 복규다.

복규	아이~ 그냥 내 차로 출근해도 되는데….
신 비서	내 남자는 내가 책임집니다.
복규	그럼 내일은 제가 신 비서님을 모셔다드리….
신 비서	(딱 자르는) 됐습니다.
복규	아~ 네…. (섭섭하고 아쉬운)
신 비서	(그런 복규 눈치 채고) 아시다시피 전 결혼에 한 번 실패했던 터라 연애사를 회사 사람들에게 공개하는 게 쉽지 않네요.
복규	(표정 심각해지더니) 신 비서님. 신 비서님은 결혼에 실패한 게 아니에요. 이혼에 성공하신 겁니다.
신 비서	(복규를 보면)
복규	그리고 전 신 비서님을 무조건 이해합니다.
신 비서	박복규 씨….
복규	(도시락 가방 들어 보이며) 요즘에 연근이 제철이라 오늘은 연근밥으로 준비했어요. 바쁘다고 식사 거르시지 말고 꼭 챙겨 드세요.
신 비서	당신이란 남자는 정말… 감동적이네요.
복규	(쑥스러운) 나는요, 신 비서님이 이런 사소한 거에 감동할 줄 아는 사람인 게 더 감동이에요.
신 비서	(그런 복규가 귀엽다는 듯 보다가 앞을 보더니 정색하며) 다 왔네요.

차 속도를 줄이는 신 비서.

S#26.   **선월극장 앞 (낮)**

아쉬운 표정으로 멀어지는 신 비서 차에 대고 손을 흔들어 보이는 복규.

복규   (계속 손 흔들며) 극장이 가까워도 너무 가까워. 강원도 정도는 돼야… (그러다 제 손에 들린 도시락을 깨닫고는) 어? 도시락! 신 비서님~ 여기 도시락이요~!

차를 쫓아 달려가는데.

S#27.   **신 비서의 차 안 (낮)**
룸 미러로 쫓아 달려오는 복규를 힐끗 보는 신 비서.
멈추라고 손을 흔드는 걸 인사로 알고 창문 밖으로 손 내밀어 인사하며.

신 비서   (훗) 귀여운 남자.

S#28.   **선월극장 이사장실 (낮)**
책상에 앉은 구원, 도희 회사에서 온 이벤트 제안서를 읽고 있는데…
문 열고 들어서는 복규, 하프 지점에 도착한 마라토너처럼 도시락 가방을 든 채 숨 헥헥거리며 홈 바로 다가간다.
홈 바 위에 놓인 물병을 들어 들이켜는 복규에.

구원	마라톤이라도 한 거야?
복규	(벌컥벌컥 마시더니 그제야 살겠는지) 후아~ 이사장은 좋겠다. 손가락만 까딱하면 원하는 데로 이동할 수 있고. 아~ 죽겠네.
구원	(중얼) 할부 한참 남았다는 새 차는 됐다 뭐하고.
복규	(물과 함께 영양제를 삼키고는) 우리 공연 기사 엄청 쏟아졌는데 봤어? '폭풍처럼 휘몰아치는 신선한 충격의 탄생', '생동감 넘치는 압도적인 명연'. 크~ 이런 공연을 기획한 나 자신, 매우 칭찬해. (영양제를 또 한 움쿰 챙겨 먹으면)
구원	근데 아까부터 뭘 그렇게 먹는 거야?
복규	나 요즘 관리하잖아. 사랑받는 남자의 비결이랄까?
구원	('띠-' 한 눈으로 보며) 신 비서 그 인간이 그렇게 좋아?
복규	내 이상형이 원래 다정한 사람이거든.
구원	전혀 다정하지 않은데.
복규	그니까. 찐 사랑은 취향이고 나발이고 다 뛰어넘는 거야. 근데 우리 신 비서님 이름이 뭔지 알아? 신다정. 우린 운명인 거지.
구원	빛이 나는 솔로랄 땐 언제고. (서류 책상 위에 내려놓으며) 미래 F&B에서 이벤트 제안 왔으니까 알아서 진행해. 나 귀찮게 할 생각 말고. 나는 도도희랑 행복하기에도 바쁘니까.
복규	(툴툴거리는 투) 이사장은 도대체 본업이 뭐야?
구원	도도희 남편.
복규	그럼 미래 F&B 가겠네?
구원	당연하지.
복규	(도시락 통 건네며) 그럼 이거.
구원	도시락? 쓸데없이 뭐 이딴 걸… (말로는 투덜대면서도 은근 좋아라

받아 드는데)

복규   신 비서님한테 좀 전해 줘.

구원   (기가 찬) 지금 나보고 도시락 셔틀을 하라는 거야?

복규   셔틀은 무슨. 가는 김에 그냥 전해 주라는 거지.

구원   (얄밉다는 듯 복규 보더니) 싫거든? (도시락 통 내려놓고 나가면)

복규   (닫힌 문을 아쉽게 보는가 싶더니 금세 좋아라 하며) 그럼 내가 직접 하지 뭐. 신 비서님 얼굴 한 번 더 보고 좋지~

이러나저러나 신난 복규다.

S#29.   **선월극장 로비 (낮)**

행복한 표정으로 로비를 걸어가던 구원.

혜원 전신첩 앞을 무심코 지나치는데 갑자기 멈칫.

백스텝으로 돌아오면 미묘하게 삐뚤어진 액자.

구원, 스윽 액자를 똑바로 하고는 만족스러운 표정인데…

그런 구원 옆에 다가와 서는 가영, 그 역시 그림을 보며.

가영   얘기 들었어. 이사장의 전생. 도도희랑 어떻게 얽힌 운명인지도.

구원   (가영 보면)

가영   애초에 내가 끼어들 틈이 없었다고 생각하니까 차라리 마음이 편한 거 있지? (구원 보며) 걱정 마. 도도희한텐 나도 말 안 할게.

구원   떠난다는 생각에는 변함없는 거야?

가영	응.
구원	나 때문이면 이제 난 괜찮아.
가영	이사장 때문이 아니라 나 때문이야. 내 사랑은 이사장한테 독이 되니까.
조감독	(저만치 극장 문에서 나와) 진가영 씨?
가영	네! (구원에게) 앞으로 나 볼 날 얼마 안 남았어. 그니까 출근 좀 해. (돌아서 뛰어가면)
구원	(가영의 뒤에 대고) 공연 좋았어.
가영	(멈칫)
구원	잘하더라.
가영	(뒤돌아 구원 보며) 그걸 이제 알았어?

웃어 보이고는 다시 극장으로 뛰어 들어가는 가영.
그런 가영의 뒷모습을 보는 구원, 씩씩한 가영의 모습에 안도
한다.

S#30.   **미래 F&B 사무실 (낮)**
책상 위에 타로 카드를 '좌악' 펼치는 정미의 능숙한 손길.

| 정미 | 보자 보자, 오늘 대인운이…. |

카드 한 장을 뽑으려는데 어느새 앞에 서서 내려다보는 구원.

정미	깜짝이야. 또 대표님인 줄.
구원	(카드에서 눈을 떼지 않은 채) 그걸로 미래를 보는 건가?
정미	(눈 굴리며) 미래라기보다는… 한 치 앞?

S#31.   **미래 F&B 라운지 (낮)**

심각한 얼굴의 구원.

보면, 테이블 위에 펼쳐진 카드에서 한 장을 뽑으려는 중인데.

구원	(카드 하나를 고르려다) 아냐. (다시 고르려다) 아냐, 아냐.
정미	('띠-' 한 눈으로 구원을 보며) 대표님이랑 정구원 씨는 정말 천생 연분이네요.

구원, 드디어 신중하게 카드 한 장을 골라 뒤집으면 6번 연인 카드다.

정미	연인 카드네요.
구원	이 두 사람, 어쩐지 눈에 익은데.
정미	성경에 나오는 아담과 이브예요. 이 뒤에 있는 건 에덴 동산에 있는 선악과고.
구원	선악과…? 그래서, 무슨 뜻인데?
정미	이 카드는 사랑의 완성을 뜻해요. 한마디로 꽃길이랄까?
구원	꽃길…?

S#32.   **꽃집 앞 (낮)**
꽃집을 향해 걸어가는 구원.

구원   생각해 보니 도도희한테 꽃 한 송이 선물한 적이 없네.

             꽃집 앞에 도착해 문손잡이를 잡는데… 이상한 느낌에 보면
             오른손 가운뎃손가락 끝에서 불이 나고 있다.

구원   (손을 들어 불을 보며) 역시 이렇다니까.

             황급히 걸음 돌려 가는 구원의 뒷모습.

S#33.   **수안 집 거실 (낮)**
             드레스 자락을 휘날리며 과일 접시를 들고 공부방으로 향하
             는 수안. 저만치 방문이 벌컥 열리고 남자 과외 선생이 황급
             히 튀어나오다 수안과 마주친다.

수안   선생님?
과외 선생   (눈물 글썽한 채 울먹) 어머님, 전 도저히 못 하겠어요. (가 버리면)
수안   (아련히 손 뻗으며) 후계자 수업의 권위자인 선생님이 못하시면
             누가….

             손 뻗은 채 굳은 수안, 한숨 쉬며 손 내리더니.

수안   (금세 자신만만한) 누가 하긴. 내가 하지.

점프하면 클래식 음악과 함께 쌍둥이들에게 직접 홈 스쿨링 하는 수안.
'조기 경영 수업' 책을 든 채 우아한 목소리로 낭독한다.

수안   지금의 격변하는 경영 환경에선 새로운 리더십 패러다임이 필요해요. 그중 하나가 바로 서번트 리더십.

그 앞에 나란히 앉은 쌍둥이들, 필기하다 팔꿈치가 부딪히자 눈을 부라린다.

수안   서번트 리더십이란 인간 존중과 구성원에 대한 배려를 바탕으로 한 리더십으로 서번트 리더는 구성원 각자를 팀 리더의 일부로 봄으로써….

팔꿈치를 치며 싸움이 붙는 쌍둥이들. 수업은 안중에도 없는데….

수안   (꾹 참고 무시하는) 자율성과 공동체 의식, 주인 의식을 이끌어 내고 엄격한 지시보다는 조언과 대화를 통해 구성원의 일체화와 공감대 형성을….

급기야 서로의 팔을 물고 소리치는 쌍둥이들에 결국 참지 못

하고 폭발하는 수안.

수안	오스틴, 저스틴!
쌍둥이	(놀라 눈 똥그래진 채 굳으면)
수안	앉아! 책 들어! 읽어!
쌍둥이	(시키는 대로 착착하고)
수안	눈 하나 깜짝했단 봐. 아주 내가 가만 안 둘 줄 알아!

씩씩거리는 수안, 한숨 한 번 크게 내쉬어 호흡 정돈하고는
다시 우아한 표정으로 책을 드는데…
울리는 수안의 휴대폰, 석민이다.

수안	(밝고 친근하게 받는) 어~ 오빠~ 안 그래도 나 지금 우리 오스틴 저스틴 경영 수업하는 중인데. 뭐? 식사?

S#34.	**미래 F&B 대표실 - 미래 그룹 회장실 (낮)**

혼자 대표실에서 업무 중인 도희, 휴대폰이 울려서 보면 '노
석민 대표'다.

도희	(표정 굳더니 전화 받는) 네.

회장실 의자에 기대앉은 석민, 다정한 목소리로.

석민	도희야, 오늘 저녁 시간 되니?
도희	무슨 일인데요?
석민	가족끼리 서로 다독이는 시간 좀 가지려고. 식사나 하자. 정구원 씨도 같이 와.
도희	오늘은 선약이 있어서요.
석민	그럼 다른 날로 잡을까?
도희	…
석민	어머니 얼굴을 봐서라도 나한테 한 번만 기회를 줘. 어차피 우리는 한솥밥 먹는 사이잖니.

도희, 내키지 않는 표정인데.

S#35.   **경마장 (낮)**

경마장 구석에 자리 잡은 ATM기.

경마꾼 한 명이 초조하게 다리를 떨며 잔액 확인을 기다리는데 몇 천 원밖에 없는 잔액이 뜬다.

화가 난 경마꾼, ATM기를 발로 차며.

경마꾼	아이, 씨발! 왜 돈을 안 보내! (휴대폰 들어 전화 걸며 혼잣말) 이번엔 진짜 확실한 정본데….
구원	(off) 도움 필요해?

그 소리에 경마꾼 뒤돌아보면 오른손을 숨긴 채 품을 잡고

선 구원.

구원	내가 도와줄 수 있을 거 같은데.
경마꾼	넌 뭐야? 사채야?
구원	(고개 젓는) 으음~ 그보다 훨씬 상위의 존재.
경마꾼	(눈알 굴리더니) 아~ 은행?
구원	뭐 그렇다 치고 우선 질문이 하나 있는데 지금까지 어떤 인생을 살았어?
경마꾼	이건 또 뭔 개수작이야?
구원	혹시라도 너무 선하게 살아온 건 아닌가 싶어서. 일종의 대출 심사라고 생각해.
경마꾼	뭐라는 거야? 지금 날 물로 보고 수작 부리려나 본데 까불지 마. 내가 교도소만 몇 번을 들락거린 줄 알아?
구원	음~ 좋아. 자격이 아주 충분해. 난 데몬이야. 계약을 하면 소원을 들어주지.
경마꾼	(미심쩍은) 소원? 아무거나 다 들어준단 얘기야?
구원	죽은 사람을 살리거나 산 사람을 죽이는 건 안 돼. 시간을 되돌리거나 자연재해 같은 것도 안 되고. 그것 빼곤 네가 원하는 건 얼마든지.
경마꾼	(혹하는) 오~
구원	물론 공짜는 아니야.
경마꾼	(급 실망하며) 그럼 그렇지.
구원	십 년 뒤에 네 영혼이 지옥에 가는 것. 그게 유일한 조건이야. 어때?

경마꾼	진짜? 십 년이면 한참 남았네. 당장 해, 계약.
구원	(중얼) 역시 어리석네.
경마꾼	뭐라고?
구원	역시 탁월한 선택이라고.

구원, 숨겨 둔 오른손을 꺼내 들면 불타고 있는 손가락들.

경마꾼	으악. 손이 왜 그래.
구원	신경 쓰지 마. 계약하면 바로 꺼져. (손바닥을 펼치면 그 위로 계약서 생겨나고)
넘버 투	(그때 뒤에서 off) 형… 님?

그 소리에 구원, 고개 홱 돌려 보면 무리 지어 선 채 뒤에 선 들개파들.
사채 가방을 들고 가운데 선 넘버 투는 충격으로 눈이 똥그란데….

S#36.	**패스트푸드점 (낮)**

감자튀김을 앞에 두고 앉은 구원과 들개파들.
계약에 성공한 듯 구원 손가락의 불은 꺼졌다.

넘버 투	(감격) 형님이 평범한 인간이 아닌 건 알고 있었지만 데몬이라니… 죽입니다, 형님!

들개파	죽입니다, 형님!

주위에 햄버거 먹던 사람들, 슬그머니 자리에서 일어나 도망 가고.

구원	(중얼) 데몬인 걸 더 좋아할 줄이야… 근데 니들은 어쩌다 거 기 있었던 거야?
넘버 투	저희들이 금융업을 좀 하거든요.
구원	(사채 가방을 보며) 아… 사채.
넘버 투	웬 놈이 우리 구역에서 영업을 하는구나 싶어서 아주 밟아 주려던 참이었는데 형님께서 이런 엄청난 의식을 치르실 줄 이야. 이렇게 대단한 정체를 여태 숨기고 계셨다니… 앞으로 지옥까지 따르겠습니다, 형님!
들개파	따르겠습니다, 형님.
구원	(기가 찬) 너넨 지옥이 어떤 곳인지나 알고 지금… (한숨 쉬더니 안 되겠다 싶어 자리에서 일어나는) 니들이 이런 음지가 아닌 양지 의 떳떳한 직업을 갖게 되면 그때 내가 받아 줄게. (가 버리며 중 얼) 저것들 골치 아파 죽겠네.

구원, 가 버리면 남겨진 넘버 투와 들개파.

넘버 투	양지…?

넘버 투, 심각한 표정으로 감자튀김을 하나 들어 먹으며 생각

에 잠긴다.

S#37.　　　**꽃집 (낮)**
　　　　　'촤라랑~' 풍경 종이 울리며 열리는 꽃집 문.
　　　　　구원, 문 열고 들어서자마자.

구원　　　여기, 행복을 뜻하는 꽃은 뭐가 있지?

S#38.　　　**미래 F&B 로비 (낮)**
　　　　　한편 로비에 들어서는 헬멧을 쓴 남자.
　　　　　주위를 경계하며 빠른 발걸음으로 로비를 가로질러 가는 그
　　　　　의 모습이 무척이나 수상한데….

S#39.　　　**미래 F&B 엘리베이터 (낮)**
　　　　　텅 빈 엘리베이터에 탄 헬멧남, 고글을 올려 얼굴 드러나면
　　　　　복규다.

복규　　　좋아. 자연스러웠어.

　　　　　그의 한 손에 들린 도시락 가방 보이고…
　　　　　엘리베이터가 멈추자 다시 고글을 탁 내려쓰고 엘리베이터

에서 내리는 복규.

S#40.　　**미래 F&B 사무실 (낮)**
사무실에 들어서는 복규.
자신의 숨소리만 들리는 긴장감 속, 저만치 보이는 신 비서의
빈자리로 다가가는데.

정미　　(뒤에서) 박 실장님?
복규　　네? (저도 모르게 대답했다가 당황하며 목소리 변조) 아닌데요?
정미　　딱 보니까 박 실장님인데.
복규　　어라? 여기가 아니네?

복규, 빙글 돌아 도망치듯 사무실을 빠져나가는데 어디로 갈
지 몰라 우왕좌왕하다 한쪽으로 '후다닥' 사라진다.

정미　　(그 뒷모습을 무심히 보고 선 채) 왜 저래?

S#41.　　**미래 F&B 사무실 복도 구석 (낮)**
복도 구석으로 빠져나와 고글을 올리고 놀란 가슴을 진정시
키는 복규.
그때 뒤에서 누군가 '톡톡' 어깨를 두드리고.

복규   으아아!

         놀라 뒤돌아보면 신 비서다.

신 비서   (주변을 살피며) 박복규 씨가 여긴 어떻게.

복규   (포기하고 헬멧 벗더니) 다들 어떻게 알아보는 거예요?

신 비서   어떻게 못 알아보죠? 뒤태만 봐도 내 남잔데.

복규   (부끄) 신 비서님도 참~ 여기 도시락이요. 제가 깜빡 들고 내렸
         더라고요.

신 비서   (감동) 이렇게까지 할 필요 없는데….

         둘이 애틋한 눈으로 보는데 마침 그 옆을 지나가는 한 팀장
         과 한성.

한성   (두 사람 발견하고) 어?

         복규와 신 비서, 그대로 굳어 섰는데.

한 팀장   (두 사람 손가락으로 가리키며 기억이 떠오를 듯) 왠지 모르게 익숙한
         이 투샷은….

신 비서   (버럭 화를 내는) 박뽀뀨 씨, 정말 이상한 사람이네요.

복규   네? 제가요?

신 비서   정말 상식도 없고 예의도 없고 아주 극혐이에요. (싸우라고 눈짓)

복규   (알아채고) 하! 그쪽이 극혐이면 이쪽은 극극혐입니다! 사람이

	왜 그렇게 차가워요?
신 비서	내가 차가운 게 아니라 그쪽이 너무 뜨거운 거죠. (한 팀장과 한 성에게) 오해하지 마세요. 싸우는 겁니다.
한 팀장	당연히 그러겠죠….
한성	(그제야 이해하는) 아~ 싸우시는 거구나.

한 팀장, 떠오르려던 한강에서의 기억이 쏙 들어가고 둘 사이에 끼어들어 중재하며.

한 팀장	두 분 왜 그러시는지는 모르겠지만 진정들 하시고 좋게 말로….
신 비서	됐습니다. 말이 통해야 말을 하죠. (팽하고 돌아서 가 버리면)
복규	무슨 인간미가 쥐 눈곱만큼도 없어. (괜히 씩씩대는 척하는데)
한 팀장	박 실장님이 참으세요. 원래 신 비서님 성격이 좀 그래요.
복규	성격이 어때서요? 저 정도면 무척 합리적이구먼.
한 팀장	(당황) 그거야 그렇죠.
한성	(복규 손에 들린 거 보며) 근데 그거 도시락이에요?
복규	네….
한성	아이~ 빈손으로 오셔도 되는데. (냉큼 가져가며) 잘 먹겠습니다~
복규	(도시락 뺏기고 허망한 손)
한 팀장	(복규 보며) 박 실장님 정말 좋으신 분이네요~

한 팀장과 한성, 도시락을 꺼내 보며 감탄하고…
두 사람 손에 들어간 도시락을 보며 허탈한 복규.

S#42.　　　　**미래 F&B 대표실 (낮)**

　　　　　　휴대폰으로 석민에게 문자를 치는 도희.

문자　　　아무래도 오늘은 안 되겠어요,

　　　　　　문자 보내려는데 노크도 없이 문 열리는 기척.
　　　　　　도희, 고개 들면 도희에게 꽃다발을 불쑥 내미는 구원.

도희　　　오늘 무슨 날이야?

구원　　　응. 아주 특별한 날이야.

도희　　　(기억 더듬으며) 백일은 아니고 결혼기념일도 아니고 내 생일은
　　　　　　지났고. 뭐지?

구원　　　우리가 함께 보낼 행복한 나날 중 하루. 너와 함께라면 매일
　　　　　　이 기념일이야.

도희　　　(꽃다발 받으며) 이러다 이빨 다 썩겠네. 네가 하는 말이 너무 달
　　　　　　달해서.

구원　　　내가 세상에 존재하는 행복이란 행복은 싹 쓸어 왔어. 이 꽃
　　　　　　의 꽃말은 행복이래. 이건 영원한 행복. 이건 반드시 오고야
　　　　　　말 행복. 내일의 행복, 가정의 행복. 그리고 이건….

도희　　　(그런 구원을 가만히 보더니) 사랑해. 정구원.

　　　　　　처음인 그 말에 멈칫하더니 토끼 눈을 하고 도희를 보는 구원.

구원　　　(이내 표정 진지해지며) 사랑해, 도도희.

꽃다발을 사이에 둔 채 서로를 바라보는 두 사람의 따뜻한 눈빛.

S#43.   **석민 집 거실 (낮)**
전보다 더 초췌한 얼굴로 멍하니 모닥불을 보고 선 세라.
그의 한 손에는 약통이 들렸고 다른 손 위에는 전보다 많은 알약이 놓였다. 약 먹는 것도 잊은 듯 멍한 세라의 눈빛이 마치 혼자 다른 세상에 있는 듯한데…
타 들어간 장작이 '툭' 소리 내며 부서지고 그 소리에 놀라는 바람에 손에서 새어 나가 바닥에 떨어져 굴러가는 알약.
세라, 저만치 굴러가 벽에 부딪히는 알약을 쳐다보더니 점점 숨이 가빠진다.
이내 결심한 듯 약통을 원래 자리에 '탁!' 올려놓고 자리를 뜨는 세라.

S#44.   **석민 집 석민의 방 (낮)**
석민의 비밀 금고를 여는 세라.
금고 안 가득인 현금 다발과 금괴, 온갖 서류들.
그리고 10화에서 석민이 만지작대던 미래 전자 녹음기가 세월의 흔적에 낡은 채 보이는데…
현금이며 금괴를 챙겨 다급히 가방에 넣는 세라.
그때 현금 다발 사이로 데몬 책이 보이고….

세라   ?

데몬 책을 꺼내 드는 세라.
페이지를 넘겨보더니 이내 놀라움과 깨달음이 뒤섞인 눈빛
인데….

석민   (off) 모르는 게 아니라 여태 모른 척한 거였어?

멈칫 굳는 세라.
책을 든 채 천천히 뒤돌아보면 어느새 퇴근한 모습으로 뒤에
선 석민.

석민   내 금고 번호는 어떻게 알고… (다가와 앞에 멈춰 서더니) 도대체
어디까지 아는 거야?

세라의 눈에 두려움이 가득 차오르고…
바닥에 '툭' 떨어지는 데몬 책.

S#45.   **도희 집 드레스 룸 (밤)**
옷을 갈아입고 거울 앞에 서서 옷매무새를 다듬는 도희.
그 옆 소파에 앉은 구원, 도희를 보며 투덜댄다.

구원   꼭 가야 돼? 노석민이 또 가족 코스프레 할 게 뻔한데. 내가

보기보다 비위가 약하거든.

도희 언제까지 피할 순 없잖아. 피하는 건 적성에 안 맞아. (농담조로) 그리고 네가 있는데 내가 뭐가 무서워.

구원 (소파에서 일어나 도희 뒤로 다가가 서더니 든든한 말투로) 체할 거 같으면 말해. 참지 말고.

도희 내가 세상에서 못하는 게 딱 하나가 있는데 그게 참는 거야.

구원 역시 내 여자.

도희 (옷매무새 완성하고 뒤돌아 구원 보며) 갈까?

비장하기까지 한 도희의 표정.

S#46. **석민 집 다이닝 룸 (밤)**

커다란 식탁 앞에 앉아 식사 중인 석민과 수안, 그리고 맞은편에 앉은 도희, 구원, 석훈.
수안은 못마땅한 표정으로 도희를 빤히 보며 와인을 마시고, 도희 역시 그런 수안의 시선에 지지 않고 응수한다.

석민 갑작스러운 제안에도 이렇게들 와 줘서 고맙다.

수안 (석민에게 가식적인 미소 지으며) 고맙긴. 당연히 와야지.

여느 때처럼 치장한 세라가 메인 요리가 담긴 접시를 들고 걸어오면 미묘하게 떨리는 눈빛과 손.
가운데 앉은 구원 앞에 접시를 내려놓는 세라의 손목에 화상 자국이 살풋 보이면 이를 놓치지 않는 구원.

석민 옆에 앉아 인형처럼 웃어 보이는 세라를 가만히 보는데.

석민　이러고 있으니까 옛날 생각나고 좋네.

수안　(그 말에 센치해져 눈물 찍어 내며) 아흐… 엄마만 있으면 완벽한데…

　　　(다들 숙연해지고) 엄마는 천국에 갔겠지? 세례도 받았잖아.

석훈　천국이 있다면 분명 거기 계실 거야.

석민　어머니 자리를 대신해서 일하다 보니 나도 어머니 생각이 자

　　　주 나더라. 높은 자리일수록 외로운 법인데 혼자 얼마나 외로

　　　우셨을지….

수안　(입 삐죽대며) 자리가 높아서 외롭나? 자식들한테까지 마음을

　　　안 주니까 외롭지.

도희　(그 말에 불편해지고)

수안　엄만 왜 그렇게 자식들한테 냉정했을까? (도희 보며) 남의 자식

　　　한텐 안 그러면서.

도희　(빠직)

석훈　핏줄이 다가 아니잖아. 마음 잘 맞고 서로 아끼면 그게 가족

　　　이지.

수안　너도 같은 주 씨라고 실드 치는 거니? 네가 울 엄마 자식이 아

　　　니어서 그래. 주천숙 회장 자식으로 사는 게 얼마나 빡셌는데.

석민　원래 가족이란 오래된 가구처럼 흠집도 나고 삐걱거리기도

　　　하는 거야. 돌아가신 분은 어쩔 수 없지만 우리라도 서로 쌓

　　　인 원망과 오해가 있으면 풀고 가자.

수안　좋아. 난 뒤끝 없어.

도희	(툭 내뱉듯) 원래 가해자는 뒤끝이 없어.
수안	가해자? 넌 무슨 내가 뭐라도 한 것처럼 말한다? 너 그거 피해 의식이야.
도희	피해가 있으니까 피해 의식도 있는 거야.
수안	(기가 찬) 그래서. 네가 무슨 그냥 당하고만 있었던 것처럼 말한다? 내가 너한테 뭐라도 했다가 두 배로 당한 게 어디 한두 번이니?
석민	그만들 해. 싸우려고 만난 게 아니잖아. 과거라 해도 잘못은 잘못이야. 수안이 네가 사과해.
수안	하지만…!
석민	수안아.
수안	(억지로) 그래. 미안. 과거의 내가 잘못했어. (하더니, 분한 얼굴로 와인을 벌컥벌컥 들이켜고)

구원, 도희의 손을 잡으면, 도희, 괜찮다는 듯 미소 지어 보인다.

석민	(어색해진 분위기에 세라에게) 여보, 와인 좀 더 가져올까?
세라	네. (자리에서 일어나 다이닝 룸을 나가고)
석훈	(애써 분위기 전환하려 석민에게) 일은 할 만해?
석민	글쎄… 너희들도 알다시피 주주들이 워낙 보수적이잖아. 어머니야 창업주로서의 권위가 뒤를 받쳐줬지만 나한텐 사사건건 행보에 제동을 걸게 뻔하지. 그래서 말인데. 너희들의 전폭적인 지지가 필요해.
수안	(멋도 모르고) 난 전폭적으로 지지해, 오빠~

석민	고맙다. 그런 의미에서 너희들이 가진 지분, 나한테 넘기는 게 어때?

수안, 놀라 딸꾹 하고, 도희와 석훈 역시 놀라는데.

구원	('피식' 비웃는) 결국 그 말을 하려고 불렀네.
석민	(거슬린다는 듯 구원을 보고)
수안	오빠가 돈이 어디 있어서? 우리 지분 다 사려면 돈이 꽤 필요한데.
석민	그건 걱정 말고 넘기기나 해. 너희 회사 자금난 해결하고도 남을 만큼 좋은 가격에 매수할게.
수안	(솔깃하고)
석훈	미안해, 형. 난 그건 안 될 것 같아.
석민	(석훈을 보면)
석훈	하지만 형이 옳은 선택을 하면 얼마든지 지지할게.
석민	옳다는 건 상대적인 거지.
석훈	그래서 나도 지분이 필요한 거야. 형의 입장에선 옳은데 내가 보기엔 옳지 않을 수도 있으니까.
석민	('피식')
도희	(자리에서 일어나) 즐거웠어요, 식사.
석민	도희 넌 아직 대답 안 했는데.
도희	이게 내 대답이에요. (하고, 가 버리면 구원 역시 따라 일어서고)
석훈	형이 잘못된 선택은 안 하길 바랄게. (그 역시 일어나면)
석민	도와들 줘라. 내가 평화로운 방법으로 해결할 수 있게.

석민의 은근한 협박에 빠직해 멈춰 서는 도희.

도희   (뒤돌아) 하나만 물을게요. 정말 몰랐어요? 도경이가 하는 짓?
               알면서도 모른 척한 건 아니고?

석민   말이 심하네. 부모에 이어 자식까지 잃은 사람한테.

도희   지금 하는 행동이 부모에 이어 자식까지 잃은 사람 같지 않
               아서. (휙 돌아가 버리면)

구원   (도희 따라나서며) 가족 모임은 항상 뒤끝이 안 좋다니까.

석훈 역시 불쾌한 표정으로 말없이 나서면, 석민과 단둘만 남
은 수안.

수안   (눈치 보며) 나도 생각 좀 해 볼게, 오빠. (내빼려는데)

석민   (스테이크 썰며) 수안아.

수안   (멈칫) 으응?

석민   나의 친절은 오늘까지야. (싸늘한 눈으로 수안을 보면)

수안, 겁먹은 눈으로 석민을 보고…
와인 병을 든 채 벽 뒤에 숨어 굳어 선 세라의 모습.

S#47.   **구원의 차 안 (밤)**
          운전 중인 구원과 옆자리에 앉은 도희.

구원	참는 거 못한다더니 잘 참던데.
도희	내가 참는 거 알았어?
구원	노석민 얼굴에 주먹 날릴까 봐 나온 거잖아.
도희	넌 이제 나에 대해서 다 아는구나? 근데 난 너에 대해서 아는 게 너무 없네. 역시 데몬 설명서가 필요해.
구원	난 보이는 게 다야. 뛰어난 능력을 지닌 완전무결한 존재.
도희	역시 내 남자. (앞을 보더니) 아무래도 나 체한 거 같아. 집에 가서 치킨 시켜 먹어야겠어.
구원	넌 무슨 체했다는 애가… 맥주도 시켜.

'부웅~' 달리는 두 사람.

S#48. **산재 보상 위원회 사무실 (낮)**

자리에 앉아 업무를 보는 위원회 직원들.
문이 벌컥 열리고 들이닥치는 감사팀에 놀라 자리에서 벌떡
일어서는데.

위원장	무슨 일입니까?
감사팀	산재 보상금을 부정 지급했다는 내부 고발이 있었습니다.
위원장	네? 그게 무슨…!

사무실의 모든 서류며 컴퓨터를 박스에 쓸어 가는 감사팀들.
위원장과 직원들, 무력하게 보고만 있는데….

| S#49. | **미래 투자 대표실 (낮)** |
| | 서류를 보던 석훈, 내선 전화가 오자 목 사이에 수화기를 꽂은 채. |

| 석훈 | 네. 주석훈입니다. (상대 말 듣다가 수화기 제대로 들며) 네? |

놀라고 화난 석훈의 눈빛.

| S#50. | **미래 그룹 회의실 (낮)** |
| | 이사들과 회의 중인 석민. |

| 이사1 | 지시하신 사항은 이번 달 안으로 모두 마무리 짓겠습니다. |

석민, 감정 없는 표정으로 가만히 듣고 있는데…
문이 '쾅!' 열리고 들어서는 화난 눈빛의 석훈.

| 석훈 | 정식 이사회도 거치지 않고 지금 뭐 하는 겁니까? |
| 석민 | 여기까지 하죠. |

이사진들 나가고 단둘이 남는 석훈과 석민.
석훈, 석민에게 다가가면 자리에서 일어나는 석민.

| 석훈 | 이러려고 지분 다 넘기라고 한 거야? 산재 보상 위원회도 없 |

애고 비정규직 전환까지… 형, 이건 진짜 아니지.

석민   난 그냥 비즈니스를 하는 것뿐이야.

석훈   이건 비즈니스가 아니라 살인이나 마찬가지야. 당장엔 이득
      인 거 같아도 결과적으론 더 나쁜 결과를 가져올 거라고.

석민   개인적인 신념을 팩트처럼 말하면 안 되지.

석훈   (석민을 노려보며) 나 가만 안 있을 거야. 언론에 알리고 주주들
      설득하고. 내가 할 수 있는 건 다 해서 형 꼭 막을 거야.

      그 말에 보란 듯 휴대폰 들어 비서에게 전화 거는 석민.

석민   지금 당장 주석훈 대표 해임안 이사진들한테 통보해. (전화 끊
      고 자신을 노려보는 석훈에게) 해보자. 누구 힘이 더 큰지.

      석훈, 눈빛 흔들리고….

S#51.   **선월극장 이사장실 (낮)**
      책상 위에 다리를 올리고 앉아 농땡이를 피우는 구원.
      먼지떨이로 청소 중인 복규, 책상을 털며.

복규   다리 좀 치워. (구원, 한쪽만 치우면) 이쪽도. (구원, 또 한쪽만 치우자
      빠직) 본업인 도도희 남편에 충실하지 왜 이러고 있어?

구원   가영이가 볼 날 얼마 안 남았다고 해서 얼굴 비치려고 들른
      거잖아.

복규	그래도 반려 인간이라고 신경은 쓰이나 보네. (책장 털며) 근데 데몬 사용 설명서는 안 찾을 거야?
구원	그딴 겁주는 소리만 잔뜩인 책 따위가 뭐 중요하다고.
복규	그래도 찾아야지. 중고 거래할 때도 설명서 없으면 반값인데.
구원	(발끈) 자꾸 날 그렇게 가전제품 취급하는데…. (하다가, 멈칫하면)

인서트　　**차 안에서 구원에게 말하는 도희.**

도희	근데 난 너에 대해서 아는 게 너무 없네. 역시 데몬 설명서가 필요해.

구원, 자리에서 벌떡 일어나 나서면.

복규	어디가? 화내다 말고.
구원	설명서 찾으러.
복규	(자기 때문인 줄 알고) 결국 말 들을 거면서 저런다.

뿌듯한 얼굴로 다시 책장을 털어 대는 복규.

S#52.　　**미래 F&B 대표실 - 석훈의 차 안 (낮)**
　　　　대표실에서 업무를 보고 있는 도희, 휴대폰이 울려서 보면 석훈이다.

| 도희 | (전화 받는) 어, 오빠. |

화난 눈빛으로 운전 중인 석훈.

| 석훈 | 도희야. 석민 형이 본색을 드러냈어. |
| 도희 | ! |

S#53. **병원 로비 (해 질 녘)**

석민의 비서와 수행원들에 둘러싸인 채 모자를 눌러쓰고 병원에 들어서는 세라.

그 뒤에 나타나는 구원, 멀어지는 세라를 눈으로 쫓는데…

세라가 수행원들과 엘리베이터 타고 가면 원무 과장에게 지시하는 비서.

| 비서 | 외부와 접촉할 수 없게 신경 쓰시고 추가 지시 전까지 입원하는 걸로 아세요. |
| 원무 과장 | 네. |

그 모든 걸 지켜보고 선 구원.

S#54. **미래 그룹 회장실 (밤)**

창가에 선 채 창밖을 바라보며 인터폰으로 통화하는 석민.

| 비서 | (E) 사모님은 지시하신 대로 처리했습니다. |
| 석민 | 그래. |

인터폰 끊는 소리 들리고 석민, 여유로운 표정으로 창밖 풍경
을 보는데…
소란스러워지는 문밖.

| 비서 | (off) 들어가시면 안 됩니다. |

비서의 말이 끝나기도 전에 문을 '쾅!' 열고 들어서는 도희.

| 도희 | 이런 게 노석민 표 경영이에요? 말 잘 듣는 이사진들만 불러
서 독단적인 결정을 내리는 게? |

황급히 따라 들어선 비서에게 석민, 눈짓하면 비서 문 닫고
나가고.

| 도희 | 주 여사가 가장 신경 쓴 건 회사의 이익과 사회적 책임의 균
형이에요. 그걸 한순간에 망치다니…. |
석민	('피식' 비웃는) 너한테 어머니는 정말 대단한 사람이구나.
도희	(그런 석민 노려보더니) 당신이 왜 이러는지 난 알아.
석민	?
도희	주 여사를 뛰어넘고 싶은 거지. 하지만 이런다고 주 여사 그
늘에서 벗어날 수 있을 줄 알아? 이럴수록 오히려 당신은 주

여사 발끝도 못 따라온다는 걸 증명할 뿐이야.

석민 너야말로 언제까지 어머니 그늘 아래 있을 생각이니. 받아들여, 도희야. 이제 어머니 세상은 끝났어. 내가 알을 깨고 나왔거든.

그 말에 멈칫하는 도희.

인서트 *기광철의 2G폰에서 본 발신자명 '아브락사스'.*

도희, 석민을 보면. 도희를 보는 석민의 여유로운 표정이 섬뜩한데…

S#55. **병원 VIP실 (밤)**

가디건 한쪽을 내린 채 민소매 차림으로 팔뚝에 새로 생긴 화상 치료를 받는 세라.
멍하니 넋이 나갔다.
간호사, 치료를 끝내고 병실을 나서면 안쪽 화장실 문 열리는 소리.
세라, 고개 돌려 보면 구원이다.
화상 자국을 보는 구원의 시선에 황급히 젖혀 둔 가디건을 입어 상처를 가리는 세라.

구원 여기서 만나네? 이런 우연이.

세라	(인상 구겨지는 걸 애써 참으며) 미행이라도 한 거예요?
구원	(믿지 않을 걸 뻔히 알며 너스레) 미행은 무슨. 화장실이 급해서 쓰고 있었던 것뿐이야.
세라	…
구원	마침 물어볼 게 있었는데 잘됐네. (무심한 척 주위 물건을 손가락 끝으로 훑으며 다가오는) 노도경이 내 중요한 물건을 가져갔어. 초록색으로 된 양장본인데… 본 적 있어?
세라	(그거구나 싶지만 모른 척) 아뇨. 모르겠네요.
구원	(숨기는 걸 눈치 채고 '피식' 웃더니 화상 거즈를 보며) 노석민 짓이야?
세라	그냥… 요리하다 좀 다쳤어요. (시선 피하면)
구원	아~ (끄덕끄덕하더니) 솔직히 그쪽이 요리를 하다 다쳤든 지옥불에 데었든 관심 없어. 하지만… (세라를 쏘아보듯) 너의 지옥은 이제 시작인 거 같네.
세라	(눈동자 흔들리고)
구원	(다시 건성으로 가볍게) 내 물건 찾으면 연락해. 혹시 알아? 그게 너를 지옥에서 건져 낼 동아줄이 될지.

구원, 돌아서면 울분 섞인 눈빛으로 그 뒷모습을 보는 세라.

S#56.   **미래 그룹 회장실 (밤)**
석민의 정체를 알게 된 충격에 굳어 선 도희.

도희	아브락사스….

석민   !

도희   (고개 숙이며 읊조리는) 새는 알에서 나오기 위해 투쟁한다. 태어
      나려고 하는 자는 누구든 하나의 세계를 파괴하지 않으면 안
      된다. 당신이 파괴한 세계는… (고개 들어 석민을 보며) 주천숙이
      었어.

      정체를 들켰음을 알고 차갑게 도희를 보는 석민.
      팽팽하게 서로를 노려보며 마주 선 두 사람인데….

석민   (시니컬한 표정으로 도희에게 다가오며) 넌 항상 이게 문제야. 가만
      히 있었으면 모두가 무사했을 텐데… 넌 꼭 이렇게 끝까지
      물고 늘어져서 문제를 만든다고. 너만 아니었어도 우리 모두
      이 지경까진 안됐어.

도희   (석민을 죽일 듯이 노려보고 점점 숨 가빠지는데)

석민   이렇게까지 하는 이유가 뭐야? 아~ 우리 주천숙 여사의 복수.
      하긴 너한테 어머니는 정말 신 같은 존재지.

도희   (분노 터지며) 어떻게 엄마를 죽일 수가 있어!

석민   그 노인네는 악마야! 날 이렇게 만든 건 너의 그 대단한 주님
      이라고! 난 죄를 짓기도 전에 이미 죄인이었어. 자기의 죄를
      자식인 나한테 덮어씌우고 더러운 피라고 손가락질했다고.
      왜? 내가 초라하고 하찮을수록 자신이 돋보이니까!

도희   재주라곤 없는 줄 알았는데 하나 있었네. 남 탓하는 재주. 주
      여사는 그저 네가 어떤 놈인지 꿰뚫고 있었던 거야.

석민   (비릿하게 웃더니) 너의 그 단단한 믿음이 얼마나 가는지 한번

시험해 볼까? 넌 나한테 고마워해야 돼. 내가 너 대신 복수해 준 거니까.

도희   뭐?

석민   넌 네 부모가 사고로 죽은 지 알지? 아니. 네가 가장 믿고 의지한 바로 그 주천숙이 죽였어. 그토록 믿어 의심치 않는 너의 주님, 바로 주천숙 여사가 네 엄마 아빠를 죽였다고!

도희   웃기지 마. 내가 그 말을 믿을 거 같아?

석민, 그럴 줄 알았다는 듯 책상으로 다가와 책상 서랍을 열면 낡은 미래 전자 녹음기가 놓였다.

석민   (녹음기를 꺼내 들며) 네 부모가 죽던 그날. 나도 그 자리에 있었어.

도희   !

석민, 녹음기를 켜면 흘러나오는 천숙의 화난 목소리.

천숙   (E) 지금이 우리 회사에 얼마나 중요한 시기인지 알아? 이런 큰 투자 제안이 쉽게 오는 줄 아냐고!

S#57.   **구 미래 전자 사무실 (밤) - 회상**
낡은 사무실 안, 사장실의 내려쳐진 블라인드 사이로 보이는 천숙과 도희 부모의 모습.

천숙과 도희 부 사이에 큰소리가 격렬하게 오가는데…
텅 빈 사무실 안 구석 책상 뒤에 선 채 그 모습을 보고 있는 젊은 시절의 석민.
잠시 생각을 하는 듯하더니 미래 전자 로고가 박힌 녹음기를 서랍에서 꺼내 들어 녹음 버튼을 누른다.

천숙   지금이 우리 회사에 얼마나 중요한 시기인지 알아? 이런 큰 투자 제안이 쉽게 오는 줄 아냐고!

잘 들리지 않는 소리에 자리에서 일어나 다가가는 석민.

도희 부   (잘 들리지 않고) 제가 다 폭로하겠습니다.

화가 난 천숙, 벌떡 일어나 도희 부를 향해 서류를 흩뿌리며.

천숙   감히 날 협박하는 거야? 원하는 게 뭐야! 돈이야?
도희 부   (뭐라 얘기하는)
천숙   일하기 싫다고 회사 내팽개치고 도망간 주제에 이제 와서 네가 무슨 권리로! 이건 내 회사야!
도희 부   (잘 들리지 않고) 회장님 혼자 만든 회사가 아니라고요!
도희 모   (흥분한 도희 부에게 다가가 도희 부의 팔을 붙들고 뭐라 말하고)
도희 부   (도희 모의 말 듣더니 천숙에게) 두고 보세요. 회장님 뜻대로는 절대 안 될 겁니다!

도희 부, 벌컥 문을 열고나서면, 도희 모, 황급히 그 뒤를 쫓아 나가고…

블라인드 사이로 분노가 가득한 눈으로 도희 부의 뒷모습을 노려보는 천숙의 모습.

S#58.   **미래 그룹 회장실 (밤)**

회상에서 돌아오면 흔들리는 도희의 눈동자.

석민   (재밌다는 듯 그런 도희를 보며) 큰돈이 들어온다니까 욕심이 났 겠지. 근데 너도 알다시피 어머닌 협박 같은 게 통하는 인간 이 아니잖아. 화가 난 어머닌 곧바로 너희 부모의 차를 뒤쫓 았고… 결과는 너도 알다시피 '펑'. 그렇게 넌, 생일날 고아가 됐고 그 후로 미래 전자는 승승장구해서 지금의 미래 그룹이 됐어. 네 부모의 피가 거름이 됐달까?

도희   (상처받은 눈빛으로 애써 부정하는) 말도 안 돼… 거짓말이야.

석민   (밀어붙이듯) 종교는커녕 아무것도 믿지 않던 어머니는 네 부 모가 죽은 후에 매일같이 고해 성사를 하기 시작했어. 왜 그 랬을까? 도대체 무슨 죄를 그렇게 씻고 싶어서. 도대체 뭐가 그렇게 무서웠길래.

도희   (혼란과 괴로움이 섞인 눈빛으로 고개를 가로젓기 시작하고)

석민   네가 받은 혜택, 애정. 그게 다 실은 어머니의 천국행 티켓이 었던 거야.

도희   (소리치는) 아니야! 그럴 리 없어!

그런 도희의 목에 한 손을 뻗어 조르는 석민.

석민　　　그럼 직접 물어봐. 지옥이든 천국이든 어머닐 만나서 진실을
　　　　　물어보라고.

　　　　　도희, 컥컥대며 석민의 손을 풀어 보려고 하지만 안 되고…
　　　　　관자놀이에 힘줄이 튀어나오도록 도희 목을 잡은 손에 힘을
　　　　　꽉 주는 석민.
　　　　　도희, 책상으로 손을 뻗어 힘겹게 무기가 될 만한 걸 찾아 더
　　　　　듬으면 손에 들어오는 만년필.
　　　　　도희, 만년필을 들어 석민의 목에 꽂는 순간, 석민, 고개를 피
　　　　　하며 어깨에 만년필이 꽂힌다.
　　　　　고통으로 얼굴이 일그러지는 석민, 다른 손으로 꽂힌 만년필을
　　　　　뽑아내고는 화가 난 얼굴로 다른 손마저 도희의 목을 조른다.

S#59.　　　**병원 VIP실 복도 (밤)**
　　　　　병원 VIP실 복도를 걸어가는 구원.
　　　　　뒤에서 세라가 튀어나와 소리친다.

세라　　　그 사람이에요!
구원　　　(돌아보면)
세라　　　(분노에 찬 표정으로 소리치는) 노석민이 한 짓이에요. 어머니도,
　　　　　도경이도… 도도희를 죽이려 한 것도.

구원	!
세라	(으르렁대듯) 노석민, 그 인간은 악마예요.

그 말에 구원의 눈에 힘 들어가고….

S#60.   **미래 그룹 회장실 (밤)**
석민의 양손아귀에 목이 붙들린 도희, 숨이 막혀 고통스러운
데…
힘겨워하는 도희의 얼굴과 놀란 구원의 얼굴 분할 화면 되며.

13화 엔딩

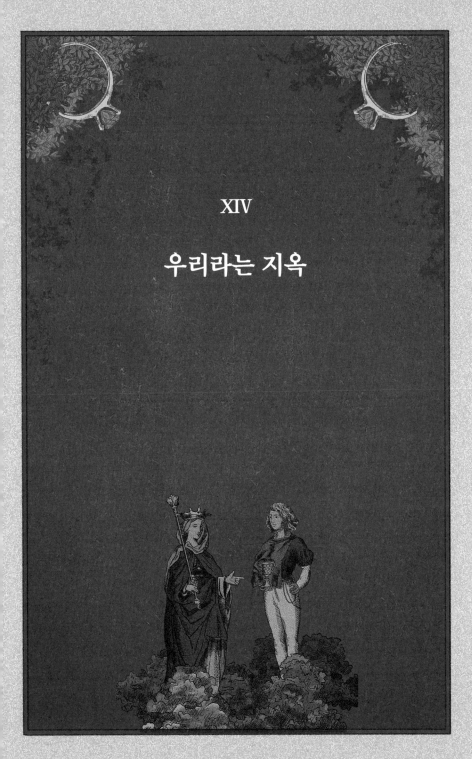

XIV

우리라는 지옥

S#1.	병원 VIP실 복도 (밤)

병원 VIP실 복도를 걸어가는 구원.

뒤에서 세라가 튀어나와 소리친다.

세라	그 사람이에요!
구원	(돌아보면)
세라	(분노에 찬 표정으로 소리치는) 노석민이 한 짓이에요. 어머니도, 도
	경이도… 도도희를 죽이려 한 것도.
구원	!
세라	(으르렁대듯) 노석민, 그 인간은 악마예요.

그 말에 구원의 눈에 힘 들어가고….

S#2.	미래 그룹 회장실 (밤)

마주 보고 선 도희와 석민.

석민	종교는커녕 아무것도 믿지 않던 어머니는 네 부모가 죽은 후에 매일같이 고해 성사를 하기 시작했어. 왜 그랬을까? 도대체 무슨 죄를 그렇게 씻고 싶어서. 도대체 뭐가 그렇게 무서웠길래.
도희	(혼란과 괴로움이 섞인 눈빛으로 고개를 가로젓기 시작하고)
석민	네가 받은 혜택, 애정. 그게 다 실은 어머니의 천국행 티켓이었던 거야.
도희	(소리치는) 아니야! 그럴 리 없어!

그런 도희의 목에 한 손을 뻗어 조르는 석민.

석민	그럼 직접 물어봐. 지옥이든 천국이든 어머닐 만나서 진실을 물어보라고.

도희, 컥컥대며 석민의 손을 풀어 보려고 하지만 안 되고…
관자놀이에 힘줄이 튀어나오도록 도희 목을 잡은 손에 힘을 꽉 주는 석민.
도희, 책상으로 손을 뻗어 힘겹게 무기가 될 만한 걸 찾아 더듬으면 손에 들어오는 만년필.
도희, 만년필을 들어 석민의 목에 꽂는 순간, 석민, 고개를 피하며 어깨에 만년필이 꽂힌다.
고통으로 얼굴이 일그러지는 석민, 다른 손으로 꽂힌 만년필을 뽑아내고는 화가 난 얼굴로 다른 손마저 도희의 목을 조른다.

석민의 양손아귀에 목이 붙들린 도희, 숨이 막혀 고통스러운데… 그런 도희를 보며 더욱 독기에 차오르는 석민.

이내 도희, 손에 힘을 잃고 툭 떨구며 정신 잃으려는데…

순간, 옆으로 훅 날아가 유리창에 부딪히는 석민.

유리창에 금이 가고 석민, 그 밑에 떨어진다.

도희, 기침하며 자리에 주저앉고…

머리를 부딪친 석민, 머리에서 피를 흘리며 일어서려는데 그런 석민의 목을 한 손으로 잡아 올리는 구원의 손.

석민이 보면 화난 구원의 눈빛.

석민의 몸이 들리며 발이 허공에 붕 뜨는데…

그때 문에서 요란한 노크 소리.

비서　　(off) 회장님! 괜찮으세요?

구원, 문을 노려보면 철컥 잠기는 문.

밖에서 문을 열려 하지만 철컥거릴 뿐 열리지 않는다.

붉게 피멍이 든 목을 부여잡고 힘겹게 자리에서 일어서는 도희, 밖에서 비서와 수행원들이 '쿵! 쿵!' 몸으로 부딪쳐 문을 열려는 소리에 돌아본다.

문을 부술 듯 열고 들어서는 비서와 수행원들.

하지만 회장실에는 아무도 없이 텅 비었고, 금 간 유리창과 싸움의 흔적만이 보인다.

당황하는 비서와 수행원들.

S#3.   한강 대교 (밤)

자신의 목을 부여잡은 그대로 야외에 바람을 맞고 선 도희,
주위를 둘러보면 한강 대교 위 철제 구조물 위다.

도희   !

놀라 휘청하는 도희, 간신히 균형 잡고 저만치 앞을 보면 석
민의 목을 잡은 채 선 구원.
석민은 놀라움보다는 감탄이 앞선다.

석민   말로만 듣던 능력이 이런 거였어…?
구원   (화난 얼굴로 석민의 목 잡은 손을 밀며) 감히 내 여자한테 무슨 짓이야.

뒤로 밀린 석민, 발끝으로 구조물 끝에 간신히 매달려 서고.

석민   (당황하지만 애써 여유로운 척) 죽여 봐. 같이 지옥에 가자고. 넌 인
간을 죽이면 소멸하잖아.
구원   힘도 없는 게 아는 것만 많으면 위험하지.

구원, 석민의 목을 잡은 손 놓아 버리면.

도희   (놀라 손 뻗으며) 정구원!

석민, 잔뜩 겁먹고 팔을 허우적대는데…

허공에서 멈춘 석민의 몸.

보면, 구원이 석민의 넥타이를 잡았다.

도희, 안도하고 석민은 숨을 헉헉대며 공포의 눈빛을 숨기지 못한다.

구원	죽이지는 못해도 괴롭히는 건 얼마든지 가능해. 차라리 죽여 달라고 빌 만큼.
석민	… (분한 눈으로 구원을 노려보고)

도희, 후들거리는 다리로 걸음 옮기면 아래로 까마득한 강물.

무섭지만 용기 내 한 걸음씩 두 사람에게 다가가는데…

드디어 두 사람 옆에 다가선 도희.

도희	(구원에게) 그만해. 이제 경찰에 맡기자.
석민	(슬쩍 고개 돌려 도희 보며) 소용없어. 그래봤자 증거는커녕 먼지 하나 안 나올 테니까. 넌 내 털끝도 못 건드려.
도희	(분한데)
구원	과연 그럴까? 네가 아직 유일하게 없애지 못한 증거가 하나 있어.
석민	(구원 보면)
구원	김세라.
석민	!

S#4.   **형사과 (밤)**

이 형사와 함께 형사과를 나서는 박 형사.

박 형사   드디어 오늘은 퇴근 좀 하네.

이 형사   간만에 집에서 자겠네요.

박 형사   밤샘 야근 안 하는 게 진짜 얼마 만이냐~

박 형사, 말하며 앞을 보다 멈칫하면 저만치 들어서는 세라.
두 형사 앞에 다가와 서는데…
형사들, 의아한 눈으로 보면 세라의 결연한 눈빛.

S#5.   **한강 대교 (밤)**

상황을 알고 허탈한 석민.

석민   항상 그놈의 가족이 문제라니까…

구원   (비꼬는) 그러게 평소에 가족한테 좀 잘하지 그랬어.

석민   (안 되겠다 싶어 구원에게) 나랑 계약하자. 영혼이든 뭐든 원하는 건 다 가져가. 대신 세상에 이번 일이 알려지는 것만 막아 줘. 도희한텐 절대 아무 짓도 안 할게. 약속해.

구원   그것 참 듣던 중 별로인 소리네. 넌 나빠도 너무 나빠. 너 같은 놈들 때문에 악마가 일자리를 잃는다고.

그때 경찰 사이렌 소리가 저 멀리서 들려오기 시작하고.

도희	포기해, 노석민. 네가 더 이상 도망갈 곳은 없어.

석민, 구원의 손에 목줄처럼 잡힌 넥타이 보며 눈빛 처연해지고.

석민	왜 없어. 지옥이 있잖아.

와락 두 손으로 넥타이를 잡더니 넥타이 한쪽을 뽑아 스스로 확 풀어 버리는 석민.
놀란 도희, 달려와 석민을 붙들려 팔을 뻗지만 도희의 손끝을 스치는 석민의 옷자락.
석민, 다리 아래로 떨어지고…
그 바람에 균형을 잃고 휘청 앞으로 쏠리며 떨어지려는 도희.
구원, 넥타이 놓고 도희 붙들면…
'풍덩!' 강물에 빠지는 소리와 함께 석민의 넥타이가 바람에 흩날려 강물 위로 떨어진다.
구원과 도희, 밑을 내려다보면 석민을 집어삼킨 강물이 보일 뿐.
허망한 구원과 도희의 표정 위로.

#타이틀	*< 우리라는 지옥 >*

S#6.	**형사과 취조실 (밤)**
	차가운 취조실에 앉은 세라. 덤덤하게 증언하는 중이다.

세라	남편은 어머님이 회장 자리를 물려주지 않을 거란 불안감에

계속 시달렸어요. 그래서 나름의 준비를 해왔죠. 차 팀장은 남편의 사람이었어요. 남편은 차 팀장을 통해 최근 몇 년간 분식회계, 리베이트, 페이퍼 컴퍼니… 갖은 방법을 써서 회계 조작을 했어요. 그렇게 빼돌린 비자금으로 차명 주식을 사서 미래 그룹의 우호 지분을 확보했죠.

맞은편에 앉은 박 형사 보이면.

박 형사   차 팀장은 갑자기 왜 변심을 한 거죠?
세라   제대로 대우를 해주지 않는다고 불만이 생겼던 거 같아요. 만지는 돈에 비해 떨어지는 보상이 적었던 거죠.
박 형사   (끄덕끄덕하더니) 이렇게 많은 정보들을 어떻게 노석민 몰래 다 파악하셨어요?

박 형사의 질문에 세라, 표정 복잡해지며.

세라   남편은 내가 귀머거린 줄 알아요. 그동안 난 눈 감고 귀를 막았으니까.

후회와 슬픔이 얽힌 세라의 표정.

S#7.   **형사과 (밤)**
지친 표정의 박 형사, 의자에 털썩 앉으며 한숨 쉰다.

박 형사	회장 자리에 눈이 멀어서 이렇게까지 하다니… 정말 악마가 따로 없네.
이 형사	노석민 그 인간, 여태 사람들 눈을 잘도 속였네요.
박 형사	(착잡한데) 나머지 가족들한텐 연락했어?
이 형사	네. 노수안 대표랑 주석훈 대표한테 연락했어요.
박 형사	그러고 보니 두 사람은 피해자 가족이자 피의자 가족이네.

그때 경찰서에 뛰어 들어오는 수안.
황망한 눈빛이 얼마나 큰 충격을 받았는지 보여 주는데…
박 형사, 수안 발견하고 자리에서 일어나 다가가며.

박 형사	노수안 대표님?
수안	(박 형사 보며) 정말이에요? 오빠가… (말문이 막히지만 애써 말을 잇는) 오빠가 엄마를 죽인 범인이라는 게?
박 형사	네….

수안, 눈에서 눈물 한 방울이 주룩 흐르더니 자리에 털썩 주저 앉고…
넋이 나간 채 눈물 흘리는 수안.

S#8.   **도희 집 앞 대로변 (밤)**
사람들이 오가는 밤거리의 빌딩 전광판에서 흘러나오는 뉴스.
석민의 회장 취임식 모습 아래 '속보. 미래 그룹 노석민 회장

한강 대교 투신자살'이라는 헤드라인이 지나가고…
거리를 오가는 행인 몇몇 고개 들어 뉴스에 관심을 가지는
모습.

S#9.   도희 집 거실 (밤)
        소파에 앉아 멍한 눈으로 뉴스 소리를 듣는 도희.

아나운서 미래 그룹 노석민 회장이 한강 대교에서 투신했습니다. 노 회
        장은 고 주천숙 회장을 살해한 범인으로 밝혀져 충격을 안긴
        가운데 최근 미래 그룹에서 발생한 천문학적인 금액의 횡령
        과 배임 혐의의 배후로도 밝혀졌습니다. 노회장의 시신은 아
        직 발견되지 않은 가운데….

        구원, 옆에 다가와 앉아 도희의 얼굴 살피더니 티브이를 향해
        손짓하면 TV 꺼지고.

구원   계속 같은 소리만 해대네.
도희   노석민… 정말 죽은 걸까?
구원   살아 있다면 내가 찾았을 거야. 능력을 써서 노석민 있는 데
        로 이동해 봤는데 안 돼.
도희   …
구원   (도희 목의 멍 자국 보며) 내가 더 빨리 왔어야 했는데… 네가 위
        험했어.

도희	괜찮아. 이깟 거 아프지도 않아.

구원, 도희의 목에 손을 대고 상처를 지우듯 어루만지면 사라지는 멍 자국.
그때 현관 벨이 울리고 고개 돌려 현관을 보는 구원.

S#10.　　**도희 집 현관 밖 (밤)**
구원이 문 열면 문 앞에 선 석훈의 충격 받은 얼굴.

석훈	(구원 보더니) 아, 정구원 씨. 미안해요, 연락도 없이.
구원	(석훈 표정 보고 알아채는) 경찰서 갔다 오는 길이야?
석훈	네… 도희는요?
구원	안에 있어.
석훈	도희는 좀 어때요?

구원, 답하지 못하면 알겠다는 듯 한숨 쉬는 석훈.

S#11.　　**도희 집 거실 (밤)**
소파에 앉은 구원, 도희, 그리고 석훈.

도희	(석훈에게) 시체는 찾았대?
석훈	아직. 수색 중이긴 한데 쉽지 않은가 봐. 겨울엔 한 달 뒤에나

시체가 떠오르기도 한대.

구원　　김세라는?

석훈　　형수님 증언이 워낙 구체적이라 바로 수사에 들어갈 거 같아
　　　　요. 근데 정구원 씨는 형수님을 어떻게 설득한 거예요?

구원　　난 그냥 현실을 알려 줬을 뿐이야.

석훈　　(착잡한) 정말 사람이 제일 무섭네요. 부모를 죽이고 그 죄를
　　　　아들한테 덮어씌우고… 가족 모두를 자기 목표를 위한 도구
　　　　로 생각하다니.

구원　　원래 비인간적인 짓은 인간들이 다 저지르는 법이지.

생각에 잠겼던 도희, 멍이 있던 목을 만지작거리며.

도희　　실은… 노석민이 이상한 얘길 했어.

구원　　? (구원도 처음 듣는 얘기에 도희를 보면)

석훈　　이상한 얘기?

도희　　주 여사가… 우리 부모님을 죽였대.

구원　　(놀라고)

석훈　　무슨 그런… 말도 안 돼. 너 설마 그걸 믿는 거 아니지?

도희　　나도 알아. 말도 안 되는 거. 근데 자꾸 머릿속에서 그 말이 맴
　　　　돌아.

석훈　　고모님이 그럴 이유가 없잖아.

도희　　사고 나던 날 엄마, 아빠가 주 여사를 찾아가서 협박을 했대.
　　　　큰 투자를 앞두고 있던 때라 돈을 뜯어내려고 했다고….

석훈　　(화나는 표정으로 한숨) 도희야, 신경 쓰지 마. 그냥 마지막 순간

까지 널 상처 주고 싶어서 한 말이야.

석훈의 말에도 도희, 쉽게 생각을 떨쳐 내지 못하고…
그런 도희를 안타깝게 보는 구원.

S#12.　　　**도희 집 엘리베이터 앞 (밤)**
　　　　　도희 집을 나선 구원과 석훈, 엘리베이터 앞에 멈춰 서면.

구원　　　어떻게 생각해? 노석민이 했다는 말 말이야.
석훈　　　사실이 아닐 거예요. 사실이어서도 안 되고. 고모님은 도희를
　　　　　지옥에서 건져 준 사람이에요. 그런 고모님이 애초에 그 지옥
　　　　　을 만든 거라면… 도희는 완전히 무너질 거예요. 지금까지 믿
　　　　　어 왔던 세상이 다 거짓이 되는 거니까.

　　　　　구원, 그 말을 들으며 걱정스러운데….

S#13.　　　**도희 집 침실 (밤)**
　　　　　침대에 모로 누운 도희.
　　　　　구원, 문을 열고 들어서면 등 돌리듯 누운 도희의 뒷모습이
　　　　　보인다.
　　　　　말없이 도희 뒤에 누워 백허그 하는 구원.
　　　　　도희, 가만히 그의 온기를 느끼는데.

도희	정구원….
구원	응?
도희	그냥. 뒤에 있나 해서.
구원	이렇게 안고 있는데?
도희	그래도.
구원	실컷 불러. 언제까지고 대답해 줄게.
도희	정구원.
구원	응. 도도희.
도희	정구원.
구원	그래. 도도희.

도희, 구원의 목소리에 점점 안정이 되고…
같은 곳을 바라보며 한 몸처럼 누운 두 사람의 모습.

S#14.   **성당 앞 (낮)**
이른 아침의 성당. 미카엘이 빗자루를 들고 성당 앞을 쓸다가
배달된 신문지를 드는데…
대서특필된 석민의 기사가 눈에 띈다.
어두워지는 미카엘의 표정.

S#15.   **미래 F&B 앞 (낮)**
기자들이 진을 치고 기다리고 있는 미래 F&B 건물 앞.

구원과 도희가 나타날까 싶어 건물 안을 기웃거리는 기자들이 있는가 하면 건물을 배경으로 촬영 중인 팀도 있다.

기자 저희는 노석민 회장이 투신할 당시 현장에 함께 있었던 것으로 알려진 미래 F&B 도도희 대표가 있는….

S#16. **미래 F&B 사무실 (낮)**

미친 듯 울려 대는 전화벨 소리와 함께 정신없이 전화 받는 홍보팀 삼인방의 모습.

한 팀장 (전화기에 대고) 저희가 공식 입장문을 냈으니까요 그걸 확인하시고… (기다려 주세요).

정미 (그 역시 전화기에 대고) 그런 기사는 내시면 안 되죠.

한성 (전화기에 대고 침통한 말투) 너무도 충격적인 개인사라 지금은 그저 시간이 해결해 주길 바라는 상태입니다.

한 팀장 아뇨, 별도의 인터뷰는 계획하지 않고 있습… 여보세요? 여보세요?

정미 (전화기 든 채) 소스를 달라니 여기가 무슨 식당도 아니고… 기자님?

한성 (그 역시 전화기 든 채) 시간의 풍화 속으로 사라져 먼지가 되어 흩어지는… 제 말 듣고 계시죠?

홍보팀, 끊겨 버린 내선 전화기 든 채 갸웃한데…

보면, 저만치 신 비서가 전화선 라인을 뽑아 들고 있다.

신 비서 　쓸데없는 대응에 에너지 낭비 말고 업무에 집중하세요.

한 팀장 　휘유~ (안도의 한숨 내쉬며 전화기 내려놓으면 바퀴 굴려 옆에 '촥' 붙는
　　　　정미)

정미 　(속닥) 우리 굿이라도 해야 되는 거 아니에요?

한 팀장 　굿?

정미 　자꾸 사람들이 죽어 나가잖아요. 분명히 뭐가 있는 거라니까.
　　　　이 정도면 우리 회사에 마가 낀 게 분명해요.

한 팀장 　(솔깃) 굿하려면 비싸지 않을까? 그거 우리가 해도 효과 있을
　　　　까 모르겠네.

한성 　(바퀴 굴려 '촥' 붙어) 대표님한테 말씀드릴까요?

그러다 싸한 느낌에 홍보팀 삼인방, 천천히 고개 들면…
어느새 앞에 다가와 선 신 비서.

신 비서 　업무에 집중하라고 했습니다.

홍보팀 　네에~

신 비서, 돌아서면 자리에서 일어나 신 비서에게 붙어서는 한
팀장.

한 팀장 　근데… 회사 입구에 기자들이 쫙 깔렸는데 우리가 인간 띠라
　　　　도 만들어서 대표님 출근을 도와야 하지 않을까요?

신 비서가 뭐라 대답하려는 그때 저만치 입구에 멀쩡히 출근하는 구원과 도희 보이고….

한성	좋은 아침….
정미	(툭 치면)
한성	(말 바꾸는) 그냥 아침입니다!
한 팀장	(구원과 도희 보며) 어떻게 그 인파를 뚫고….
신 비서	(한 팀장 보며) 일이 없으면 만들어 드릴까요?
한 팀장	(황급히 자리로 돌아가며) 아우~ 이벤트 준비가 엄청 바쁘네~
신 비서	(구원과 도희에게 다가가 묵례하고는) 무사히 오셨네요.
도희	네. 정구원 능력 덕에. 또다시 시끌시끌하네요. 사람들은 또 금세 잊을 테니까 며칠만 고생하죠.

대표실에 들어서는 도희와 구원.
신 비서, 두 사람을 따라 들어가는데….

S#17.   **미래 F&B 대표실 (낮)**
도희, 가방을 걸어 두고 책상에 앉으면 도희 앞에 결재 서류철을 내미는 신 비서.

신 비서	여기.
도희	(받으며) 결재할 게 있어요?

도희, 열어 확인하면 결재 서류철 안에 놓인 건 부적이다.

도희	(서류철 덮어 신 비서에게 건네며) 잘못 주셨네요.
신 비서	제대로 드린 거 맞습니다.
도희	(황당한데)
구원	(다가와 보더니) 설마 나 쫓으려고?
신 비서	그럴 리가요. 액운이 끊이지 않아서 준비해 봤습니다.
도희	걱정 마세요. 이제 진짜 다 해결됐으니까.
구원	귀가 얇네. 생긴 거랑 다르게. (부적 들어 손바닥 위에서 태워 버리면)
신 비서	(손 뻗으며) 그게 얼마짜린데….
도희	(안타까워하는 신 비서에게) 신 비서님 마음은 감사히 받을게요.
신 비서	(시무룩) 알겠습니다.
도희	(힘차게) 그럼 오전 회의 시작할까요?
신 비서	네. 바로 준비하겠습니다. (나가면)
구원	(그런 신 비서의 뒷모습 보며 중얼) 의외로 박 실장님이랑 닮은 구석이 있네….

구원의 그 말에 도희, '피식' 웃고 회의 준비하는데….

S#18.   **미래 F&B 사무실 (낮)**
대표실을 나선 신 비서, 유리 너머 회의 준비하는 도희 옆에 선 구원 보며.

신 비서   하긴. 더 강력한 부적이 이미 옆에 있는데.

안도하는 신 비서.

S#19.   **미래 투자 대표실 (낮)**
사무실에서 밤을 새운 듯 소파에 누워 잠든 석훈.
'똑, 똑' 노크 소리에 깨는데….

석훈   (부신 눈을 찡그리며 고개 돌려 문을 보는) 네?

문 열고 나타나는 비서.

비서   손님 오셨는데요, 진가영 씨라고.
석훈   ?

부스스 일어나 앉으며 의아한 표정으로 창 너머를 보면 밖에
서 기다리고 선 가영.

S#20.   **국밥집 (낮)**
국밥을 하나씩 놓고 앉은 석훈과 가영.

석훈   (화난 감정이 남은 딱딱한 말투로) 먹어요. 이 동네에선 제일 맛있는

아침밥이니까.

가영   (공연 티켓을 꺼내 내밀며) 내일이 저 마지막 공연이에요.

석훈   (티켓을 보더니) 사과의 뜻인 건가…?

가영   난 사과 같은 거 안 해요. 말 몇 마디로 없던 일이 되는 것도 아닌데… 그저 자기 맘 편하자고 하는 거예요, 사과는.

석훈이 보면 가영의 후회가 가득한 얼굴이 이미 백 마디 사과를 대신 하는데.

가영   내가 나빴어요. 주석훈 씨 속인 것도 도도희 씨가 죽길 바란 것도.

석훈   (화가 풀린 표정으로 국밥을 뒤적이며) 다시 그 상황이 온다면 다른 선택을 할 거예요?

가영   아뇨. 이게 나예요. 이게 이사장에 대한 나의 사랑법이고.

석훈   (그런 가영을 보더니 무심한 투로) 이해해 볼게요. 진가영 씨가 그랬잖아요. 우린 닮았다고. 나라도 이해해 볼게요. (다시 밥을 먹으면)

울컥하는 가영, 국밥을 떠먹기 시작하면…
마주 보고 앉아 말없이 국밥을 먹는 석훈과 가영의 투 샷.

S#21.   **국밥 거리 - 양지 국밥집 앞 (낮)**
석훈과 가영이 국밥을 먹는 국밥집에서 옆으로 이동하면 새로운 국밥집을 오픈하느라 바쁜 이들.

어쩐지 익숙하다 싶은 그들은 들개파다.

건물 밖 새로 걸리는 '양지 국밥' 간판 속 국밥을 먹으며 감동의 눈물을 흘리는 들개 그림.

그 옆에 깨알같이 그려진 들깨와 파 그림이 앙증맞은데…

넘버 투, 벅찬 표정으로 간판을 올려다보면 벅찬 음악 깔리며.

넘버 투	형님… 저희가 형님의 말씀을 받잡아 드디어 양지의 떳떳한 직업을 시작합니다.

넘버 투, 간판에서 뭔가를 보고 움찔하면 벅찬 음악 멈추고…

옆에서 바쁘게 돌아다니는 똘마니 1에게.

넘버 투	야, 야. (간판 가리키며) 근데 어째 파가 쪽파다?
똘마니 1	(간판 보더니 눈이 번쩍) 시정하겠습니다! 형님!

간판업자에게 달려가 컴플레인하는 똘마니 1.

넘버 투	(다시 간판을 올려다보며 비장하게) 사나이는 대파지.

S#22.   **선월극장 입구 (낮)**

선월극장에 들어서는 구원, 앞을 보고 걸음 멈추면…

저만치 기다리고 선 세라의 모습.

구원, 다시 걸음 옮기면 세라 역시 다가와 구원 앞에 선다.

세라, 가방에서 데몬 책을 꺼내 들어 구원에게 건네며.

세라	주인에게 돌려줘야 할 것 같아서.
구원	(말없이 책을 받고)
세라	그럼. (하고, 돌아서는데)
구원	(뒤에서) 노석민이 그러던데. 주천숙이 도도희 부모를 죽였다고. 사실이야?
세라	(놀란 얼굴로 돌아보면)
구원	처음 듣나 보네.
세라	네. 하지만 남편이 그런 말을 했다면 진심이었을 거예요. 그 사람은 어머님이 그런 짓을 하고도 남을 사람이라고 믿었으니까.

세라의 말에 구원, 생각 많아지고….

S#23.   **선월극장 이사장실 (낮)**
생각에 잠긴 채 앉은 구원.
문 열고 들어서는 복규, 요란하게 호들갑을 떤다.

복규	이사장! 진짜 범인이 노도경이 아니야? 아니 도대체 범인이 몇 명이야? 어떻게 까도 까도 새로운 범인이 계속 나오는 건데. 이번엔 진짜겠지? 설마 이번에도 아닌 거 아냐? 이제 누가 남았지? 노수안, 김세라…. (꼽아 보는데)

구원	박 실장님.
복규	어.
구원	날 지옥에서 건져 준 은인이라고 오랫동안 믿어 왔던 사람이 있었는데 알고 보니 그 사람이 바로 그 지옥을 만든 사람이었어. 만약 박 실장님이라면 어떻게 할 거야?
복규	(고민도 없이 냉큼) 손절해야지. 원래 상처가 되는 관계는 끊어 내고 안 보는 게 최고의 치료거든.
구원	이미 죽었으면?
복규	그럼 이미 손절이네. 고민 끝. 근데 누구 얘기야?
구원	어쩌면 주천숙이 도도희 부모를 죽인 건지도 몰라.
복규	뭐? (충격 받다가 문득) 근데 죽인 거면 죽인 거고 아니면 아닌 거지 죽인 건지도 모른다는 건 뭐야?
구원	노석민이 한 말이야. 아직 확실친 않아.
복규	이런. 죽기 전에 오물을 투척했구나? 진짜 노석민이 범인 맞나 보네. 끝까지 악독한 거 보니. (걱정스러운 구원의 표정 보더니) 그래서 이사장 표정이 그렇구나?
구원	…
복규	쉽지 않은 문제네. 진실을 캐기에는 두렵고 그냥 덮어 두자니 계속 마음에 걸리고. 그래도 나라면….
구원	나라면?
복규	그냥 아니려니 하고 덮어 둘 거야.
구원	덮으면 덮어져?
복규	아니. 가끔 목에 걸린 가시처럼 아프겠지. 그래도 아픈 진실보단 불완전한 행복이 낫잖아.

구원, 걱정스러운 표정으로 한숨 쉬고….

S#24.　　　　**미래 F&B 대표실 (낮)**
　　　　　　노트북으로 업무를 보는 도희.

도희　　　　신제품 매출 기록 기사가 떴을 텐데….

　　　　　　인터넷 창을 여는데 메인 페이지에 뜬 '노석민 회장, 시신 미
　　　　　　발견'이라는 뉴스 헤드라인.
　　　　　　애써 잊고 있었던 도희, 다시 찝찝한 표정 되고…
　　　　　　결국 검색창에 '미래 전자 산재'라는 검색어를 치는 도희, 엔
　　　　　　터키를 누르려다 멈칫한다. 마치 판도라의 상자를 여는 듯 주
　　　　　　저하는데… 이내 마음 다잡고 엔터키를 누른다.
　　　　　　많은 기사들 속에서 '미래 전자 산재, 첫 공식 인정'이라는 헤
　　　　　　드라인 기사를 발견하는 도희. 이거구나 싶어 기사 클릭하면
　　　　　　석민이 10화에서 보던 것과 같은 기사다. '미래 전자 산재, 첫
　　　　　　공식 인정'이라는 헤드라인 아래 지팡이를 놓고 무릎 꿇은
　　　　　　천숙의 사진 보이고… 도희, 표정 심각해지는데…
　　　　　　그런 도희의 눈에 띄는 사진 속 무릎 꿇은 천숙 옆에 놓인 지팡
　　　　　　이. 책상 위에 놓아둔 석민이 가져다 준 사진을 들어 기사 속 사
　　　　　　진과 비교해 보면 지팡이 없이 스스로 선 천숙의 모습이다.
　　　　　　그걸 본 도희 눈에 힘 들어가고…
　　　　　　점프하면, 소파에 마주 보고 앉은 도희와 신 비서.

도희	신 비서님이 주 여사랑 같이 일한 게 얼마나 됐죠?
신 비서	대표님 모시기 전까지 20년 정도 됐습니다.
도희	그럼 미래 전자 시절 주 여사가 처음으로 산재를 공식 인정했을 때, 신 비서님도 계셨겠네요.
신 비서	네. 회장님 수행 비서로 이제 막 일하기 시작했을 땝니다.
도희	주 여사는 언제부터 지팡이를 짚었어요? 내가 처음 봤을 때부터 짚고 있었는데.
신 비서	(기억을 더듬더니) 그때쯤이네요. 대표님이 회장님을 처음 만난 날. 부모님 장례식 때요.
도희	갑자기 왜요? 무슨 일이 있었나요?
신 비서	이유는 말씀 안 하셨습니다. 모두들 그냥 지병이라고만 알고 있었죠.

그 말에 표정 굳는 도희.

S#25.   **미래 F&B 엘리베이터 (낮)**
걱정스러운 얼굴로 혼자 엘리베이터를 타고 가는 구원.
도착해 문이 열리면 표정 풀며 내린다.

S#26.   **미래 F&B 대표실 (낮)**
구원, 문 열고 들어서면, 소파에 앉아 사진을 보던 도희, 고개
돌려 구원을 보는데…

심상치 않은 도희의 표정에 구원, 멈칫하면.

도희   정구원… 나 어떡해?

S#27.   **주천숙 자택 온실 (낮)**
온실 화초 앞에 함께 선 구원과 도희.
도희, 천숙의 손길이 닿은 화초들을 보며.

도희   주 여사는 내가 생일마다 부모님 기일 챙기는 걸 싫어했어. 나쁜 과거는 빨리 묻어 버리라면서… 사실은 나쁜 과거를 묻어 버리고 싶었던 건 주 여사였을까? 주 여사는 왜 그렇게 온실에 처박혀 있었을까? 땅속 깊숙이 묻어야 했던 기억이 뭐가 그렇게 많아서.

구원   …

도희   노석민 말이 사실이면 어떡하지? 정말 주 여사가 엄마 아빠를 죽이고 여태 날 속인 거라면… 그럼 나 어떡해? 더 이상 주 여사를 사랑할 수도 없고 원망할 수도 없는데… 나 꼭 덫에 걸린 것만 같아.

괴로워하는 도희를 보던 구원, 도희의 몸을 돌려 정면으로 보더니.

구원   주천숙이 죽기 전에 너한테 마지막으로 보낸 문자 기억해?

도희	(구원 보면)
구원	사랑한다는 말이었어. 문자를 모두 완성하지 못할 만큼 고통스러운 그 순간에도 마지막으로 너한테 전하고 싶은 진심이 바로 그거였다고.
도희	(눈에서 눈물이 흐르고)
구원	사람은 죽음이 눈앞에 다가오면 그 순간 자신에게 가장 솔직해져. 그게 내가 이백 년간 봐 온 인간들이야.
도희	맞아. 네 말이. (씩씩하게 눈물을 닦으면)
구원	죽은 자는 말이 없는 게 아쉽네. 주천숙이랑 한마디만 나누면 말끔히 해결될 텐데.

그때 구원의 목에 걸린 십자가를 보는 도희.

도희	십자가….
구원	?
도희	(뭔가가 떠오른) 있어. 주 여사의 말을 들을 방법.

S#28. **성당 (낮)**

텅 빈 성당 안을 걸어가는 구원과 도희.
도희가 선 채 십자가를 보며 성호를 긋고 두 손을 모아 인사하면 그 옆에 선 구원, 마음에 안 드는 눈치인데.

구원	난 무슨 무당집이라도 가는 줄 알았네. 성당에서 죽은 사람

얘길 어떻게 듣는다는 거야?

도희   미카엘 신부님이라고 주 여사랑 친한 신부님이 계셔. 어쩌면 미카엘 신부님이 뭔가 알지도 몰라.

구원   신부가 어떻게 알아?

도희, 대답하려는 그때 고해 성사실에서 나오는 미카엘 신부.

도희   미카엘 신부님!

도희, 반갑게 웃으며 미카엘에게 다가가면, 뒤에 남은 구원, 그제야 깨닫고.

구원   아~ 고해 성사.

미카엘   (앞에 다가와 선 도희를 보더니 반갑게) 도희야, 오랜만이구나. (뒤에서 다가오는 구원 보더니 눈빛 묘해지고)

도희   여긴 제 남편이에요.

미카엘   (그 말에 놀라는) 아….

도희   (결혼 때문에 놀라는구나 싶어) 사정이 좀 있어서 급히 결혼하게 됐어요.

미카엘   그래… (구원에게) 미카엘 신부입니다.

구원   정구원이야.

도희   말투가 원래 좀 특이해요.

미카엘   (다시 묘한 눈빛으로 구원 보며) 멀리서 오셨나 보네요.

구원   (묘한 뉘앙스 감지하고 의아함이 눈빛에 떠오르는)

미카엘	(도희 보며) 안젤라 자매님 장례식은 어땠니? 하필 몽골 봉사 활동 중이라 못 갔는데.
도희	많은 일이 있었어요.
미카엘	안 그래도 나도 신문에서 봤어. 석민이가 죽었다고….
도희	네… 실은 그것 때문에 왔어요. 죽기 전에 저한테 주 여사에 대한 이상한 얘길 해서.
미카엘	(표정 어두워지더니 구원에게) 잠시 둘이 얘기해도 될까요?
구원	(도희를 보면)
도희	밖에서 잠깐 기다릴래?
구원	(내키지 않지만) 무슨 일 있으면 바로 불러.
도희	응.

구원, 성당을 나서는데… 찜찜하고 불길한 듯 뒤돌아 도희와 미카엘의 뒷모습을 보는 구원.
나란히 단상으로 향하는 도희와 미카엘을 보더니 다시 걸어 성당을 빠져나간다.

S#29.　　**성당 앞 (낮)**
성당 밖에 나온 구원, 문 앞에 선 채.

구원	어쩐지 기분 나쁜 인간이야….

닫힌 성당 문을 보더니 다시 걱정스러워지는 눈빛.

S#30.	성당 십자가 앞 (낮)

단상 앞 의자에 나란히 앉은 도희와 미카엘.

미카엘	드디어 때가 됐구나.
도희	?
미카엘	안젤라 자매님은 마지막까지 괴로워하셨다. 너에게 온전히 진실되지 못한 걸.

도희, 놀라고…
기억을 떠올리는 미카엘의 손에 들린 묵주에서 회상으로 넘어가면.

S#31.	성당 고해 성사실 (해 질 녘) - 회상

고해 성사실에 묵주를 쥔 채 힘겹게 무릎을 꿇고 앉은 천숙.

천숙	신부님. 저는 천국에 못 가겠죠….

창살 너머에 앉은 미카엘 신부 보이고.

천숙	그런데 전 지옥에 가는 것보다 다른 게 더 무섭네요. 그 아이에게 용서 받지 못할 게….
미카엘	지옥은 자매님의 마음속에 있습니다. 이제 진실을 털어놓고 자신을 놓아주세요.

천숙   진실….

         천숙, 생각에 잠기면 아픈 무릎을 짚으며 작은 창을 올려다본다.
         죄책감인 듯 두려움인 듯 얼굴 위로 십자가처럼 드리워지는
         창살 그림자.

천숙   제가 만약 죽기 전까지도 용기를 내지 못한다면… 그리고 도
         희가 진실을 알고 싶어 한다면… 신부님이 알려 주세요.

         그림자가 드리워진 천숙의 얼굴에서 회상으로 넘어가면….

S#32.   **구 미래 전자 사장실 (밤) - 회상**
         책상 위에 '탁!' 하고 놓이는 작업 환경 측정 데이터 서류.
         천숙, 고개 들어 서류를 내려놓은 사람을 노려보면 책상 앞에
         선 도희 부다.

도희 부   이거 사장님이 지시한 거 맞습니까?
천숙   … (고개 숙이고)
도희 부   작업 환경 측정 데이터를 조작하라고 지시한 게 사장님 맞냐
         고요!

         도희 부 뒤로 초조한 눈빛을 하고 선 도희 모의 모습 보이고.

천숙	잠깐이야. 이번 투자만 확정되면 바로 집진 설비 교체할 거야.
도희 부	잠깐이요? 그 잠깐에 사람들이 죽어 나간다고요! 지금 사람 목숨하고 투자금을 맞바꾸겠다는 말씀이세요?
천숙	다 순서가 있는 법이야! 더 중요한 걸 위해선 위험을 감수해야 되는 거라고.
도희 부	본인이 위험한 게 아니니까 그러는 겁니다! 사장님은 자신의 성공을 위해 사장님을 믿고 이 회사에 다니는 직원들을 제물로 바치는 거라고요!
천숙	지금이 우리 회사에 얼마나 중요한 시기인지 알아? 이런 큰 투자 제안이 쉽게 오는 줄 아냐고! 어쩔 수 없어. 어디든 희생자는 있기 마련이야.
도희 부	(그 말에 절망하는) 그럼 저도 어쩔 수 없네요. 제가 다 폭로하겠습니다.

화가 난 천숙, 벌떡 일어나 도희 부를 향해 서류를 흩뿌리며.

천숙	감히 날 협박하는 거야? 원하는 게 뭐야! 돈이야?
도희 부	내가 원하는 건 회장님이 책임을 지고 다시는 이런 짓을 반복하지 않는 겁니다.
천숙	일하기 싫다고 회사 내팽개치고 도망간 주제에 이제 와서 네가 무슨 권리로! 이건 내 회사야!
도희 부	저와 여기서 일하는 모든 사람들이 피땀 흘려 키운 회사입니다! 회장님 혼자 만든 회사가 아니라고요!
도희 모	(다가와 도희 부의 팔을 붙들며) 여보, 이제 그만해. 시간이 없어.

도희 부   (도희 모의 만류에) 두고 보세요. 회장님 뜻대로는 절대 안 될 겁
니다!

도희 부, 벌컥 문을 열고 나서면, 도희 모, 황급히 그 뒤를 쫓
아 나가고…
분노가 가득한 눈으로 도희 부의 뒷모습을 노려보는 천숙.
안되겠는지 차키를 집어 들고 도희 부모의 뒤를 쫓으면….

S#33.   **구 미래 전자 사무실 (밤) - 회상**
화가 잔뜩 난 채 사무실을 나서는 천숙.
어느새 벽에 숨은 석민, 모습 드러내면 그의 손에 들린 녹음
기에 들어온 빨간 불.

S#34.   **도로 (밤) - 회상**
어두운 도로 위를 빠르게 달리는 도희 부모의 차.
그 뒤를 쫓는 천숙의 차 역시 빠르게 달리는데….

S#35.   **천숙의 차 안 (밤) - 회상**
광기 어린 천숙의 눈빛.

천숙   내가 이 회사를 어떻게 키웠는데… 감히 내 회사를 망치게

둘 거 같아? 내가 무슨 수를 써서라도 막아 낼 거야. 내 손으로 막을 거야!

'부웅-' 액셀을 밟는 천숙.

S#36.   도희 부모의 차 안 - 도로 (밤) - 회상
         운전하며 통화하는 도희 부.

도희부   기자님. 자세한 자료는 도희 엄마가 바로 전달 드릴 거예요. 수백 명의 목숨이 달린 문제예요. 이대로 묻히면 절대 안 됩니다.

         도로 위, 뒤에서 '빵빵' 클랙슨을 울리며 위협적으로 따라붙는 천숙의 차.

도희모   (뒤돌아 천숙의 차를 보더니) 여보….

         도희 부, 전화 끊고 백미러로 천숙의 차를 보더니 액셀을 밟아 속도 높이며.

도희부   (결연한 눈빛으로 앞을 보는) 내가 죽기 전에 꼭 해결하고 가야 돼.

         한편 운전대를 잡은 독기 어린 천숙의 얼굴.

'빵빵!' 클랙슨을 울려 대며 추월하려는 천숙의 차를 도희 부의 차가 가로막듯 방어하고…

위태롭게 도로 위를 달리는 두 대의 차.

차 안의 도희 모, 차 안 시계를 보더니 절망하는 눈빛이 된다.

도희 모 시간이… (흐느끼기 시작하며) 여보… 시간이 다 됐어.

도희 부 (그 역시 시계 보고 절망하지만 애써) 걱정 마. 우리 도희 얼굴은 보고 갈 거야.

절박해진 도희 부, 더욱 속도를 내면 뒤처지는 천숙의 차.

그때 '펑!' 하는 소리와 함께 달리는 도희 부모 차의 타이어가 터지더니 심하게 흔들리기 시작하는 차체.

도희 부, 소리 지르며 핸들을 급히 꺾으면….

S#37. **도로 - 천숙의 차 안 (밤) - 회상**

요란한 소리를 내며 뒤집히는 도희 부모의 차.

뒤따라오던 천숙, 눈앞의 사고에 놀라 '끼익-' 급정거한다.

핸들을 잡은 채 머리를 박듯 고개 숙인 천숙, 천천히 고개 들어 앞을 보면…

천숙의 시점으로 저만치 전복된 차가 보이고…

공포에 질린 천숙의 가쁜 숨소리.

S#38. 도희 부모의 차 안 - 도로 (밤) - 회상

뒤집힌 차 안의 도희 부, 힘겨운 신음 소리를 내는데…
바닥에 떨어져 깨진 액정의 휴대폰 울리며 떠오르는 발신자명.
'우리 딸 도희'다.
벨소리에 도희 부, 정신 차리면 조수석에 매달린 채 의식을
잃은 도희 모 보이고.

도희 부   여보! 정신 차려, 여보!

그때 차창 밖에서 다가오는 '뚜벅뚜벅' 구둣발 소리에 도희 부,
공포에 질린 얼굴로 고개 돌리면 눈앞으로 다가오는 구둣발.
시선 들어 올려다보면 차 앞에 선 구원의 사신과도 같은 모습.

도희 부   !

한편 차에서 내려 전복된 차를 바라보는 천숙.
떨리는 발걸음으로 차를 향해 다가가는데…
차가운 표정으로 도희 부를 내려다보는 구원.
도희 부, 그런 구원에게 호소한다.

도희 부   우리 집사람은 살려 줘.
구원   넌 소원을 빌 수 없어. 이미 십 년 전 나와 계약을 했으니까.
도희 부   제발… 도희를 혼자 둘 순 없어. 부탁이야…. (흐느끼기 시작하는데)
구원   (냉정할 만큼 사무적인) 사인은 심장 마비가 될 거야.

도희 부, 마지막으로 도희 목소리라도 들으려는 듯 울리는 휴대폰에 힘겹게 손을 뻗는데…

거의 다 잡았다 싶은 순간, 벨소리 끊기고 숨을 거두며 손의 힘이 풀리는 도희 부.

구원, 손바닥을 펼치면 손 위에 낡은 계약서가 떠오르더니 '화르륵' 불타 사라진다.

뒤에서 들리는 발소리에 구원, 뒤돌아보면…

놀란 표정으로 어느새 뒤에 선 천숙.

천숙   당신 뭐야.

몸을 돌려 천숙을 똑바로 보는 구원.

천숙의 눈빛을 보더니 흥미가 생기는 표정인데.

천숙   당신… 도대체 무슨 짓을 한 거야!

구원   너도 간절히 원하는 게 있는 눈빛이네?

천숙   뭐?

구원   (천숙에게 다가서며) 그 소원, 내가 들어줄까? 네가 그토록 간절히 원하는 소원을 이루고 원하는 대로 사는 거야. 대가는 십 년 뒤에 치르면 돼. 십 년 뒤 너의 영혼은 지옥에 가는 거지. 어때?

천숙   (충격에 빠진 표정으로 숨 토해 내며) 넌… 악마로구나.

구원, 대답 대신 '씨익' 웃으면…

공포에 질린 눈빛으로 뒤로 물러서기 시작하는 천숙.
그의 걸음 옆으로 한줄기 기름이 흐르고…
천숙, 주춤주춤 뒤로 물러서는데…
이내 '펑!' 소리 내며 폭발하는 차.
그 바람에 천숙, 튕겨 날아가 바닥에 떨어지며 '퍽!' 하고 무릎 깨지는 소리.

S#39.　　**성당 십자가 앞 (낮)**
괴로운 표정으로 말을 이어가는 미카엘.

미카엘　　안젤라 자매님은 평생 동안 그날 밤의 일을 후회하셨다. 자신이 따라가지 않았다면 상황은 바뀌었을지도 모른다고 자책했지.

　　　　충격에 빠진 도희, 믿기 힘든 사실에 숨 쉬는 것도 잊은 듯한데….

S#40.　　**성당 앞 (낮)**
차에 기대 팔짱 낀 채 기다리는 구원.
도희가 혼자 성당을 나오자 팔짱 풀고 도희에게 다가가 선다.

구원　　　뭐래?

도희	(표정 숨기며) 역시 노석민 말은 거짓말이었어.
구원	그런데 표정이 왜 그래?
도희	잠깐이라도 주 여사를 의심한 게 미안해서.
구원	(정말인가 싶은데)
도희	집에 가자.

도희, 차로 향하면, 구원, 그 뒤를 쫓는데…
그런 두 사람을 창문 너머에 선 채 바라보는 미카엘.
시선을 느낀 구원, 뒤돌아 미카엘을 보면…
서로를 가만히 보는 구원과 미카엘.
구원, 찝찝한 표정으로 시선 거두고 돌아서 차로 향한다.

S#41. **도희 집 거실 (밤)**

함께 거실에 들어서는 구원과 도희.

도희	나 먼저 씻고 잘게. (침실로 향하면)
구원	(걱정스러운 눈빛으로 도희 뒤에 대고) 도도희.
도희	(슬픈 표정 감추며 뒤돌아서) 괜찮아. 그냥 좀 피곤하네.

힘없는 미소 짓고 가 버리는 도희.
구원, 정말 괜찮은 건가 싶은데….

S#42.   **도희 집 화장실 (밤)**

욕실에 들어서자마자 얼굴 일그러지며 눈물이 쏟아지는 도희.

세면대 물을 크게 틀더니 물소리에 눈물 소리를 감추며 숨죽여 운다.

울고 있는 도희의 모습 위로 들려오는 미카엘의 목소리.

미카엘   (E) 그 일 이후, 자매님은 삶의 태도가 변했다. 진짜 악마를 목도하고서야 악마가 되기를 멈춘 거지.

울음이 거세지자 손으로 입을 막는 도희.

하지만 울음이 새어 나가고….

S#43.   **도희 집 침실 (밤)**

욕실 문 앞에 선 구원.

물소리 사이로 새어 나오는 숨죽인 도희의 흐느낌을 들으며 고통스러운데….

S#44.   **도희 집 화장실 (밤)**

이내 감정을 다 쏟아 낸 듯 울음이 잦아든 도희.

눈물을 씻어 내려 세수를 하고는 거울에 비친 자신의 얼굴을 본다.

애써 감정을 추스르고 괜찮은 척 가면을 쓰듯 표정 다잡는 도희의 거울에 비친 얼굴.

S#45.   **도희 집 거실 (밤)**
도희, 아무렇지 않은 척 침실 문을 나서면 외출하려는 듯 코
트를 입은 채 기다리고 선 구원.

도희   (구원의 모습에) 어디 가?
구원   (그 역시 아무렇지 않은 척) 계약하러. 원래 밤에 계약이 더 잘 되
거든. 먼저 자. 기다리지 말고.
도희   응… 조심히 다녀와.

구원, 나서면.
도희, 맥이 풀리듯 밝게 연기하던 표정 사라지고.
구원 역시 현관으로 나서며 표정 굳는다.

S#46.   **성당 복도 (밤)**
촛불을 들고 복도를 걸어가는 미카엘.
코너를 돌아 나선다.

S#47.   **성당 십자가 앞 (밤)**
코너를 돌아 나서는 미카엘, 십자가 아래에 선 구원의 실루엣

에 걸음 멈추고…

도전적인 눈빛으로 십자가를 올려다보는 구원의 손바닥 위에는 마치 촛불 같은 불꽃이 하나 떠 있다.

미카엘	(태연히) 다시 오셨네요?
구원	역시 내 존재에 대해 알고 있네. (불 사그라들고) 놀라지도 않는 걸 보니.
미카엘	놀랄 일은 아니죠. 당신이 있다는 건 신께서 존재한다는 증명이니까요.
구원	(다시 십자가를 올려다보며) 빽이 있다 이건가….
미카엘	(촛불을 단상 위에 올리며) 안 그래도 기다리고 있었습니다.
구원	(의문스러운 눈빛으로 미카엘을 보면)
미카엘	(뒤돌아 구원 보며 단호히) 도희 곁을 떠나세요.
구원	허. (기가 찬)
미카엘	당신은 위험한 존재입니다. 더 이상 도희 옆에 있어선 안 돼요.
구원	신부라 그런지 데몬에 대한 선입견이 상당하네. 난 안 그래. 적어도 도도희한텐.
미카엘	내가 당신의 존재를 어떻게 아는지 궁금하지 않으신가요?
구원	?
미카엘	남과 다른 분위기에 독특한 말투… 보는 순간 안젤라 자매님이 말한 악마인 걸 알아보겠더군요.
구원	그 말은… 주천숙이 나랑 만난 적 있다는 소리야?
미카엘	당신이 도희 아버지를 지옥으로 이끌던 날. 안젤라 자매님이 그 자리에 있었습니다.

구원   !

S#48.   **도희 집 침실 (밤)**
           침대에 혼자 모로 누운 채 잠을 이루지 못하는 도희.
           도저히 안 되겠는지 침대에서 일어난다.

S#49.   **고층 빌딩 옥상 (밤)**
           슬픔과 분노가 뒤엉킨 복잡한 눈빛으로 옥상 끝에 선 구원.
           밤하늘에는 그믐달이 떠 있는데….

인서트   *어두운 밤, 비가 내리는 병원 앞 길.*
           붉은 피와 뒤섞여 바닥으로 흐르는 빗물 보이고…
           다쳤는지 성치 않은 몸의 도희 부가 쏟아지는 비를 맞으며
           양팔로 바닥을 기어가듯 하는데…
           그 앞에 다가와 서는 검은 우산을 쓴 누군가.
           도희 부, 고개 들어 보면… 검은 우산 아래 보이는 냉정한 눈
           빛의 구원.

           도희 부와 계약하던 당시의 기억을 떠올린 구원의 고통스러
           운 눈빛. 그의 옆으로 다가와 나란히 서는 노숙녀.

노숙녀   오래 전에 만난 인간을 못 알아보는 게 이상한 일은 아니지.

너도 알다시피 인간들은 너무도 쉽게 낡고 해지니까.

구원   …

노숙녀   불행한 운명의 반복이 앞으로가 아니라 과거에 이미 벌어졌을 줄이야.

구원   다 알고 있었던 거야?

노숙녀   말했잖아. 스스로 각성하기 전엔 모른다고. 사람들은 내가 만물을 관장하는 줄 알지만 나는 그저 만물의 여정을 함께 할 뿐이야.

구원, 허탈하고….

S#50.   **도희 집 거실 (새벽)**
           어두운 표정으로 집에 들어서는 구원.
           굳게 닫힌 침실 문을 보는 눈빛이 괴로운데….

S#51.   **도희 집 침실 (새벽)**
           구원, 문을 열면 도희는 없고 텅 빈 침대.
           그걸 본 구원의 눈빛이 더욱 괴로워진다.

S#52.   **도희의 차 안 (새벽)**
           역시나 괴로운 얼굴로 운전하는 도희.

S#53.　　　**납골당 (낮)**

아무도 없이 적막한 납골당.

도희, 천숙의 납골함 앞에 선 채.

도희　　　주 여사… 나 지금 너무 최악이야. 더 나아져서 온다고 했는
　　　　　데… 약속을 못 지켰네.

　　　　　천숙의 납골함을 어루만지는 도희의 눈빛이 슬픈데…
　　　　　납골당 복도 너머 그런 도희의 목소리를 듣고 선 구원.

도희　　　주 여사가 나한테 솔직했다면 뭔가 바뀌었을까? 만약 그랬다
　　　　　면 난 정구원을 사랑하지 않았을까?

　　　　　차마 그 답을 듣지 못하겠는 구원, 자리를 피하듯 걸어가 버
　　　　　리고… 슬픈 표정으로 생각에 잠기는 도희.

도희　　　아빠는 무슨 소원을 빌었을까? 주 여사와 함께 만든 성공이
　　　　　실은 아빠의 소원 덕분인 걸까? (이내 결심한 듯) 나 알아야겠어.
　　　　　아빠의 소원이 뭔지, 정구원과의 계약이 아빠에게 어떤 의미
　　　　　였는지. 어쩌면 정구원이 아빠의 삶을 구한 건지도 모르잖아.

　　　　　희망의 끈을 간신히 부여잡는 도희.

S#54.　　　**고층 빌딩 옥상 (낮)**

해가 뜬 고층 빌딩 옥상에 홀로 선 채 슬픈 눈빛으로 생각에
잠긴 구원.

휴대폰 알람이 울려서 보면 '계약 만료'다. 그걸 본 구원, 데몬
이라는 자신의 본성이 슬프면서도 화가 치밀고….

S#55.　　　**선월극장 로비 (낮)**

선월극장에 들어서는 도희, 로비 앞으로 향하는데.

가영　　　(뒤에서 off) 도도희 씨!

도희, 돌아보면 다가오는 가영.

가영　　　(도희 앞에 서더니) 나 오늘 마지막 공연이에요.
도희　　　아….
가영　　　좋은 인연은 아니지만 마지막으로 인사는 해야지 싶어서.
도희　　　정말 다신 한국 안 올 거예요?
가영　　　네. 도도희 씨도 조심해요. 데몬을 사랑한 인간의 말로는 이
　　　　　런 거니까. (자조적인 농담하는데)
도희　　　… (얼굴 어두워지면)
가영　　　농담이에요. 도도희 씨는 행복하길 바라요. 굳이 이사장 때문
　　　　　이 아니라도.

진심 어린 가영의 말에 응원 받는 도희.

도희   고마워요. 그럴게요, 꼭.

화해의 눈빛으로 서로를 보는 도희와 가영.

S#56.   **선월극장 로비 앞 (낮)**
극장 로비에 세워진 시음회 부스.
홍보팀 삼인방이 줄 선 관객들의 휴대폰으로 인스타그램 태
그를 확인하고 신제품 음료를 건네며 인사한다.

한성   맛있게 드세요~

복규, 신 비서를 찾아 기웃거리며 슬그머니 다가가 음료 하나
들어 보는데 저만치 박스를 들고 나오는 신 비서.
눈이 번쩍 뜨인 복규, 냉큼 달려가 박스를 잡으며.

복규   어어~ 제가 들게요.
신 비서   괜찮습니다.
복규   그럼 같이?

박스를 잡은 두 사람의 손이 겹치고 두 사람, 얼굴 발그레해
지는데…

한 팀장, 그 옆을 지나가며.

| 한 팀장 | 이렇게 두 분 사이좋게 지내니까 얼마나 보기 좋… (아요). |
| 신 비서 | (한 팀장 말 끝나기도 전에 홱 박스 뺏으며) 괜찮다니까요! |

신 비서, 팽 돌아서서 가 버리고 복규, 한 팀장을 원망스럽게 보면 '내가 뭘 잘못했지?' 싶은 표정으로 경보하듯 내빼는 한 팀장. 그런 복규에게 도희, 다가와.

도희	박 실장님!
복규	(뒤돌아 도희 보더니 도희 뒤를 살피며) 이사장은요…?
도희	계약하러 갔어요.
복규	능력 돌아왔다고 아주 열심이네.
도희	박 실장님이랑 긴히 할 말이 있는데.
복규	긴… 히요?
도희	네. 정구원은 몰랐으면 좋겠어요.
복규	아….
조감독	(저만치서 부르는) 박 실장님! 감독님이 찾으시는데요!
복규	어…. (난감해 하면)
도희	볼일 보세요. 기다릴게요.
복규	그럼 금방 다녀올 테니까 우선 이사장실에 계시죠.
도희	네.

복규, 조감독에게 향하면…

도희, 크게 한숨을 들이마셨다가 내쉬고는 이사장실로 향한다.
걸어가던 복규, 걱정되는 마음에 뒤돌아 도희를 보면.

조감독   (off) 박 실장님!
복규   네, 가요~ (후다닥 달려가고)

한편 다급히 로비를 가로질러 뛰어가는 40대 초반의 여인, 지연. 성공한 사업가의 차림을 한 채 땀까지 흘리며 초조한 얼굴인데…
조감독에게 달려가던 복규와 어깨 부딪치지만 사과도 없이 급히 가 버린다.

복규   (그런 지연의 뒷모습 보며) 화장실이 되게 급한가?

대수롭지 않게 여기고 다시 달려가는 복규.

S#57.   **선월극장 이사장실 - 선월극장 시계탑 (낮)**
이사장실에 들어서 구원의 자리로 걸어가는 도희.
닫힌 시계탑 방문을 보더니 걸음 멈춘다.
이내 시계탑 방에 문 닫고 들어서는 도희.
시계들로 빽빽한 시계탑을 올려다보면.

인서트   *시계탑 방, 춤을 추듯 눈앞에서 날아오르는 반딧불이.*

구원과 도희, 고개 들어 눈으로 반딧불이를 쫓으면…
그런 두 사람의 옆으로 하나둘 반딧불이가 더 생겨나더니 시계탑 주위를 가득 채운다.

도희, 로맨틱한 기억과 함께 구원에 대한 애틋함이 떠오르는데… 그때 이사장실 문을 '쾅!' 열고 들어서는 지연.

지연   다시 해!

그 목소리에 시계탑 방에 있던 도희, 놀라 돌아보고.

지연   (이사장실을 두리번대며 소리치는) 계약 다시 하자고! (흥분한 채) 어딨는 거야? 분명 여기라고 했는데….

도희, 밖으로 나서려 문을 여는 순간…
지연, 이상한 느낌에 뒤돌면 어느새 뒤에서 나타난 구원.

지연   맞지? 나랑 십 년 전에 계약한.
구원   (대답 대신 지연을 보면)
지연   (안도하는) 드디어 만나네. 내가 얼마나 찾았는지 알아? (다급히) 나 계약 파기할게. 돈이고 성공이고 이제 필요 없으니까 도로 다 가져가.

미처 나서지 못한 채 문틈으로 두 사람을 지켜보는 도희의 떨리는 눈빛.

지연의 앞모습은 보이지만 구원은 뒷모습만 보일 뿐인데.

구원　(싸늘하고 시니컬한) 제 발로 여기까지 찾아와서 한다는 말이 고작 그거야?

지연　(매달리듯 다가서) 그땐 내가 일만 하느라 뭐가 중요한 줄도 모르고 바보 같은 선택을 했어. 그 후로 한순간도 후회 안 한 적이 없다고. 제발 부탁이야. 내가 소원으로 빈 거 다 토해 낼 테니까 대신 목숨만 살려 줘.

지연의 후회로 얼룩진 얼굴을 본 구원, 화가 치민다.

구원　너희들은 대체 데몬이 뭐라고 생각하는 거야? 내가 무슨 천사라도 되는 줄 알아? 난 악마야. 너희들을 불행하게 만들고 지옥으로 이끄는.

그 말에 지연, 겁먹는가 싶더니 갑자기 가슴을 부여잡으며.

지연　헉!

숨을 몰아쉬며 비틀대기 시작하는 지연, 구원의 가슴팍 옷자락을 움켜쥐고 매달리며.

지연　살려 줘… 제발…. (괴로워하는)

구원	똑바로 봐 둬. 이런 게 바로 데몬이니까.

구원, 화난 말투지만 어쩐지 슬프기까지 한 눈빛인데…
겁먹은 눈빛으로 다리에 힘이 풀려 주룩 미끄러지는 지연, 숨을 거둔 채 바닥에 쓰러진다.
문틈으로 그 모습을 보던 도희, 놀라 손으로 입을 막고…
도희 뒤의 시계, '달칵' 하는 소리와 함께 시곗바늘 10에 도착하면 그 소리에 뒤돌아 멈춘 시계를 보는 도희.

도희	(E) 이게 다… 계약한 사람들의 이름이었어…?

도희, 고개 들어 올려다보면 시계 밑에 적힌 수많은 사람들의 이름들.

도희	(E) 우리 아빠 이름도…!

저도 모르게 눈에서 눈물 한 방울이 흐르는 도희.
로맨틱했던 시계탑이 위압적이고 공포스럽다.

S#58.	**선월극장 로비 (낮)**

허겁지겁 이사장실로 향하던 복규, 맞은편에서 걸어 나오는 구원과 마주치면.

복규	(놀라) 이사장! 언제 왔어?
구원	(좀 전의 화가 채 가시지 않은) 계약 만료인 인간이 이사장실까지 찾아왔어.
복규	이사장실? 거긴 방금 도도희가…. (말하다, 입을 '헉' 막는)
구원	!

S#59.   **선월극장 앞 (낮)**

혼란과 공포가 뒤섞인 표정으로 황망히 선월극장을 뛰쳐나오는 도희.

차를 세우고 내리던 석훈, 그런 도희를 발견하고.

석훈	(놀라) 도희야!
도희	(그 소리에 멈춰 서 석훈 보며) 오빠….
석훈	(황급히 달려와 도희의 어깨를 붙들어 살피는) 왜 그래! 무슨 일이야.

도희, 숨을 몰아쉴 뿐 아무 말 못 하고…

달려 나오던 구원, 도희와 석훈의 모습에 멈춰 선다.

도희를 걱정스레 살피던 석훈, 저만치 선 구원을 발견하고.

| 석훈 | 정구원 씨. |

그 소리에 도희, 뒤돌아 구원을 보면.

구원	도도희…. (도희에게 다가서려는데)

저도 모르게 뒷걸음질 치는 도희.
석훈, 그런 도희를 의아하게 보고…
차마 더 이상 다가서지 못하고 아픈 눈빛으로 도희를 볼 뿐인 구원.
그 어느 때보다도 거리감이 느껴지는 구원과 도희의 모습이다.

S#60.	**미래 F&B 대표실 (해 질 녘)**

대표실 소파에 앉은 도희.
석훈, 물 잔을 들고 다가와 도희 앞에 물 잔 놓으며.

석훈	무슨 일인지는 모르겠지만 우선 물 좀 마시고 마음 추슬러.
도희	…

옆에 앉아 그런 도희를 걱정스럽게 내려다보는 석훈.
시선 들다 테이블 위에 놓인 천숙과 부모의 사진을 발견한다.

석훈	(사진 들어 보더니) 처음 보는 사진이네? (애잔한 미소 지으며) 모두 행복해 보인다.

그 말에 울컥하는 도희, 눈에 눈물이 차오르고…
그런 도희의 반응에 당황하는 석훈, 이내 심각한 표정으로.

석훈	너… 정말 무슨 일 있구나…?
도희	내가 사랑하는 사람들이 나한테 지옥이 됐어. (울음 터지고) 죽도록 사랑하는데 죽도록 원망스러워. 그래서 너무 괴로워.

석훈, 무슨 일인지도 모른 채 엉엉 우는 도희를 안아 주며 가슴 아픈데….

S#61. **빌딩 숲 벤치 (해 질 녘)**
슬픈 눈빛으로 노숙녀가 앉았던 빌딩 숲 벤치에 혼자 앉은 구원.
노숙녀가 다가와 옆에 앉으면.

구원	(여전히 앞을 본 채) 네 말이 맞았어. 난 결국 도도희를 불행하게 할 뿐이야. 이게 내 본성이니까… 어쩔 수 없는 거지?
노숙녀	(한숨) 비단 데몬이어서 그런 게 아냐. 원래 인간들은 서로가 서로에게 지옥이지.
구원	…

숙명을 받아들인 구원의 슬픈 눈빛.

S#62. **미래 F&B 대표실 (밤)**
석훈이 떠나고 혼자 대표실에 앉은 도희.

감정을 추스르고 눈물이 멈춘 눈으로 부모님과 천숙의 사진을 가만히 내려다본다.

S#63.   **선월극장 이사장실 (밤)**

텅 빈 이사장실 책상 뒤에 홀로 앉은 구원.
자신의 목에 걸린 목걸이를 풀어 손에 들더니 슬픈 눈으로 내려다본다.

S#64.   **미래 F&B 주차장 (밤)**

지치고 힘없는 표정으로 혼자 퇴근하는 도희.
차로 다가서다 걸음 멈추면… 저만치 도희의 차 옆에 마치 경호원 시절처럼 기다리고 선 구원.
두 사람, 말없이 서로를 보는데.

구원   (손 내밀며) 걸을까?

말없이 구원의 손을 잡는 도희.

S#65.   **가로수길 (밤)**

마치 트리와 같은 가로수가 즐비한 길을 손잡은 채 나란히 걷는 두 사람.

구원	춥진 않아?
도희	응.
구원	(참았던 말을 하려는 듯) 도도희, 우리….

구원이 무슨 말을 하려는지 예감한 도희, 말을 막듯.

도희	우리 크리스마스트리 만들다 말았는데… 오늘 완성할까?

애써 밝게 말하는 도희의 마음을 아는 구원, 아무 말도 못 하고.

도희	그때 못 먹은 커플 세트 먹으려면 미리 예약해야겠다. 벌써 예약 다 찼으면 어떡하지?

구원, 말없이 자리에 멈춰 서면 한 걸음 앞선 채 걸음 멈추는 도희.
여전히 손잡은 두 사람인데…
돌아보지 못하는 도희.

구원	아무래도 크리스마스는 같이 못 보낼 거 같아.
도희	(아무 말 못 하고)
구원	지옥에서 너 자신을 구해, 도도희.

구원, 잡은 손을 놓으면 차마 다시 구원의 손을 붙잡지 못하고 스르륵 힘없이 떨궈지는 도희의 손.

일순 질식해 버릴 듯 고요해지는데….

도희   정구원. (하고, 이름 부르면)

구원, 아무 말 없고…
도희, 구원의 빈자리를 확인하는 게 무서워 뒤돌아서지 못한 채.

도희   정구원… (목소리 떨리고) 정구원…!

도희, 휙 뒤돌아보면…
'촤라랑~' 작은 전구들이 켜지며 마치 크리스마스트리처럼
빛을 발하는 가로수.
하지만 구원의 모습은 보이지 않는다.
도희의 눈에 차오르기 시작하는 눈물. 이내 흘러내리고…
별처럼 아름답게 반짝이는 전등 아래 홀로 선 채 눈물 흘리
는 도희의 모습 위로.

도희   (E) 그렇게 나의 구원은 사라졌다.

그렇게 슬프고도 예쁜.

14화 엔딩

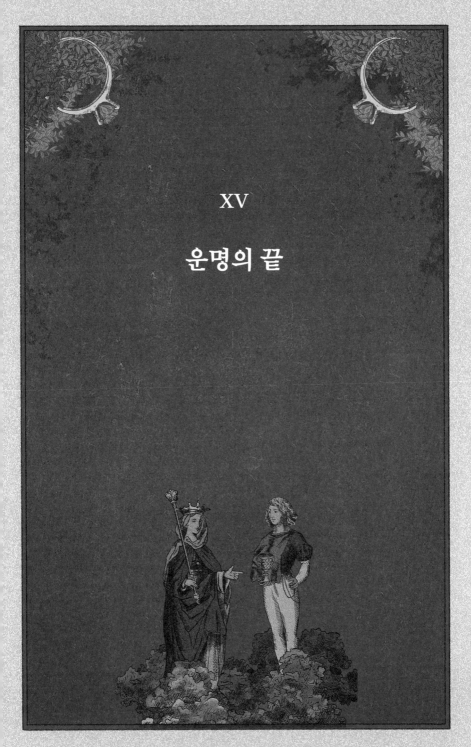

XV

운명의 끝

S#1.   **가로수길 (밤)**
            구원과 도희의 잡은 손 위로.

구원   (off) 지옥에서 너 자신을 구해, 도도희.

            구원, 잡은 손을 놓으면 차마 다시 구원의 손을 붙잡지 못하
            고 스르륵 힘없이 떨궈지는 도희의 손.
            일순 질식해버릴 듯 고요해지는데….

도희   정구원. (하고, 이름 부르면)

            구원, 아무 말 없고…
            도희, 구원의 빈자리를 확인하는 게 무서워 뒤돌아서지 못한 채.

도희   정구원… (목소리 떨리고) 정구원…!

도희, 휙 뒤돌아보면… '촤라랑~' 작은 전구들이 켜지며 마치 크리스마스트리처럼 빛을 발하는 가로수.
하지만 구원의 모습은 보이지 않는다.
도희의 눈에 차오르기 시작하는 눈물. 이내 흘러내리고…
별처럼 아름답게 반짝이는 전등 아래 홀로 선 채 눈물 흘리는 도희의 모습 위로 마치 편지글과 같은 도희의 목소리.

도희　　(E) 쌀쌀한 바람이 불기 시작하고 추운 겨울이 시작되는 10월에 이미 땅속에선 봄이 시작된대.

S#2.　　**도희 집 여기저기 (밤)**
장식 없는 크리스마스트리만이 놓인 고요한 거실.
구원의 물건이 모두 사라지고 텅 빈 손님방의 풍경.

도희　　(E) 그런데 그 말은 벚꽃이 피는 아름다운 봄에 땅속에선 이미 겨울이 시작된다는 말이기도 하더라.

도희 침실에 놓인 구원이 건넨 행복 꽃말 꽃다발. (13화)
꽃은 이미 모두 시들어 버렸다.
시든 꽃잎 하나가 '툭' 하고 떨어지면….

도희　　(E) 너와 함께 행복했던 순간에도 어쩌면 이미 우리의 이별은 시작되고 있었던 걸까?

구원이 떠난 쓸쓸한 도희 집의 풍경 위로.

#타이틀   < 운명의 끝 >

S#3.   **도희 집 거실 (낮)**
식탁 위에 놓인 새카만 블랙커피.
잔을 들어 마시며 얼굴 드러나면 여느 때와 같이 덤덤한 표
정의 도희다.
출근 준비를 마친 채 커피를 마시며 태블릿으로 뉴스를 챙겨
보는 도희의 모습이 구원이 없던 본래의 일상으로 돌아간 듯
한데…
이내 남은 커피를 싱크대에 쏟아 버리는 도희의 손.
도희, 말없이 집을 나서면 현관문 '쾅!' 닫히며 적막해지는 거실.

S#4.   **도희 집 엘리베이터 앞 (낮)**
엘리베이터 앞에 멈춰 선 도희.
엘리베이터가 도착하자 올라타고 문 닫히는데…
복도 천장 등이 전등 수명이 다한 듯 깜빡거리기 시작한다.

S#5.   **도희의 차 안 - 미래 F&B 사무실 (낮)**
운전 중인 도희, 휴대폰 울리고 '신 비서님'이라는 발신자명
이 뜬다.

도희	(핸즈프리로 받으며) 네. 신 비서님.
신 비서	(E) 오전에 예정되어 있던 스케줄은 모두 오후로 조정했습니다.
도희	네. 조사 끝나고 회사로 바로 갈게요.

신 비서, 모습 보이면 걱정 어린 눈빛으로.

신 비서	정말 혼자서 괜찮으시겠어요?

그 말에 도희 얼굴에 씁쓸함 스치는데.

신 비서	(E) 변호사라도 대동하시죠.
도희	(표정 다잡으며) 괜찮아요. 이따 봬요.

전화 끊고는 다시 앞을 보고 운전에 집중하는 도희.

S#6.	**검사실 (낮)**

수사관의 안내를 받아 검사실에 들어서는 도희.
멋진 슈트를 입은 채 창문 앞에 서서 창밖을 보고 선 남자의
뒷모습 보이는데.

수사관	검사님?

부름에 '샤르릉~' 뒤도는 검사의 앞모습 보이면 낯익은 갈매

기 눈썹. 맞선남이다.

맞선남   도도희 대표님. 이렇게 또 뵙게 되네요.
도희   아….
맞선남   접니다. 최우선 검사. 당연히 기억하시겠지만.
도희   담당 검사가 최 검사님인 줄 몰랐네요.
맞선남   그러니까요. 이게 무슨 운명의 장난인지… (혼자 애틋한가 싶더
       니 냉큼) 앉으시죠.

       도희, 앉으면 맞은편에 앉는 맞선남.

맞선남   벌써 일주일이나 지났네요. 피의자 노석민이 한강에 뛰어든지.
도희   아직도 시체는 발견 못 한 거죠?
맞선남   네.
도희   시체를 발견하면 수사는 종결되나요?
맞선남   피의자가 사망할 경우 공소권 없음으로 사건이 종결되는 경
       우가 많죠. (도희 떠보듯) 제가 듣기로 도도희 대표님도 투명한
       수사를 원하신다고…?
도희   네. 주천숙 회장님의 죽음에 대해 아직 명확히 밝혀지지 않은
       부분이 있어서요. 노석민의 자백을 듣지 못하게 됐으니 수사
       를 통해서라도 알고 싶어요.
맞선남   (테이블을 '탕!' 치면)
도희   (깜짝 놀라고)
맞선남   그래서 저 같은 유능한 검사가 필요한 겁니다. 노석민이 저지

른 만행을 파헤쳐 세상에 널리 알리고 다시는 대한민국에서 이런 일이 벌어지지 않도록 무슨 일이 있어도 제가 끝까지 책임지고 수사하겠습니다. (혼자 뽕이 차오르는데)

도희   아… 네.

맞선남   그런 의미에서 같이 셀카 한 장. (어떠냐는 듯 눈썹을 까딱까딱하면)

황당한 도희.

S#7.   **수안 집 거실 (낮)**
             아직도 충격에서 헤어 나오지 못한 수안, 멍하니 거실에 앉았는데…
             요란하게 소리 지르며 뛰쳐나오는 쌍둥이들.

쌍둥이   으아아!

거실을 종횡무진하며 달리다 수안에게 부딪치는 쌍둥이들, 미리 귀 막으며 혼날 준비하는데 아무 소리도 들리지 않고.

쌍둥이   ?

가만히 수안을 올려다보면 다른 곳에 영혼이 있는 듯 눈이 텅 비었다.

쌍둥이	(무서워진 쌍둥이들, 수안을 흔들며) 마미… 마미이….
수안	(정신 돌아오며) 아….

수안, 쌍둥이들을 보면 걱정스럽게 자신을 보는 어린 눈망울들.

| 수안 | (그런 쌍둥이들을 끌어안으며) 오스틴, 저스틴…. |

쌍둥이들, 수안을 위로하듯 꼭 끌어안고…
쌍둥이를 껴안은 채 깊은숨을 내쉬며 안정을 찾는 수안.

S#8.   **미래 F&B 휴게실 (낮)**
휴게실에 모여 앉은 채 음료를 마시는 홍보팀 삼인방.

한성	아직도 시체가 안 나왔다면서요?
정미	일주일이면 이제 물고기 밥이 됐다고 봐야지.
한 팀장	재벌들이란~ 역시 우리 같은 일반인들하고는 사고부터가 달라. 어떻게 가족들한테 그러지.
정미	재벌들은 악마한테 영혼을 팔았잖아요.
한 팀장	(끄덕끄덕하며) 하긴. 재벌이 되려면 영혼 정돈 팔아야….
한성	우리 대표님도 재벌인데.
한 팀장	(그 말에 멈칫하더니 냉큼) 대표님은 다르지. 자수성가한 케이스잖아. 태어나 보니 재벌인 거랑 같아?
한성	(바로 수긍) 아~

정미	근데 우리 회사 최고 복지인 정구원 씨가 요즘 통 안 보이네요?
한 팀장	그러게. 대표님이랑 싸웠나?
정미	에이, 설마~
한성	정구원 씨 없으니까 왠지 사무실이 횅하지 않아요?
한 팀장	하는 일 없이 존재감은 참 크단 말이야.

나란히 음료를 홀짝이며 먼 산 보듯 구원을 그리워하는 홍보팀 삼인방.

S#9.   **선월극장 이사장실 (낮)**
'선월재단 대표이사 박복규'라고 쓰인 명패 뒤에 역시나 그리운 눈빛을 하고 앉은 복규.

복규   극장이 텅 빈 거 같네. 어차피 맨날 밖으로만 나돌고 극장엔 별로 붙어 있지도 않던 이사장인데….

복규, 책상 위에 놓인 십자가 목걸이를 들어 보면 회상으로 넘어가고….

S#10.   **선월극장 이사장실 (밤) - 회상**
텅 빈 이사장실 책상 뒤에 홀로 앉은 구원.
자신의 목에 걸린 목걸이를 풀어 손에 들더니 슬픈 눈으로

내려다본다. (14화 63씬 연결)

이내 결심한 듯 시선 거둬 책상 아래 서랍에 목걸이를 넣고 봉인하듯 서랍 문을 닫는 구원.

그때 이사장실 문 열리고 들어서는 복규, 허둥지둥 다가와 서더니.

복규 (눈치 살피는) 이사자앙… 별일 없는 거지?

구원, 책상에서 일어나 복규를 보면 모든 걸 정리한 표정인데… 그런 구원의 얼굴에 안도하는 복규.

복규 별일 없었구나? 휴~ 다행이다. 이사장 그렇게 달려가고 내가 얼마나 걱정했나 몰라. 난 또 내 이 방정맞은 입방정 때문에 두 사람 사이에 뭔 일 난 줄 알고….

구원 (말 끊는) 박 실장님.

복규 응?

구원 이제부터 박 실장님이 선월재단 이사장이야. (책상 위에 놓인 복규 이름 박힌 새 명패 건네면)

복규 (명패 받아 보더니 불길한) 왜 또? 무슨 일인데! 또 소멸된대?

구원 아니야, 그런 거.

복규 그럼 왜….

구원 나 잠시 떠나 있을 거야. 그동안 선월극장 잘 부탁해. 혼자 잘 할 수 있지? 원래도 혼자 하다시피 했잖아.

복규 얼마나 떠나 있는데? 일주일? 한 달?

구원	도도희가 나 없는 해피 엔딩을 맞을 때까지.
복규	(심상치 않음을 깨닫고) 이사장… 별일이 있었구나?

대답 없이 초연한 표정의 구원.

S#11.   **선월극장 이사장실 (낮)**
현재로 돌아오면 복규, 구원의 목걸이를 보며 한숨.

복규	목걸이까지 풀어 놓고 대체 어딜 간 거야, 이사장….

S#12.   **선월극장 로비 (낮)**
홀로 혜원 전신첩 앞에 선 채 그림을 보고 선 가영.
쓸쓸한 표정으로 회상에 잠기면.

S#13.   **선월극장 (밤) - 회상**
무대에서 거둬낸 미술 세트를 운반하는 스태프들로 붐비는
무대 위.
객석에 선 가영, 세트의 잔해를 보며 상념에 젖은 표정인데…
그 옆에 다가가서는 구원.

구원	언제 떠나?

가영	정리되는 대로 최대한 빨리.
구원	… (착잡한 표정인데)
가영	(고개 돌려 구원 보더니) 표정이 왜 그래? 누가 보면 떠나는 게 내가 아니라 이사장인 줄 알겠네.
구원	(표정 털어 내며) 네가 머무는 곳이 어디든 그곳에선 평안하길 바랄게.
가영	(대답 대신 다시 앞을 보며) 나 스스로에게 그런 질문을 해 봤어. 내가 적당한 선에서 멈췄으면 이사장 옆에서 행복할 수 있었을까? 답은, 아니. 난 결국 이렇게 됐을 거야. 반려 인간에 머물기엔 난 너무 사납거든. 물어 버린다고.
구원	(씁쓸한 미소)
가영	그 얘기 알아? 개구리랑 전갈 이야기.
구원	?
가영	강을 건너고 싶었던 전갈이 개구리에게 부탁해. 자길 업고 강을 건너 달라고. 개구리가 전갈이 독침을 쏠까 걱정하자 전갈은 말하지. 네가 죽으면 나도 같이 죽는데 내가 왜 그러겠어? 안심한 개구리는 전갈을 등에 업고 강을 건너는데… 거칠어진 물살에 겁이 난 전갈은 그만 독침으로 개구리를 쏘고 말아. 개구리는 온몸이 굳어 물에 잠겨 가며 원망스럽게 말해. 왜 그랬어. 너 때문에 다 죽게 됐잖아. 전갈은 슬픈 눈으로 답해. 나도 어쩔 수 없어. 이게… 내 본성이야.
구원	(슬픈 눈으로 가영의 이야기를 듣고)
가영	결국 난 언제가 됐든 이렇게 됐을 거야. 그게 본성이니까. 그게 나니까.

구원	그래. 네 말이 맞아. 결국 이렇게 됐을 거야.

가영, 고개 돌려 구원을 보면 자신과 닮은 슬프지만 초연한
눈빛을 한 구원.
그걸 본 가영, 무슨 일이 있구나 싶고….

S#14.　　　**선월극장 로비 (낮)**
회상 끝나면 현재의 가영, 씁쓸한 표정으로 혜원 전신첩을 보며.

가영	이사장의 사랑도 독이 된 거야…?

안쓰러운 동병상련의 눈빛을 한 가영.

S#15.　　　**선월극장 이사장실 (낮)**
서랍 앞에 쪼그려 앉아 목걸이를 돌려놓는 복규.
서랍 문을 닫으려다 문득 생각이 미친다.

복규	(목걸이 보며) 도도희도 목걸이를 목에 걸면 나처럼 전생의 기억을 찾을라나? 그럼 뭔가 상황이 달라질지도… 에이~ 가뜩이나 이사장 나보고 입 싸다고 난린데.

서랍에 목걸이 넣고 닫는데…

벌컥 문 열리고 들어서는 넘버 투와 들개파들.

넘버 투   형님~!

그 소리에 놀란 복규, 어디로 숨을까 싶어 두리번대고 아무도
없나 싶어 책상으로 다가오는 시커먼 들개파들.
넘버 투, 책상 너머를 보면 책상 밑에 숨은 복규의 등이 보인다.
'똑, 똑' 책상 위에 노크하는 넘버 투.
복규, 슬그머니 눈만 빼꼼히 나오면 넘버 투와 눈 마주친다.

넘버 투   형님 만나러 왔는데.
복규   이사장은 무슨 일로…? (접대용 억지 미소 지으면)
넘버 투   전해 드릴 중요한 물건이 있어서.
복규   (불길) 물건?

뭔가를 복규 눈앞에 훅 내미는 넘버 투.

복규   (몸 사리며) 뭔데요, 그게!
넘버 투   저희 오픈했습니다.
복규   (조심스레 넘버 투가 내민 전단지 들어보면) 양지… 국밥?

복규, 전단지 내리면 그 너머에 선 넘버 투와 들개파들, 뿌듯
한 표정으로.

넘버 투	이제서야 드디어 우리가 형님 앞에 떳떳이 설 수 있게 됐습니다.
복규	아….
넘버 투	그래서 형님은 어디…?

복규, 뭐라 말할지 난감하고….

S#16.   **미래 F&B 대표실 (낮)**

산재 보상 위원회 서류를 살펴보는 도희, '똑똑' 노크 소리 들리자.

도희	(서류 본 채) 네.
신 비서	(문 열고) 대표님, 점심 식사 하셔야죠.
도희	(신 비서 보며) 전 됐어요. 드시고 오세요. (다시 서류로 시선 돌리면)

말없이 대표실을 나서는 신 비서.

S#17.   **미래 F&B 사무실 (낮)**

신 비서, 대표실에서 나서면 다들 식사하러 떠난 텅 빈 사무실.
유리 너머 도희를 걱정스러운 눈빛으로 보는 신 비서, 이내 한숨 쉬더니 돌아선다.

S#18.   미래 F&B 대표실 (낮)

혼자 서류를 읽고 있는 도희.

다시 '똑똑' 노크 소리에 고개 들면 이미 열린 문 앞에 선 채

문을 두드린 석훈.

도희   벌써 왔어? (시계 보며) 아직 시간 안 됐는데?

석훈   (도시락이 든 쇼핑백 들어 보이며) 네가 이렇게 밥도 안 먹고 일만

         할 줄 알고 같이 밥 먹으려고 왔지.

도희   아… 난 밥 생각 없는데.

석훈   난 배고파 죽겠어. 같이 좀 먹어 주라.

도희, '피식' 웃으면, 석훈 역시 웃으며 대표실 테이블에 도시

락을 펼치기 시작하고 테이블 앞에 앉는 도희.

석훈   (젓가락 건네며) 뭐가 그렇게 바빠서 밥도 안 먹고 일해?

도희   (젓가락 받는) 산재 보상 위원회 소명 자료 좀 보느라. 꼬투리 잡

         힐 일 없게 해야지. 있지도 않은 잘못을 만드는 건 금방인데

         진실을 밝히는 데는 품이 한참 든다니까.

석훈   그러게. 맞다. 너네 회사 MOU 체결 확정됐다며?

도희   응. 이번 주에 계약서에 사인하기로 했어.

석훈   결국 미국 진출하는구나. 수안 누나 부들거리는 소리가 벌써

         부터 들리네.

도희   ('피식' 웃으며 젓가락질하는데)

석훈   (그런 도희를 가만히 보더니) 정말 정구원 씨랑 헤어진 거야?

| 도희 | (멈칫 하는가 싶더니 표정 감추며) 그냥 계약이 만료된 거야. 처음부터 나는 범인 잡고 정구원은 타투 되찾을 때까지만 함께하기로 했거든. 원래대로 돌아간 것뿐이야. |

도희, 아무렇지 않은 표정으로 밥을 먹으면, 그런 도희를 걱정스럽게 보는 석훈.

S#19.   **미래 F&B 비상계단 (낮)**
비상계단에 나란히 앉은 신 비서와 복규.
헬멧을 옆에 벗어 둔 복규가 도시락 통을 열고 있다.

복규	오늘은 기운 내시라고 오리고기예요.
신 비서	(걱정 어린) 기운은 대표님이 내셔야 할 텐데요.
복규	시간이 필요하겠죠. 사랑은 짧아도 이별은 기니까. 옆에서 신 비서님이 잘 좀 챙겨 주세요.
신 비서	네. 그래야죠.
복규	(오리고기 들어 먹여 주며) 신 비서님은 제가 챙길게요.

신 비서, 옅은 미소 띠고 받아먹으려는데 밑에서 '헉헉' 요란한 숨소리. 복규와 신 비서, 놀라 보면 비상계단을 걸어 올라오는 한성과 한 팀장이다.

| 한 팀장 | 이렇게 점심 먹고 계단 오르기를 하면 계단 하나당 수명이 4초 |

가 늘어난대잖아. (헉헉)

한성   그럼 계단 내려가면 4초씩 수명이 주는 거예요?

한 팀장   설마~ (팔랑 귀) 그런가?

복규와 신 비서, 놀라 허둥지둥하고.

한성   근데 어디서 맛있는 냄새 나지 않아요?

한 팀장   그게 바로 운동의 효과인 거야. 벌써부터 배가 고프잖아.

바로 밑까지 다가온 두 사람에 복규, 헬멧 들고 냅다 비상문
을 통해 도망치고…
올라오던 한 팀장과 한성, 미처 피하지 못하고 혼자 도시락을
두고 앉은 신 비서를 발견한다.

한 팀장   신 비서님?

신 비서   (젓가락을 든 채 굳었고)

한성   지금 혼자 숨어서 드시는 거세요?

안쓰러운 눈빛으로 신 비서를 보는 한 팀장과 한성의 시선에
차마 아무 말 못 하는 신 비서.

S#20.   **산재 보상 위원회 사무실 (낮)**

서류들을 다시 정리해 넣는 직원들로 분주한 사무실.

도희와 석훈이 위원장과 마주 앉아 얘기 중이다.

도희   소명 자료를 빈틈없이 준비해 주신 덕에 보상 위원회 존치는 문제없겠어요.

위원장   (안도하는 한숨) 이게 다 두 분 덕분입니다.

석훈   전 한 거 없고요, 도도희 대표가 적극적으로 나서 준 덕분이죠.

위원장   (도희 보며) 감사합니다. 정말.

도희   감사하긴요. 산재 보상 위원회가 미래 그룹에 어떤 의민지 아시잖아요. 저희 아버지도 주 회장님도 분명 이걸 원하셨을 거예요.

뿌듯한 도희의 표정.

S#21.   **석훈의 차 안 (해 질 녘)**
운전석에 앉은 석훈과 그 옆 조수석에 앉은 도희.

도희   주 여사도 몰랐겠지? 투자를 포기하고 산재를 인정했더니 오히려 더 큰 투자 유치에 성공할 줄은.

석훈   그때만 해도 기업 신뢰도니 위기관리 능력이니 하는 개념이 부족했던 때라 예상 못 하셨겠지. 석민 형은 그것조차 고모님의 빅 픽처로 오해한 것 같지만.

그 말에 어두워지는 도희. 마음에 걸렸던 생각을 말로 꺼낸다.

도희	노석민 말대로 난 주 여사의 면죄부였을까?
석훈	(도희를 보면)
도희	날 받아들인 것도 어쩌면 산재 보상 위원회처럼 잘못을 후회하고 속죄하는 의미였는지도 몰라.

그 말에 한숨 쉬는 석훈, 안 되겠는지 핸들을 돌려 갓길에 차를 세우고…
어두운 표정으로 눈을 내리깐 도희에게.

| 석훈 | 도희야. 지난번에 너네 회사 설탕 주스 사태 때, 고모님이 나한테 그런 말을 하셨어. |

도희, 고개 돌려 석훈을 보면.

S#22.	**주천숙 자택 온실 (낮) - 회상**

양복을 입은 석훈(2화 14씬과 같은 날), 서류를 내밀며.

| 석훈 | 말씀하신 미래 F&B 재무제표 분석 자료요. 아까는 도희가 있어서 못 드렸어요. |

그 앞에 앉은 천숙 보이면 서류를 받아 든다.

| 천숙 | (돋보기안경을 쓰며) 걔는 누굴 닮아서 그렇게 고집이 센지 몰라. |

석훈	아주 맘에 안 들어 죽겠어. 세상 지 혼자 살아? 도움도 받고 그러면 얼마나 좋아? 아주 혼자 잘났지. (서류를 넘기기 시작하는데) (피식) 고모님은 도희를 너무 사랑하신다니까.

그 말에 서류 넘기던 천숙, 복잡한 눈빛이 되며 손 멈추더니.

천숙	내 계획에 없었던 일이야. 예상치 못한 사고 같은 거지. 그 아이를 사랑하면 할수록 괴로워지거든.

석훈, 무슨 말인가 싶어 복잡한 눈빛의 천숙을 보는데….

S#23.   **석훈의 차 안 (해 질 녘)**
회상에서 돌아오면 석훈, 도희에게 말한다.

석훈	그땐 그 말이 무슨 뜻인지 이해 못 했는데… 이제야 알겠네.

석훈의 말에 울컥하는 도희. 이내 눈물을 글썽이기 시작하고.

도희	주 여사는 날 사랑할수록 더 괴로웠구나… 그런데도 날 사랑했어….

도희의 눈빛에 슬픔과 안도가 교차하고…
그런 도희를 보며 안도하는 석훈.

S#24.   **석민 집 거실 (밤)**

거실 소파에 홀로 앉아 뉴스를 보는 세라.

아나운서   한강 대교에서 투신한 노석민 회장의 시신이 일주일째 발견

되지 않고 있습니다. 경찰과 소방당국이 수색과 조사를 진행

하고 있지만….

뉴스를 보는 세라의 얼굴에 스치는 불길함.

세라   설마….

손톱을 물어뜯기 시작하는 세라의 불안한 모습.

S#25.   **야외 공터 (밤)**

부랑자들이 모인 야외의 공터.

불이 타오르는 드럼통 앞에 옹기종기 모여들어 추위를 녹이

는데…

그중 누추한 옷을 껴입고 선 누군가의 뒷모습.

불길한 효과음과 함께 그의 뒷모습으로 천천히 다가가고…

'우루르 쾅쾅' 천둥소리와 함께 마른하늘에 번개가 번쩍이더

니 비가 내리기 시작한다.

S#26.   **미래 F&B 대표실 (밤)**

불도 켜지 않은 채 어두운 대표실.

모니터 불빛만이 밝히는 어둠 속, 도희 혼자 서류와 모니터를 오가며 일에 파묻혔는데…

창문을 두드리는 빗소리에 도희, 고개 들면 창밖에 내리기 시작하는 비.

그걸 본 도희, 불쑥 기억이 떠오르고.

인서트   *미래 F&B 앞, 차에서 내리는 도희의 머리 위로 드리워지는 검은 우산.*

올려다보면 구원이다.

빗속에서 서로를 말없이 바라보고 선 두 사람.

저도 모르게 그리움이 가득한 눈으로 창밖을 보는 도희.

창문 너머에서 보이는 도희의 얼굴 위로 빗물이 마치 눈물처럼 흘러내리는데….

S#27.   **양지 국밥집 (밤)**

유리에 흘러내리는 빗물 너머 그리움이 가득한 얼굴이 또 하나 있었으니…

그건 바로 넘버 투다.

그의 뒤로 보이는 들개파들 역시 하나같이 그리움이 가득한 눈빛으로 통유리 밖을 쳐다보고 있는데…

테이블 위 오픈 기념 이벤트 전단지며 알록달록한 풍선 아치며 완벽하게 준비했지만 텅 빈 채 파리만 날리는 국밥집.
그때 손님 한 명이 우산을 털며 들어서자 들개파들, 벌떡 일
어나.

넘버 투　　오셨습니까, 형님! 아니 손님!

들개파　　(그대로 복창) 오셨습니까, 형님! 아니 손님!

손님　　(그 기세에 놀라 도망치며) 다, 다음에 올게요!

들개파들, 실망하며 다시 자리에 스르르 앉고.

넘버 투　　걱정 마. 형님, 아니 손님은 반드시 온다.

다들 눈에 힘을 주고 창밖을 노려보는 들개파들.
손님을 기다리는 건지 쫓는 건지 모르겠다.

S#28.　　**도희 집 거실 (밤)**
지친 표정으로 퇴근해 집에 들어서는 도희.
눈앞에 펼쳐진 집안 풍경이 휑하니 쓸쓸한데…
그걸 본 도희, 말없이 들어서 불도 켜지 않은 채 그대로 소파
에 웅크리고 눕는다.
빗소리를 들으며 거실에 얼룩진 비 그림자를 보는 도희.

도희　　괜찮아… 원래 혼자였잖아. 원래대로 돌아간 것뿐이야.

석훈에게 했던 말을 스스로에게 되뇌며 뱃속의 태아처럼 몸을 동그랗게 말며 눈 감는 도희.

구원에 대한 그리움을 참아 내려 애쓰는데…

그런 도희의 머리 위로 나타나는 구원의 손길.

도희의 머리칼을 조심스럽게 만져 주기 시작하면 도희, 꽉 쥔 손의 긴장이 스르르 풀리고…

이내 아이처럼 쌔쌔 잠이 드는 도희.

S#29.　　**도희 집 침실 (낮)**

어느새 잠옷으로 갈아입고 침대에서 잠든 도희.

여느 때처럼 뒤척이며 습관적으로 구원을 안으려는데 구원이 잡히지 않자 천천히 눈을 뜨는데…

자신의 눈앞에 놓인 구원의 빈자리.

도희, 손을 뻗어 시트 위를 만져 보더니.

도희　　　따뜻해….

아직도 느껴지는 구원의 온기에 놀란 도희, 벌떡 일어나고….

S#30.　　**도희 집 거실 (낮)**

도희, 황급히 거실에 나서며.

도희	정구원…?

하지만 장식 없는 크리스마스트리만이 놓였을 뿐 구원은 없다.
맥이 탁 풀리며 실망스러운 도희.

S#31.	**미래 F&B 회의실 (낮)**

'업무협약 체결식 MOU signing ceremony'라 쓰인 플래카드
아래 미국 바이어와 나란히 앉아 계약서에 사인을 하는 도희.
자리에서 일어나 미국 바이어와 악수를 하면 홍보팀, 사진과
영상을 찍느라 분주하다.

도희	(영어) 함께 일하게 돼서 기쁩니다.

계약서를 들고 포즈 취하며 카메라를 향해 환히 웃어 보이는
도희.

S#32.	**고깃집 (밤)**

홍보팀과 신 비서에 둘러싸여 회식하는 도희.
홍보팀, 폭죽 날리며 축하하면 그런 사람들 속에서 웃는 도희.
이내 다들 먹음직스럽게 구워진 고기를 먹는데.

한성	(모두에게) 많이 드세요. 여기 맛집이라고 소문난 데에요.

정미	(전투적으로 먹으며) 그런 말 할 시간에 한 점이라도 더 먹어.
한 팀장	(도희에게) 짠 하실까요?
도희	(잔 들며) 네.

다 같이 맥주잔 들고.

| 한 팀장 | 진하고 달콤한 우리의 미래를 위해. 진달래! |

신 비서와 홍보팀들, 썰렁한데.

| 도희 | (웃으며 잔 치켜드는) 진달래! |
| 홍보팀 | (냉큼) 진달래! |

행복한 미소 지으며 짠 하는 이들.
오늘은 정미마저 신이 나서 원샷 한다.

한성	(설레는) 미국 진출하면 막 뉴욕으로 출장도 가고 그러겠네요?
정미	영어 공부 열심히 해야지.
한 팀장	난 벌써 모닝 전화 영어 신청해 놨다니까.

들뜬 사람들 사이에서 웃으며 연거푸 술잔을 기울이는 도희.

S#33.   **유흥가 거리 (밤)**

다들 얼큰히 취한 채 택시를 기다리고 선 도희와 홍보팀들.

정미	2차 가요! 2차! 아직 해도 안 떴네~
한 팀장	최 대리, 이제 집에 가자~
한성	우리 최 대리님 집에서 2차 해요?
정미	가자! 우리 집으로.

그때 무리에게 다가오는 대리 기사.

대리 기사	대리 부르셨어요?
도희	네. 저요.
신 비서	(도희에게) 혼자 괜찮으시겠어요?
도희	신 비서님, 저 진짜 진짜 괜찮아요. 지금 내가 안 괜찮을 게 뭐 있어요~ (모두에게 손 흔들며) 잘 들어가요~

꾸벅 인사하는 홍보팀과 신 비서.
도희, 대리 기사와 함께 자신의 차로 가는데…
그런 도희를 골목에 숨어 보는 누군가의 실루엣.

S#34.   **도희 집 엘리베이터 앞 (밤)**
다소 취한 걸음으로 엘리베이터에서 내리는 도희.
현관을 향해 걸어가는데…
그런 도희를 보는 누군가의 불길한 시선.

유난히 어두운 시야에 도희, 고개 들어 보면 깜박거리던 천장 등이 아예 꺼졌다.

도희   (취해서) 너… 똑바로 일 안 해? 관리실에 말해서 확 갈아 버린다?

그리고는 다시 걸음 옮기는데 코너에 놓인 소화기에 걸려 '꽈당' 넘어지는 도희.

도희   아!

무릎을 부여잡으면 까진 무릎에서 피가 배어 나오고.

도희   우씨… 피났다… (울상인가 싶더니 씩씩해지는) 내가 이깟 걸로 울 줄 알아? 나 안 울어! (털고 일어나 어두운 복도를 조심스럽게 걸어가며) 조심조심.

하는데, '탁' 하고 도희 머리 위에서 켜지는 천장 등.

도희   (올려다보더니) 어? 이제 정신 차린 거야? 그래, 잘했어. 그렇게 환하게 웃으니까 얼마나 좋아~

'헤에~' 웃더니 취한 걸음으로 현관문을 향해 걸어가는 도희.

S#35.   **도희 집 거실 (밤)**

소파에 풀썩 쓰러지는 도희.

도희   아~ 귀찮아. 너만 믿는다. 나의 또 다른 자아. 오늘도 부탁해.

도희, 그대로 잠들어 버리면…
그런 도희 앞에 나타나 무릎 꿇고 앞에 앉는 구원.
애잔한 눈으로 도희를 하염없이 바라본다.

S#36.   **도희 집 침실 (밤 - 낮)**

침대에 도희를 눕히는 구원.
도희는 그새 잠옷으로 갈아입고 말끔히 화장을 지운 뽀얀 얼
굴이다.
잠든 도희의 옆에 마주 보고 눕는 구원.
하염없이 잠든 도희의 얼굴을 바라보는데…
그 위로 날이 밝고…
눈에 들이치는 햇살에 잠에서 깨는 도희.
맞은편에 누웠던 구원은 그새 사라졌다.
도희, 자신의 멀끔한 모습 보더니.

도희   나의 또 다른 자아가 또 열일했네. 이 정도면 이쪽 자아로 사
는 게 더 이득 아냐?

하는데, 무릎을 보면 말끔히 사라진 무릎의 상처.

도희   분명 어제 다쳤는데….

상처가 사라진 무릎을 만지작대며 의아한 도희.

S#37.   **미래 F&B 엘리베이터 (낮)**
           **신 비서와 단둘이 나란히 엘리베이터에 탄 도희, 앞을 본 채
생각에 잠겼는데.**

도희   (여전히 앞을 본 채) 있잖아요, 신 비서님.
신 비서   (그 역시 앞을 본 채) 네.
도희   아무래도 정구원이 내 곁을 맴도는 거 같아요.

엘리베이터 광고판에서 코믹한 음악 흘러나오고…
가만히 고개 돌려 걱정스러운 눈빛으로 도희를 보는 신 비서.

신 비서   (다시 고개 돌려 앞을 보며) 흔히들 겪는 이별 후유증이죠.
도희   (그럼 그렇지 싶은) 그렇겠죠? 아무래도 아직 헤어진 게 실감이
안 나나 봐요.

도희, 조용히 앞을 보는가 싶더니.

도희	나 그냥 확 수녀나 될까 봐요.
신 비서	(단호) 안 됩니다.
도희	? (신 비서 보면)
신 비서	(도희 보며) 대표님을 위해서가 아니라 수녀원을 위해서라도.

신 비서의 농담에 '피식' 웃는 도희.

S#38. **미래 F&B 대표실 (밤)**

또다시 서류에 파묻혀 일하는 도희.

'똑똑' 하는 노크 소리 들리고.

도희	(서류에서 시선 떼지 않은 채) 네.
신 비서	(문 열고 들어와 도희를 가만히 보면)
도희	(그제야 고개 들고 어두운 사무실 보더니) 아… 퇴근하셔야죠?
신 비서	대표님은 오늘도 야근하시게요?
도희	네. 조심히 가세요. (서류로 다시 시선 돌리면)
신 비서	(가려다가 말고) 대표님?
도희	(다시 고개 들어 신 비서 보면)
신 비서	저도 이혼하고 처음엔 일로 도망쳤어요. 몇 날 며칠을 일 못 하고 죽은 사람처럼 일에만 매달렸죠. 그땐 무조건 괜찮아야 하는 줄 알았거든요. 괜찮은 척하면 진짜 괜찮아질 줄 알았고.
도희	…
신 비서	그런데 그렇게 그냥 도망치기만 해선 시간도 그닥 약이 되지

않더라고요. 충분히 아파하고 힘들어하고… 그렇게 내 감정에 솔직한 시간이어야 약이 되더라고요. 전 사람이 꼭 괜찮을 필요는 없다고 생각합니다. 항상 괜찮을 수도 없고.

묵례하고 대표실 나서는 신 비서.
혼자 남은 도희, 신 비서의 말을 곱씹는데…
휴대폰이 울려서 보면 석훈이다.

도희	(전화 받는) 어, 오빠.
석훈	(E) 너 또 밥도 안 먹고 혼자 야근하는 중이지?
도희	(잠시 고민하더니) 아니. 벌써 퇴근해서 저녁도 먹고 누웠는데?
석훈	(E) 아… 그래?
도희	왜? 무슨 일인데.
석훈	어… 그냥.
도희	싱겁긴.
석훈	그럼 쉬어.
도희	응.

전화 끊는 도희, 슬픈 표정 짓는데….

S#39.   **미래 F&B 사무실 입구 (밤)**
끊긴 휴대폰을 들고 선 석훈.
그의 한 손에는 도시락이 들렸다.

저만치 덩그러니 켜진 대표실 불빛을 보며 차마 들어서지 못하는 석훈.
대표실에 혼자 덩그러니 앉은 도희를 멀리서 지켜보다 이내 걱정스러운 표정으로 한숨 쉬고는 발길을 돌린다.

S#40.   **미래 F&B 앞 (밤)**
          건물을 나선 신 비서.
          횡단보도 앞에 서는데 저만치 횡단보도에서 선 익숙한 얼굴.
          복규다.
          신 비서를 향해 손 흔들며 웃어 보이는 복규.
          신 비서, 복규의 모습에 다소 놀라고…
          파란불로 바뀌자 복규, 달려와 신 비서 앞에 선다.

복규   신 비서님, 걱정 마세요. 다들 퇴근했으니까. 제가 아까부터
          보고 있었거든요.
신 비서   그걸 여태 보고 있었어요? 이렇게 추운데.
복규   저 하나도 안 추운데요?

          발갛게 언 복규의 볼이며 손을 보는 신 비서, 짠하고 후회되
          는 표정인데.

복규   신 비서님 표정이 왜 그래요?
신 비서   내 표정이 어떤데요?

| 복규 | 꼭… 행복해서 슬픈 사람 같아요. |

신 비서, 눈에 눈물 글썽한 채 미소 짓고….

| S#41. | **도희의 차 안 (밤)** |

혼자 운전해 가는 도희. 슬퍼지는 기분을 털어 버리려는 듯 라디오를 트는데 캐럴이 흘러나온다.
도희, 표정 어두워지며 채널 돌리면 들려오는 익숙한 전주.
'당신만이' 노래다.
멈칫 굳는 도희.

| 인서트 | **도희 집 테라스.** |

구원의 발 위에 도희가 발을 올린 채 한 몸이 되어 음악에 맞춰 춤을 추는 두 사람.

참았던 구원에 대한 그리움에 고통으로 얼룩지는 도희의 얼굴.
도희, 도저히 참지 못하고 핸들을 돌리면….

| S#42. | **선월극장 이사장실 (밤)** |

문을 열고 들어서는 도희. 구원의 모습이 보이지 않자 예상했지만 혹시나 했던 도희, 실망한다.
그리운 눈빛으로 이사장실을 둘러보면 책장에 꽂힌 데몬 책

이 눈에 띈다.

5화에 했던 것처럼 까치발을 들어 데몬 책을 꺼내 드는 도희.

책 표지를 손바닥으로 쓸어 보더니 첫 장을 펼쳐 읽는다.

도희　　　안전을 위한 주의사항… 정말 설명서였네.

도희, 계속해서 책장을 넘겨보는데 책 사이에 꽂힌 사진 한 장
이 바닥에 펄렁 날아 떨어지고

도희　　　?

도희, 바닥에 뒤집혀 떨어진 사진을 들어보면…

도경에게 들키려는 찰나 증명사진 부스에서 찍힌 구원과 도
희의 키스 사진이다.

그걸 본 도희, 참아왔던 눈물이 눈에 차오르고 봇물처럼 터져
나오는 구원과의 행복했던 순간들.

인서트　　　**증명사진 부스 안** (6화 56씬)

　　　　　'번쩍' 요란하게 플래시 터지며 키스하는 두 사람의 얼굴.

인서트　　　**도희 집 침실** (8화 35씬)

　　　　　침대에 나란히 누워 포옹한 두 사람.

　　　　　구원이 도희를 가슴팍에 안았다.

　　　　　그렇게 밤새 안고 있는 두 사람.

인서트	*미래 F&B 대표실* (11화 40씬)

대표실에 마주 선 구원과 도희.

구원	(도희를 애잔하게 보며) 소원 접수했어. 난 무슨 일이 있어도 절대 널 떠나지 않을 거야.

구원, 도희에게 키스하면 두 사람 얼굴 사이 창문 너머 반짝이는 햇빛.

인서트	*선월극장 시계탑* (13화 5씬)

손잡은 두 사람 너머 반딧불이가 날아다니는 동화 같은 풍경.

인서트	*도희 집 거실* (13화 24씬)

나무뿐인 트리 앞에 나란히 서서 서로에게 기댄 다정한 뒷모습.

인서트	*미래 F&B 대표실* (13화 45씬)

꽃다발을 든 도희, 앞에 선 구원에게.

도희	사랑해. 정구원.

처음인 그 말에 멈칫하더니 토끼 눈을 하고 도희를 보는 구원.

구원	(이내 표정 진지해지며) 사랑해, 도도희.

꽃다발을 사이에 둔 채 서로를 바라보는 두 사람의 따뜻한 눈빛.

현재로 돌아오면 후회와 눈물로 얼룩진 도희의 얼굴.
문 열리는 소리에 도희, 구원인가 싶어 고개 돌리면…
들어서다 도희를 보고 멈칫 굳어 서는 복규.

도희	박 실장님….
복규	이 시간에 여긴 어떻게….
도희	정구원이 너무 보고 싶은데 여기밖에 생각나는 데가 없는 거 있죠. 멀리서라도 보고 싶은데… 우연히라도 마주치고 싶은데… 어디로 가야 될지 모르겠어요. 난 정말 정구원에 대해서 아는 게 하나도 없어요.
복규	(가슴 아픈 표정으로 도희를 보면)
도희	떠날 때도 난 아무 말도 못 해 줬어요. 고맙다는 말도 미안하 단 말도. 가지 말라고, 떠나지 말라고 붙잡았어야 했는데… 내가 떠나보낸 거예요. 사랑할수록 괴로워서… 그래서 내가 손을 놓은 거예요.

괴로워하는 도희의 모습에 결심이 서는 복규, 책상으로 다가 가 서랍에서 십자가 목걸이를 꺼낸다.

복규	(도희에게 다가가 목걸이 건네며) 이게 필요해 보이네요.
도희	(손바닥으로 목걸이 받고)

복규	이사장이 너무 보고 싶을 때… 도움이 될 거예요.

손바닥 위에 놓인 목걸이를 내려다보는 도희.

S#43.   **도희 집 드레스 룸 (밤)**
화장대 앞에 앉은 도희, 구원의 십자가 목걸이를 들어 보는 눈빛에 그리움이 가득한데…
자신의 목에 목걸이를 걸고는 거울에 비친 십자가를 보며 만지작댄다.

S#44.   **선월극장 이사장실 (밤)**
도희에게 목걸이를 건넬 때의 진지한 표정으로 바에 선 채 차를 내리는 복규.
차 내리다 멈칫하더니 이내 특유의 분위기로 돌아오며.

복규	아~ 이사장이 난리 칠 텐데… 에이, 몰라. 열 받으면 돌아오라지.

내린 차를 한 모금 마시며 다시 진지한 표정으로 생각에 잠기고….

S#45.   **도희 집 침실 (밤)**

십자가 목걸이를 한 채 홀로 침대에 모로 누워 잠든 도희.
꿈을 꾸는지 감은 눈 속 눈동자가 움직이기 시작하면…
그런 도희의 얼굴로 다가가며 그 위로 번쩍이는 플래시 컷.

인서트　　　***월심의 목에 목걸이를 걸어 주는 이선.***

이선　　　내 나를 잊을지언정 너는 절대 잊지 않겠다.

　　　　　　현재의 도희, 잠꼬대인 듯 중얼거린다.

도희　　　도련님….

　　　　　　잠든 도희의 모습에서 조선 시대 기억으로 빠지면….

S#46.　　　**교방 현관 (낮) - 전사**
　　　　　　굳게 닫힌 교방의 대문이 '끼익' 열리고 문 사이로 모습을 드
　　　　　　러내는 월심.
　　　　　　행수 기생이 월심을 스윽 살피면 봇짐을 든 월심의 눈빛이 공
　　　　　　허하다.

행수　　　너구나. 그 유명한 월심이.

　　　　　　행수의 말에도 여전히 공허한 눈빛으로 가만히 섰을 뿐인 월심.

S#47.	교방 안 (낮) - 전사

서넛이 모여 앉아 수다를 떠는 기생들.

기생 1	뭘 어쩌다가 그렇게 높으신 양반 눈 밖에 났대?
기생 2	몰라. 성격이 더러운가 보지.

그때 문 '드륵' 열리고 봇짐 든 월심이 들어서자 입 다무는 기
생들.
구석 자리에 앉는 월심, 세상사에 관심이 없는 듯 힐끗대는
주위의 시선에도 무심하다.

S#48.	관아 객사 (밤) - 전사

'쨍그랑!' 하는 소리 선행되고…
바닥을 뒹구는 피 묻은 술병.
술병을 맞고 머리에서 피를 흘리는 월심을 보며 기생 1, 2 놀라
입을 막는데.

양반	(만취해) 네년이 일패기생이었음 다야? 고분고분한 맛은커녕 감히 날 가르치려 들어?
월심	… (눈 내리깐 채 양반을 보지도 않으면)
양반	저게, 저게. 날 지금 무시하는 거야? 기생 주제에 내가 누군지 알고!

행패를 부리며 상을 뒤엎는 양반을 말리는 기생과 다른 양반들. 그 난리 통에도 월심은 여전히 표정 없이 앉아 다친 머리를 만져 보더니 피 묻은 손을 가만히 내려다본다.

피로 붉게 물든 월심의 손.

S#49.   교방 (낮) - 전사
모여 앉아 단장하는 기생들.

기생1   지가 아직도 일패기생인줄 아나. 지 기분대로 행동하고.

기생2   쉿. 들을라.

기생1   며칠이 지나도록 우리랑 말 한마디 안 섞는 거 보면 몰라? 일패기생은 우리가 쓰는 말은 모르는 거야.

그 말에 다들 웃고.

기생1   (거울 보며 머리 매만지는) 그렇게 잘나가던 일패기생이 이런 촌 구석에 무일푼으로 떨어지다니… 어떻게 살아? 나 같으면 확 죽고 말지.

그때 문 '드륵' 열리고 기생들, 놀라 뒤돌아보면 월심이다.

월심   안 그래도 죽어 버리려고. 혼자 가기 외로운데 같이 갈래?

월심이 싸늘한 눈빛으로 보면 깨갱하는 기생 1.

월심   (기생들 둘러보며) 일패기생이나 삼패기생이나 다 기생일 뿐이야.
이 방에 자유롭게 숨 쉬는 사람은 하나 없다고. (문 '탁' 닫고 가 버
리면)

기생 1   뭐야….

남은 기생들, 월심의 말에 어쩐지 씁쓸한데….

S#50.   **절경 바위 (낮) - 전사**
'사라락 사라락' 겉옷을 바위 위에 벗어 놓는 월심.
이내 검무용 칼을 들고 바위 끝에 선 채 까마득한 저 아래를
내려다본다.

월심   다음 생엔 천대와 조롱에 파괴되지 않기를… 나 자신다운 모
습으로 살 수 있기를….

하더니, 칼을 휘둘러 검무를 추기 시작하는 월심.
하얀 속적삼에 속치마 차림으로 생의 마지막인 듯 검무에 집
중한다.
슬픈 눈이 되는가 싶더니 이내 화내는 눈빛이 되기도 하며
검을 휘두르는 월심.
뒤를 돌며 턴하는 순간, 넋을 잃고 자신을 보는 이선의 시선

과 마주한다.

놀란 월심, 칼을 떨구면 '챙그랑!' 하는 소리에 새들이 놀라

푸드덕 날아가고… (12화 4씬)

적막감 속에 서로를 보고 선 두 사람.

마치 세상이 멈춘 듯 고요한데…

정신을 차린 월심, 화가 난 듯 표정 바뀌며 획 돌아선다.

S#51.　　**교방 (밤) - 전사**

단장한 채 무기력하게 앉은 월심.

그 뒤로 문 '드륵' 열리고 문 앞에 선 행수, 월심을 안쓰러운

눈빛으로 내려다보며.

행수　　한양에서 친구가 죽었다며.

월심　　…

행수　　여기 어디 사연 없는 기생 있니? (한숨 쉬더니) 빨리 정리하고

나와.

월심, 죽기보다 싫은 얼굴로 일어서는데….

S#52.　　**관아 객사 앞 (밤) - 전사**

닫힌 문 앞에 선 월심.

자신의 심정과 이질감이 느껴지는, 방문마다 새어 나오는 술에

취해 '으하하하!' 웃어 대는 웃음소리를 가만히 듣고 섰는데…
이내 마음 다잡고 문 열며 들어서는 월심.

S#53.   관아 객사 (밤) - 전사
          월심, 눈을 내리깐 채 들어서 고개 숙여 인사한다.

월심   월심이옵니다.

          하고, 고개 드는데…
          앞에 앉은 젊은 선비들 속 자신을 보며 눈을 빛내는 이선의
          모습. (12화 5씬)
          월심의 시선에 이선, 자신을 알아봤구나 싶어 기쁜데…
          표정 싸늘해지며 말도 없이 확 돌아서 나가 버리는 월심.

S#54.   관아 객사 앞 (밤) - 전사
          도망치듯 나선 월심. 걸음 멈칫 멈추더니.

월심   내가 왜 도망쳐? 내가 뭘 잘못했다고.

          어쩐지 불쾌한 기분에 입술을 깨무는 월심.
          이선이 신경 쓰이기 시작하는 스스로에게 화가 난다.

S#55.   **절경 바위 (밤) - 전사**

이번에는 검도 없이 맨손으로 어두운 밤의 풀숲을 터덜터덜 걸어가는 월심.

월심   삶은 구차하고 인간은 비루하니… 하루하루 버티는 것이 무슨 의미가 있을까.

월심, 풀숲을 헤치고 절경 바위로 나서는데…
바위 위에 앉은 이선이 놀라 돌아보는 시선과 마주하는 월심.
(12화 6씬)
또다시 멈칫 굳는 월심, 뒤돌아 가 버리면, 뒤에서 이선, 벌떡 일어나며.

이선   (다급히) 미안하오!
월심   (멈칫하고)
이선   지난번엔 그저 낭자의 얼굴을 보고 싶다는 생각에 찾아갔는데 실례를 하였다면 사과합니다.
월심   (뒤돌아 이선을 보며) 무엇이 실례입니까?
이선   (난감한) 무언지는 모르나… 왠지 그런 기분이 들어서.
월심   이유도 모르는 사과는 하지 마셔요.

확 돌아서 풀숲으로 도망치듯 나서는 월심.

월심   대체 저 헐렁한 도령은 뭐 하는 도령이기에… 마음대로 죽지도 못하고. 정말 이상한 도령이네.

하다, 멈칫 자리에 멈춰 서는 월심.
이선이 있는 뒤를 보듯 돌아보는 눈빛이 어쩐지 좀 변했다.

S#56.   **절경 바위 (낮) - 전사**
설마 하는 표정으로 풀숲으로 향해 가는 월심.
풀숲을 살포시 헤치고 보면 이선이 풀을 입에 문 채 농땡이를
피우고 있다. (12화 8씬)

월심   허. (기가 찬)

월심, 모른 척 풀숲을 헤치고 나서면 후다닥 일어나 앉아 '대
학장구보유' 책을 들어 소리 내 읽는 이선.
월심, 저도 모르게 웃음이 나지만 꾹 참고 가만히 이선을 보
며 말한다.

월심   뭐 하시는 겁니까?

점프하면 다음 날, 책을 덮고 누운 이선을 발견하는 월심.
살금살금 다가가 그 앞에 서서 이선을 내려다보는데…
월심이 온 것도 모르고 잠든 이선. 그런 이선의 손이며 목덜
미에 월심은 저도 모르게 시선이 가는데…

뒤늦게 그늘을 느낀 이선이 책을 거두며 월심을 올려다보자.

월심   (금세 표정 바꿔 괜히 틱틱 대는) 아예 여기서 사시는 겁니까?

점프하면 풀숲 앞에 선 채 옷매무새를 살피더니 새초롬하게
표정 관리하고 풀숲을 헤치고 나서는 월심.
그런데 이선이 없다. 월심, 저도 모르게 실망감이 스치는데…
뒤에서 바스락하는 소리.
월심 뒤돌면 책을 든 이선이다.
마치 처음 본 그때처럼 서로를 보고 선 두 사람의 눈 맞춤.
서로를 말없이 보고 섰는데…. (12화 10씬으로 이어지는)

S#57.   **절경 바위 (낮) - 전사**
절경 바위 위, 이선을 기다리고 있는 월심.
걱정스럽고 초조한 표정이다.

이선   (off) 월심아!

월심, 뒤돌아보면 월심을 향해 다가오는 이선. (12화 16씬)
순간 걱정이 사라지듯 표정 밝아지며 이선에게 달려가는 월심.
서로의 손을 마주 잡는 두 사람, 애달픈 눈빛으로 서로를 본다.

월심   한양 길은 멀고 험합니다. 게다가 요즘 도적떼가 기승이라는

데… 부디 조심하세요.

이선 걱정 말거라. 난 반드시 돌아와 너와 혼인할 것이니. 내가 눈 감는 순간에 보는 마지막 풍경은 월심이 너의 얼굴이 될 것이야.

월심, '피식' 웃으면 소매에서 뭔가를 꺼내 월심의 손바닥에 내려놓는 이선. 십자가 목걸이다.
손바닥 위에 놓인 십자가 목걸이를 바라보는 월심의 감격 어린 눈빛.

S#58. **교방 (낮) - 전사**
십자가 목걸이를 차고 교방에 앉아 '천학초함'을 보는 월심.
그때 문밖에서 들려오는 기생 1의 울음소리에 월심, 고개를 드는데.

기생 1 (off) 우리는 사람도 아니지? 지들이 뭐 잘해서 양반이야? 그냥 태어나 보니 양반인 거잖아!
기생 2 (off) 이런 일이 어디 한두 번이니? 그냥 잊어.
기생 1 (off) 우리가 왜 그런 벌레 취급을 당하고도 찍소리 하나 못하냐고. 뭐가 그리 달라서….

문 열리면 눈물을 훔치며 들어서는 기생 1과 그를 위로하는 기생 2.

월심을 보더니 무시하고 다들 자리에 앉는다.

기생 1, 자리에 앉아서도 서러움에 말없이 눈물을 훔치는데⋯

그런 기생 1 앞에 내밀어지는 명주 손수건.

보면, 월심이다.

기생 1   ? (눈물 가득한 눈으로 월심을 보면)

월심   세상은 바뀐다. 바뀌면 신분 때문에 천대 받고 조롱 받는 이
도 없어질 거야.

희망적이고 우호적인 월심의 눈빛에 기생 1, 손수건을 받아 쥐
고⋯ 그런 기생 1에게 미소 지어 보이는 월심.

S#59.   **정자 (낮) - 전사**

정자에 모여 앉아 거문고를 든 기생 1.

검무를 준비하는 월심의 기분이 좋아 보이는데.

기생 1   어째 기분이 엄청 좋아 보인다?

월심   좋은 꿈을 꿨거든. 오늘은 드디어 기다리던 소식이 올 것 같아.

기대감으로 부푼 월심의 표정.

벌써부터 행복해 보이기까지 하는데⋯

점프하면, 기생 1의 거문고 연주에 맞춰 쌍검무를 시작하는
월심. (12화 20씬)

앞에 앉은 양반 몇몇이 감탄하며 월심의 춤을 감상하는데…
격렬한 춤사위에 목에 건 십자가 목걸이가 옷섶 밖으로 튀어
나와 햇빛에 빛나며 찰랑이고 월심은 그것도 모른 채 춤에
열중한다.
그때 관원들을 이끌고 신발을 신은 채 정자 위에 들이닥치는
수령.
놀란 기생 1, 연주를 멈추면…
불시에 끊기는 음악에 놀라 돌아보는 월심.

월심   !

S#60.   **절두산 (낮) - 전사**
            망나니 앞에 무릎 꿇고 앉은 월심. (12화 23씬)
            월심의 처형 장면을 구경하러 모여든 사람들 속에는 어린아
            이도 보인다.
            망나니가 칼을 휘두르며 칼춤을 추면 월심, 고개 들어 자포자
            기한 눈빛으로 태양을 가리는 칼의 움직임을 멍하니 올려다
            보고…
            잔인할 만큼 화창한 하늘을 올려다보는 월심의 얼굴 위로.

월심   (E) 미련은 없습니다. 어차피 죽으려던 목숨. 다만 한 번만…
            마지막으로 한 번만 도련님의 얼굴을 볼 수 있다면….

이내 망나니가 휘두른 칼이 목을 스치고…

파란 하늘 위로 붉은 피가 뿜어지며 풀썩 쓰러지는 월심.

숨을 거두는 월심의 시선에, 사람들의 다리 너머 저만치 언덕 꼭대기에 도착해 숨을 헉헉거리며 앞을 보는 이선의 모습이 보였다가 가려지고.

월심   도련님….

이선을 조금이라도 더 보기 위해 정신 차리려 애를 쓰는 월심.

하지만 다시 이선의 모습이 보이려는 찰나 숨 거두며 눈을 감고 마는데…

눈 감는 월심의 얼굴 위로.

월심   (E) 도련님이 날 잊게 해 주세요. 도련님이 괴로워하지 않도록. 나와의 기억이 고통이 되지 않도록.

슬픈 바람을 담은 월심의 눈 완전히 감기며 F.O.

S#61.   **도희 집 침실 (낮)**

눈을 번쩍 뜨며 자리에서 일어나 앉는 도희.

눈물을 글썽한 채 가쁜 숨을 토해 내는데….

도희   (충격에 휩싸인) 내가 월심이었어… 죽으려던 나를 이선이 살린 거였어….

그때 문득 생각이 미치는 도희, 목에 걸린 십자가 목걸이를
움켜잡으며.

도희   설마… 거기에?

S#62.   **절경 바위 (낮)**
            절경 바위 위에 홀로 쓸쓸히 선 구원.
            도희를 향한 그리움이 가득한 눈빛인데.

구원   도도희….

            그때 알람음이 울리고….
            휴대폰을 보면 '계약 만료' 일정이다.
            쓸쓸한 표정으로 자리를 뜨는 구원, 프레임 아웃.

S#63.   **도희 집 지하 주차장 (낮)**
            주차된 자신의 차를 향해 다급히 뛰어가는 도희.
            차에 올라타고….

S#64.　　　도희의 차 안 (낮)

차에 탄 도희, 시동을 걸고 출발하려는데⋯
그런 도희의 뒤에서 스윽 일어서는 검은 실루엣.
이상한 낌새에 도희, 천천히 시선 들면 룸 미러를 통해 보이
는 뒷좌석. 검은 실루엣이 밑에서 나타난다 싶은 순간⋯
뒤에서 손이 쑥 튀어나와 도희의 입을 수건으로 막는다.
도희, 숨을 참으며 고개 돌려 상대를 보면 징그럽게 화상으로
얽힌 한쪽 얼굴.

도희　　　　!

놀란 도희, 숨을 '헉' 들이쉬며 약물을 흡입해 정신을 잃는다.

S#65.　　　공장 건축 현장 (밤)

여기저기가 떨어져 나간 낡은 소파에 모로 누운 채 정신을
잃은 도희.
이내 정신이 들어 보면, 아직 뼈대만 지어진 공장 건축 현장
이다.
저만치 장작이 타고 있는 드럼통만이 어둠을 밝히는데⋯
그 앞에 앉아 도희에게 등 돌린 채 불을 쬐는 부랑자의 뒷모습.
도희, 움직여 보려 하지만 뒤로 손목이 묶였다.
그 기척에 천천히 고개 돌리는 부랑자.
화상으로 얽힌 옆모습 보이고 나머지 얼굴이 보이면⋯

한쪽은 화상으로 얽혔지만 한쪽은 멀쩡한, 석민이다.

도희   !

석민   (놀라 굳은 도희 눈빛에) 다행히 알아보네. 못 알아보면 섭섭할 뻔
              했는데.

도희   (공포에 질려 덜덜 떨면서도) 여기가 지옥인가? 죽은 널 다 만나고.

석민   걱정 마. 아직 지옥은 아니니까. 어때? 내 새 얼굴은. 맘에 들어?

인서트   **물이 뚝뚝 떨어지는 양복 차림을 한 석민의 발.**
              건축 현장 가운데 불을 지펴 놓은 드럼통에 석민, 가까이 다
              가가면 모여 선 채 담배 피우고 있던 인부들, 경계하며 뒤로
              물러선다.
              드럼통에서 불타오르는 각목을 하나 빼어 드는 석민.
              자신의 얼굴에 불타는 각목 끝을 가져다 대고….

석민   (off) 으아악!

              처절하게 울리는 석민의 비명.

              현재로 돌아오면 비릿한 미소 짓는 석민.

석민   악마 새끼가 못 찾게 하려고 난 내 손으로 직접 내 얼굴까지 지
              웠어.

도희   정말 괴물이 돼서 돌아왔네. 원하는 게 뭐야?

석민	원하는 거라… (자리에서 일어나 도희 앞으로 '뚜벅뚜벅' 다가와 서며) 내가 원하는 건 너희 둘을 영원히 파괴하는 거야. 너희 때문에 난 다 잃었거든. 돈도 명예도 가족도… 그리고 얼굴까지도. 그냥 너 하나 죽이는 거 갖고는 이제 내가 억울하지.

품에서 칼을 꺼내드는 석민, 소파에 한쪽 다리를 올린 채 허리 숙여 도희 눈앞에 칼끝을 들이대면 날카롭게 빛나는 칼끝.
도희, 칼끝을 봤다가 석민을 노려보는데…
석민, 칼끝으로 도희 목에 걸린 십자가를 들어 올리며.

석민	악마 새끼 불러. 네가 위험해지면 오잖아.
도희	이제 안 와. 정구원은 이미 날 떠났어.
석민	(피식) 내가 속을 줄 알아?

칼끝으로 목걸이를 끊어 내는 석민, 재빠르게 칼을 세워 들더니 도희의 허벅지에 '팍!' 칼을 꽂아 버린다.

도희	허억.

충격과 고통에 차마 비명도 지르지 못하는 도희.
석민, 허리를 세우고 일어나 사방을 향해 소리친다.

석민	나와! 정구원! 도도희 살리고 싶으면 나오라고!

하지만 아무 소리 없이 적막하고…

도희, 자신의 허벅지를 내려다보면 꽂힌 칼 사이로 붉은 피가 쿨럭이며 뿜어 나온다.

석민, 안 되겠는지 다시 허리 숙여 도희 허벅지에 박힌 칼을 뽑아 들고.

도희   아악!

고통스러워하는 도희를 억지로 일으켜 세우는 석민.
도희 뒤에서 칼을 목에 댄 채.

석민   빨리 악마 새끼 불러! 비명을 지르든 살려 달라고 빌든! 당장 부르라고!

도희   (버티며 비명을 참고)

석민   싫어? 그럼 할 수 없지. 네 목을 따는 수밖에.

석민, 손에 들린 칼에 힘을 주면 도희의 목에 칼날이 파고들며 피가 배어 나오는데…

순간, '휘리릭' 날아가 버리는 칼.

석민과 도희, 놀라보면 저만치에 선 검은 실루엣.

구원이다!

도희   (놀라고 반가운) 정구원…!

석민   (광기 어린 미소) 역시… 내가 이럴 줄 알았어.

구원, 시선 내려 도희의 피가 흐르는 허벅지를 발견하고…
시선 들면 화나는 눈빛.

구원   (석민을 무섭게 노려보며) 내 여자한테 손대지 말랬지.

구원, 백핸드 하듯 손을 펄럭이면 날아가 벽에 부딪치는 석
민, 바닥에 누운 채 끄응 신음하는데…
분노한 구원, 눈에 붉은 핏빛이 떠오르며 석민에게 다가가면
흔들리기 시작하는 건물.
천장에서 콘크리트 가루가 떨어진다.
석민, 놀라 위를 올려다보면 머리 위 동그랗게 금이 가기 시
작하는 천장.

석민   !

이내 훅 떨어지는 천장 조각에 깔려 죽는구나 싶은 순간…!
석민의 머리 위에서 멈추는 천장 조각.
공포에 질린 석민, 숨을 가쁘게 몰아쉬면.

구원   지옥에 온 걸 환영해. 지옥은 너 같은 놈을 위해 열려 있거든.

석민, 황급히 누운 채 뒷걸음질 쳐 도망치려 하면 다시 천천
히 내려가기 시작하는 천장 조각,
석민의 눈앞까지 내려와 몸을 누르기 시작한다.

석민	(고통에 비명 지르는) 으아아악!
도희	안 돼! 정구원! 멈춰! 죽이면 네가 소멸해!

도희, 구원에게 소리치지만 흥분한 구원의 귀에는 들리지 않고…
무자비한 눈빛으로 죽여 버릴 듯 석민을 노려보는 구원.

| 석민 | (숨 막힌) 살, 살려 줘…. |

공포에 질린 눈으로 천장 조각에 눌리는 석민, 피를 울컥 토하고…
도희, 구원을 말리려 황급히 주위를 둘러보면 저만치 바닥에 떨어진 석민의 칼이 눈에 들어온다.

| 도희 | ! |

더 이상 비명도 지르지 못한 채 정신을 잃는 석민. 숨이 끊기기 일보 직전인데…
어느새 묶인 끈을 풀어내고 뒤에서 달려와 구원을 와락 안는 도희.

| 도희 | 그만해! 정구원! 제발…. |

도희의 품 안에서 점점 분노가 잠재워지는 구원.

건물의 흔들림이 점점 잠재워지더니 이내 멈춘다.

허공에 떠 있던 천장 조각, 훅 떨어지며 비스듬하게 기울어져 그 틈에 갇히는 석민.

구원, 정신 차리고 숨을 몰아쉬면.

도희   이제 됐어. 이제 다 괜찮은 거야.

도희 역시 숨을 몰아쉬며 구원을 안은 팔을 풀면, 천천히 뒤돌아 도희를 마주 보는 구원.

구원   도도희….
도희   정구원….

와락 서로를 끌어안는 두 사람.

그리웠던 만큼 서로를 힘껏 부둥켜안는다.

구원   보고 싶었어, 도도희.
도희   나도… 나도 너무 보고 싶었어.

서로를 안은 채 안도하는 두 사람인데…

그때 도희의 뒤에서 '철컥' 하는 장전 소리.

구원과 도희, 돌아보려는 순간…

만신창이가 된 채 사격 총을 든 석민, 피 칠갑을 한 채 광기 어린 미소 지으며 방아쇠를 당긴다.

'탕!' 하는 소리와 함께 어찌할 새도 없이 총을 맞는 도희.

산탄 총알이 구원의 몸을 스쳐 얼굴과 팔 여기저기 상처가 나고… 얼어붙듯 굳어 선 구원.

도희, 몸에 힘이 풀리며 풀썩 내려앉자 구원, 다급히 안아 붙들며 같이 주저앉는다.

석민, 그런 구원을 향해 다시 한 번 방아쇠를 당기면 구원, 고개 들어 석민을 노려보고…

'펑!' 총이 터지며 화염과 함께 온 얼굴에 화상 입으며 날아가 버리는 석민.

구원, 다급한 눈빛으로 다시 도희를 보면…

핏기 없는 얼굴로 더 이상 숨을 쉬지 않는 도희.

구원, 눈빛 흔들리며 절망하고.

구원   안 돼… 도도희. 죽으면 안 돼.

떨리는 손으로 숨진 도희의 얼굴을 어루만지는 구원.

눈에서 눈물이 흐르는데…

이내 고개 숙인 채 뭔가를 중얼거리기 시작하는 구원.

구원   (라틴어) 내게 능력 주시는 자 안에서 내가 모든 것을 할 수 있느니라.

그리고는 마치 숨을 불어넣듯 도희에게 키스하면 시간이 멈춘 듯 이어지는 두 사람의 입맞춤.

구원, 입술을 떼면 창백했던 도희의 얼굴에 생기가 돌기 시작
한다.
천천히 눈을 뜨는 도희.

도희   (눈앞의 구원 보며) 정구원….
구원   (그런 도희를 보며 안도하는) 도도희….
도희   어떻게 된 거야?
구원   이제 됐어. 이제 다 괜찮은 거야.

자신이 했던 말과 똑같은 구원의 말에 자신의 심장부를 만져
보는 도희.

도희   (상황을 깨닫고 놀라 똑바로 일어나 앉더니) 설마… 날 살린 거야?

도희, 흔들리는 눈동자로 구원을 보면 슬픈 눈빛으로 웃어 보
이는 구원.

구원   아니. 날 살린 거야.

도희의 눈동자 흔들리고…
손가락에서부터 서서히 발화되기 시작하는 구원의 몸.
도희, 놀라 그런 구원을 붙잡듯 와락 안으며.

도희   안 돼.

슬픈 눈으로 그런 도희를 꽉 끌어안는 구원.

구원   도도희….

마지막 유언인 듯 그 말이 끝나자마자 구원, 온몸이 빛을 내며 타오르기 시작하고…
발화되기 시작하는 구원을 붙든 채 울먹이는 도희.
그런 도희에게 슬픈 눈빛으로 웃어 보이는 구원, 손을 들어 도희의 뺨을 만지려는 순간…
순식간에 검은 재로 변해 버리는 구원.
마치 모래처럼 잿가루가 도희의 손가락 사이로 스르륵 빠져나간다.

도희   가지 마… 가지 마, 정구원!

도희, 흩어지는 잿가루라도 잡아 보려 손을 뻗지만 바람에 눈처럼 흩날려 사라져 버리고…
아무것도 남지 않은 자신의 빈손을 내려다보는 도희, 숨을 토해 내며 절망하는데…
그런 도희의 눈에 들어오는 바닥에 떨어진 구원의 반지.
도희, 떨리는 손으로 반지를 들어보더니 눈에 눈물이 고인다.
반지를 모아 쥔 손을 가슴팍에 움켜쥐며.

도희   아아악-!

황량한 바닥에 주저앉아 세상을 잃은 듯 오열하는 도희의 한없이 작아 보이는 모습에서.

15화 엔딩

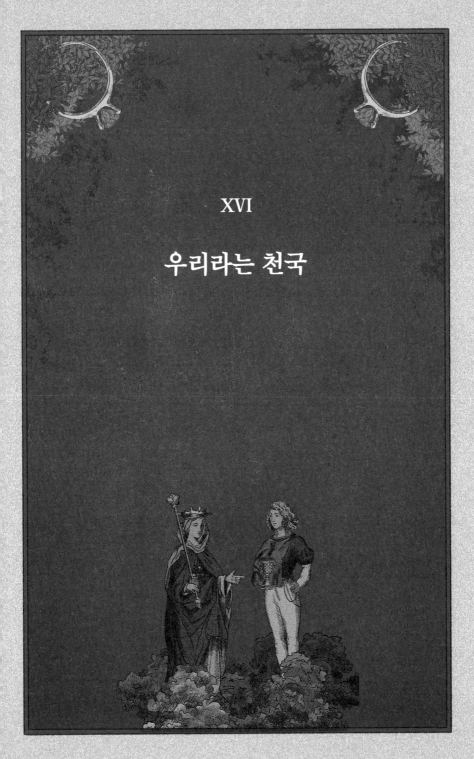

XVI

우리라는 천국

S#1.   **공장 건축 현장 (밤)**
         손가락에서부터 서서히 발화되기 시작하는 구원의 몸.
         도희, 놀라 그런 구원을 붙잡듯 와락 안으며.

도희   안 돼.

         슬픈 눈으로 그런 도희를 꽉 끌어안는 구원.

구원   도도희….

         마지막 유언인 듯 그 말이 끝나자마자 구원, 온몸이 빛을 내
         며 타오르기 시작하고.

S#2.   **선월극장 시계탑 방 (밤)**
         시계탑 밑을 지나는 복규.

머리 위로 즐비한 시계들이 일제히 '덜컥' 하며 멈춰 버리고…
고개 들어 그걸 올려다보는 복규. 구원의 신상에 무슨 일이
생겼음을 짐작하고 가슴이 철렁한다.

복규   이사장…!

S#3.   **공장 건축 현장 (밤)**
           발화되기 시작하는 구원을 붙든 채 울먹이는 도희.

도희   아직 너한테 못한 말이 너무 많아. (몸 떼어 내고 구원 보며) 월심
           이던 날 살린 것도 너야. 우리가 처음 만난 날 죽으려고 했는
           데… 그런 내가 널 만나서 다시 살고 싶어졌어.

           도희의 말에 안도하듯 슬픈 눈빛으로 웃어 보이는 구원, 손을
           들어 도희의 뺨을 만지려는 순간…
           순식간에 검은 재로 변해 버리는 구원.
           마치 모래처럼 잿가루가 도희의 손가락 사이로 스르륵 빠져
           나간다.

도희   가지 마… 가지 마, 정구원!

           도희, 흩어지는 잿가루라도 잡아 보려 손을 뻗지만 바람에 눈
           처럼 흩날려 사라져 버리고…

아무것도 남지 않은 자신의 빈손을 내려다보는 도희, 숨을 토해 내며 절망하는데…
그런 도희의 눈에 들어오는 바닥에 떨어진 구원의 반지.
도희, 떨리는 손으로 반지를 들어보더니 눈에 눈물이 고인다.
반지를 모아 쥔 손을 가슴팍에 움켜쥐며.

도희   아아악-!

황량한 바닥에 주저앉아 세상을 잃은 듯 오열하는 도희의 한없이 작아 보이는 모습.

S#4.   **고층 빌딩 옥상 (밤)**

옥상 끝에 선 채 도시의 밤 풍경을 내려다보는 노숙녀.
구원의 소멸을 깨닫고 눈빛 흔들린다.

노숙녀   결국… 그런 선택을….

눈에 물기가 차오른다 싶더니 이내 눈물을 흘리기 시작하는 노숙녀.
노숙녀의 뒷모습 너머 도시의 야경이 잔인할 만큼 아름답게 빛난다.
슬프고도 아름다운 음악, 선행되고….

S#5.   몽타주 (낮)

- 공장 건축 현장.

　구원이 소멸된 자리에 쳐진 폴리스 라인.

　잿가루마저 흔적 없이 사라지고 핏자국과 불 꺼진 드럼통만
이 남은 모습이다.

- 증거품으로 비닐백에 담긴 십자가 목걸이. 석민이 칼로 끊
어 낸 채다.

- 선월극장 이사장실.

　책상 위 펼쳐진 데몬 책 속 '데몬으로 일한 인간이 죽거나 자
연 발화된다면 환생은 불가능하며 영원히 소멸된다.'라는 문
구 보이고…

　그 너머 복규를 붙들고 오열하는 가영과 우뚝 선 채 눈물 흘
리는 복규의 모습.

- 미래 F&B 사무실.

　휴대폰을 든 신 비서, 충격 받은 표정으로 휴대폰 든 손을 떨
군다.

- 형사과.

　황급히 뛰어 들어오는 석훈, 앞을 보고 멈춘 채 거친 숨을 몰
아쉬면…

　충격과 걱정이 얽힌 그의 눈빛이 닿은 저만치, 의자에 앉은

도희의 뒷모습.

더럽혀진 옷으로 우두커니 앉은 채 표정이 보이지 않는다.

피로 얼룩진 도희의 손 위에 놓인 구원의 반지 보이고….

#타이틀   < 우리라는 천국 >

S#6.   취조실 밖 - 취조실 (낮)

취조실 밖, 거울을 통해 안을 지켜보는 형사들.

박 형사	(씁쓸한) 끝날 때까지 끝난 게 아니라더니… 정구원 씨는 아직 이야?

이 형사   네. 현장에 있었던 건 분명한데 일주일이 넘도록 보이질 않아요.

박 형사   답답하다. 도도희 대표는 충격에 아무 말도 안 하고 노석민은
저렇게 지옥에서 기어 나온 것 같은 몰골로 헛소리나 해 대
고 있으니….

수갑을 차고 취조실에 앉은 석민의 얼굴 보이면 온 얼굴에
화상 거즈를 붙인 모습이 그로테스크한데…

피고름이 배어 나오는 붕대 사이, 입술을 움직여 웅얼거리는
석민.

뭔가 들린다 싶으면.

석민   내가 이겼어. 내 손으로 너희 둘 다 파괴한 거야.

히죽대며 웃는 석민, 이내 온몸이 떨리도록 끌끌거리며 웃는 그 서늘한 뒷모습에서 멀어지고.

S#7.　　　　도희 집 화장실 (낮)

옷을 입은 채 눈 감고 물속에 잠긴 도희.

창백하고 고요한 얼굴이 마치 죽은 사람 같다.

S#8.　　　　도희 집 거실 (낮)

낮인데도 커튼이 쳐져 있어 밤처럼 어둡고 휑한 거실.

초인종 소리만이 반복해서 들려오는데….

S#9.　　　　도희 집 화장실 (낮)

물속에 잠긴 도희의 얼굴 위로 플래시처럼 터지는 구원의 모습.

인서트　　*도희에게 안긴 채 발화되기 시작하는 구원의 몸.*

고요한 도희의 표정.

인서트　　*마치 모래처럼 도희의 손가락 사이로 스르륵 빠져나가는 잿가루.*

도희의 표정, 미묘하게 변하고….

인서트 　　　*도희의 말에 안도하듯 슬픈 눈빛으로 웃어 보이는 구원.*

결국 숨이 다한 듯 움찔하더니 욕조 물속에서 '푸아!' 하고 튀어나오는 도희.

숨을 몰아쉬는 도희, '똑똑' 떨어지는 물소리를 들으며 표정 괴로워지는데…

그 모습 위로 들려오는 초인종 소리와 함께 현관문 두드리는 소리.

어렴풋이 석훈의 목소리도 들린다.

S#10. 　　　**도희 집 현관 앞 (낮)**

현관문을 두드리는 석훈의 손.

석훈 　　　(불안한) 도희야! 문 좀 열어 봐! 도희야!

뒤에 인부들과 초조하게 기다리고 선 신 비서 보이고.

신 비서 　　　아무래도 문을 부숴야 될 거 같습니다.

석훈 　　　(안타깝고 걱정된 표정으로 뒤로 물러나면)

신 비서 　　　(인부들에게) 시작하세요.

장비를 들고 문 앞에 서는 인부들.

요란한 소리와 함께 전기톱을 작동시키더니 문에 구멍을 내려 가져다 대는 순간 '덜컹-' 안에서 열리는 현관문.

신비서   (놀라) 대표님!

인부들, 전기톱을 멈추고 뒤로 물러서면 온몸이 젖은 채 나서
는 초췌한 얼굴의 도희.
그 모습을 본 석훈, 가슴 아파 차마 아무 말도 못 하고…
넋이 나간 듯 공허한 눈빛으로 멍하니 선 채 바닥을 내려다
보는 도희.
온몸에서 '뚝뚝' 떨어져 바닥에 고이는 물이 마치 눈물 같다.

S#11.   **도희 집 거실 (낮)**
           젖은 채 소파에 앉은 도희.
           석훈, 화장실에서 목욕 타월을 가져와 도희를 덮어 주며.

석훈   감기 걸리겠다. 옷부터 갈아입자.

           여전히 멍한 눈으로 아무 말 없는 도희에 석훈, 안타까운데…
           그 뒤에서 생활감 없는 집안을 둘러보며 한숨을 쉬는 신 비서.

신비서   (안 되겠다 싶어) 햇빛이라도 쬐고 바깥 공기도 마셔야지 이러다
           간 큰일 납니다.

신 비서, 테라스 커튼을 '확!' 거두고 테라스 창을 열기 시작
하면 햇빛이 거실에 비쳐 들고…
그제서야 입을 떼는 도희.

도희   세상이… 너무 견디기 힘들어요.

          석훈과 신 비서, 도희를 보면.

도희   어디에도 없어요. 정구원이. 내 눈에 보이지 않아도 날 떠나
          지 않고 주위에 맴도는 것 같았는데… 느낄 수 있었는데…
          이젠 정말 어디에도 없는 게 느껴져요. 나랑 있으면 죽을 거
          라고 했는데… 정말 그렇게 돼 버렸어요.

          슬픔마저 차단해 버린 듯 표정 없는 도희 모습에 울컥하는
          신 비서, 고개 숙여 눈물을 감추고.

석훈   (석훈 역시 울컥하지만 애써 참으며) 너 벌써 얼마나 이러고 있었는
          지 알아? 이렇게 있다간 너까지 잘못돼. 이러다… (힘겹게) 너
          까지 죽는다고.

도희   … 나 안 죽어. 아니, 못 죽어. 정구원이 소멸하면서까지 살려
          준 목숨인데 어떻게 죽어. 견딜 거야. 정구원이 없는 이 지옥
          을… 그게 내가 받을 벌이야.

석훈   (울분) 네가 왜 벌을 받아. 넌 아무것도 잘못한 게 없어.

도희   나 때문에 정구원이 죽었어. 나를 만나지 않았으면… 내가 결

혼하자고 안 했으면… 그랬으면 안 죽었어. 다 내 잘못이야.
내가 정구원을 죽인 거야.

도희의 자책하는 모습을 차마 보기 힘든 석훈, 입술을 깨물며
고개 돌리고….

S#12.   **병원 1인실 (낮)**
'똑, 똑' 떨어지는 링거액.
환자복 차림의 도희, 침대에 누워 잠든 채 링거액을 맞는데….

S#13.   **병원 복도 (낮)**
복도 의자에 나란히 앉은 괴로운 표정의 석훈과 신 비서.

신비서   대표님의 이런 모습 두 번째네요.
석훈   (신 비서 보면)
신비서   부모님 장례식 때도 딱 저러셨죠. 세상에 대한 채널을 꺼 버
린 것처럼.
석훈   부모님에 고모님까지… 간신히 버텨 왔는데 결국 무너져 버
렸어요.

도희에 대한 안쓰러움에 석훈, 결국 참았던 눈물을 흘려 버
린다.

S#14.   **병원 1인실 - 병원 로비 (밤)**

어느새 해가 지고 불빛 하나 없이 어두운 병실.

도희가 홀로 침대에 누워 잠들었는데…

어디선가 들려오는 아름다운 음악 소리.

병원 로비에서 성가대가 성가를 부르고 있다.

저마다 산타 모자를 쓰고 아름다운 목소리로 성가를 부르는 성가대.

그 소리에 천천히 눈 뜨는 도희, 부스스 자리에서 일어나 앉는데…

고개 돌려 성가가 들려오는 문밖을 바라보는 도희의 여전히 멍한 눈빛.

S#15.   **거리 (밤)**

여기저기 알록달록하게 붙은 '메리 크리스마스', '크리스마스 D-1' 문구며 장식들.

경쾌한 캐럴과 함께 크리스마스이브를 맞아 저마다 행복한 표정으로 사랑하는 이들과 함께인 사람들이 거리에 넘쳐나는데…

맨발로 차가운 도보 위를 걷는 도희의 발.

행복으로 반짝이는 거리를 환자복을 입은 채 홀로 배회하는 도희의 모습이 이질적이다.

도희, 환한 조명에 이끌리듯 걸어가다 걸음 멈추면…

눈앞에 놓인 화려하게 빛나는 크리스마스트리.

고개 들어 트리 꼭대기의 별을 올려다보면 초췌한 도희의 얼굴이 따뜻한 조명 빛을 받아 빛난다.

도희   크리스마스….

멍한 도희의 눈동자 속에서 빛나는 크리스마스의 반짝이는 조명등.
삶의 의지를 잃은 도희의 눈빛에 조금은 생기가 도는데….

S#16.   **도희 집 드레스 룸 (낮)**
드레스 룸에 걸린 블라우스. 구원과 처음 만났을 때 도희가 입었던, 가슴팍에는 붉은 얼룩이 여전히 남아 있는 블라우스다.
블라우스를 채 가는 도희의 손.
블라우스의 단추를 채우는 도희의 손.
도희, 재킷을 입으면 가슴팍의 얼룩이 가려지고…
외출 준비를 마치고 거울 앞에 서서 거울에 비친 제 모습을 보는 도희.
그제야 보이는 도희의 눈빛은 슬픔으로 더 깊어졌다.
고개 돌려 화장대 위에 놓인 구원의 결혼반지를 가만히 내려다보는 도희.
이내 반지를 들어 자신의 검지에 끼우면…
두 개의 반지를 낀 도희의 손.

S#17.   해안가 (낮)

          망망대해 앞, 파도치는 바위 끝에 선 도희의 뒷모습.
          1화에서 타투를 잃은 구원과 닮은 모습이다.
          추운 계절을 말하듯 도희의 입에서 하얀 입김이 새어 나오고…
          높게 철썩이는 파도 앞에 선 도희의 모습이 위태로운데…
          구원에게 하듯 바다를 보며 말하는 도희, 슬픈 눈으로 옅은
          미소 지으며.

도희   메리 크리스마스, 정구원.

          하지만 대답 없이 철썩이는 파도뿐.

도희   너랑 같이 보낼 줄 알았는데 네가 없는 크리스마스라니… 네
          가 죽으면서 내 안의 뭔가도 죽어 버린 것 같아.

          파도가 바위에 부딪쳐 하얗게 포말이 부서지고…
          눈빛 절박해지는 도희, 바다를 향해 말한다.

도희   나랑 계약해, 정구원. 내 소원은 네가 돌아오는 거야.

          점점 파도 거세지고….

인서트   고층 빌딩 옥상.
          옥상 끝에 선 노숙녀의 뒷모습.

눈을 내리깔고 세상을 내려다보던 노숙녀, 천천히 시선 들면 어딘지 그 눈빛이 신비로우면서도 위엄 있는데….

인서트	**선월극장 시계탑 방.**
	'달칵' 하는 소리와 함께 움직이는 시곗바늘.

슬픈 눈으로 바위 끝에 선 도희에게 갑자기 들이치는 커다란 파도.
도희를 덮치고… 움츠리며 본능적으로 양팔로 얼굴을 막으며 눈 질끈 감는 도희.
하지만 이상하리만치 고요한 정적이 흐른다.
도희, 조심스레 눈을 뜨며 팔 내리면 눈앞을 가로막은 동그란 물의 터널.
설마 하는 도희, 고개 돌려 옆을 보면…
그리운 눈빛으로 도희를 보고 선 구원의 모습.

도희	(놀란 눈으로 구원을 보며) 정구원….

'스르륵' 파도가 가시며 물 터널 사라지고.

도희	(눈앞의 구원의 모습을 믿을 수 없는) 여긴… 지옥이야?

구원, 그런 도희를 보며 애잔하게 미소 지으면…
도희, 구원을 와락 끌어안으며.

도희	지옥이라도 상관없어. 너만 있으면.
구원	(그 역시 도희를 소중히 안으며 눈시울을 붉히는데)
도희	이거 꿈은 아닌 거지? 나 죽은 거야?
구원	꿈도 아니고 죽은 것도 아니야. (몸 떼고 도희 보며) 메리 크리스마스, 도도희. 내가 돌아왔어.

그 말에 도희, 안도와 감격에 눈물 흘리며 환하게 웃어 보이고… 다시 서로를 꽉 끌어안는 두 사람.
그 너머로 아름다운 파도가 넘실댄다.

S#18.　　**도희 집 침실 (낮)**
　　　　　마주 보고 나란히 누운 두 사람.
　　　　　서로의 얼굴을 몇 번이고 쓰다듬고 바라보고 하는데….

도희	아직도 믿기지가 않아. 네가 없는 세상이 너무 끔찍했어.
구원	나도. 네가 없는 곳이 나한텐 지옥이야.

도희, 자신의 손에서 반지를 빼 구원의 손에 끼워 주면 반지 낀 자신의 손을 보는 구원.
미소 짓고는 반지 낀 손으로 도희를 끌어안으며.

구원	충전.

하면, 도희 역시 구원을 끌어안으며.

도희   그래, 충전.

충전하듯 서로를 꼭 끌어안고 누운 두 사람의 모습.

S#19.   **고층 빌딩 옥상 (밤)**
홀로 선 채 풍경을 내려다보는 노숙녀.
구원이 옆에 나란히 서면 노숙녀 보지도 않고 그인지 아는
눈친데.

구원   고마워.

노숙녀   크리스마스엔 기적이 벌어지는 법이지.

구원   (고개 돌려 노숙녀 보며) 왜 그랬어? 넌 만물의 여정을 함께 할 뿐
이라며.

노숙녀   그 여자가 계약을 원했잖아. 데몬이 없으니 내가 나서는 수밖에.

구원   (놀라 노숙녀 보며) 계약이라면… (화나는) 도도희를 지옥에 보내
겠다는 거야? 또 우리를 가지고 장난질하는….

노숙녀   (말 끊는) 걱정하지 마. 계약의 대가는 이미 치렀으니까.

구원   ?

노숙녀, 앞을 본 채 회상에 잠기면….

S#20.   **빌딩 숲 벤치 (해 질 녘) - 회상**

슬픈 눈빛으로 노숙녀가 앉았던 빌딩 숲 벤치에 혼자 앉은
구원.
노숙녀가 다가와 옆에 앉으면.

구원   (여전히 앞을 본 채) 네 말이 맞았어. 난 결국 도도희를 불행하게
             할 뿐이야. 이게 내 본성이니까… 어쩔 수 없는 거지?
노숙녀   (한숨) 비단 데몬이어서 그런 게 아냐. 원래 인간들은 서로가
             서로에게 지옥이지.
구원   …

숙명을 받아들인 구원의 슬픈 눈빛.
노숙녀 역시 그런 구원의 감정을 알고 눈빛 슬퍼지는데….

구원   아직 유효하지?
노숙녀   뭐가?
구원   내기에서 내가 이긴 거. 만약 나한테 소원이 생긴다면 들어줄
             수 있어?
노숙녀   도움을 청하는 건가?
구원   응.
노숙녀   (구원의 대답이 의외인 듯 고개 돌려 구원을 보면)
구원   난 지금 무슨 도움이든 가릴 처지가 아니야. 그게 가장 못 미
             더운 당신이라 해도.

슬픈 표정의 구원.

S#21.   **고층 빌딩 옥상 (밤)**
         현재로 돌아오면 잊고 있던 기억을 떠올리는 구원.

구원   아…. (그제야 깨닫고)

노숙녀   (여전히 앞을 본 채) 날 울게 한 인간은 너희들이 처음이야.

구원   … (울었구나 싶어 노숙녀를 보면)

노숙녀   나에게 연민이 있었다면 난 미쳐 버렸을 거야. 세상엔 너무
         안쓰러운 생명들이 많거든. 그래서 그런 인간적인 감정 따위
         나에겐 더 이상 없다고 생각했는데… (상념에 젖는 눈빛) 네 말
         이 맞았어. 절대라는 말은 함부로 하는 게 아니더라고.

구원   (그 말에 고개 돌려 앞을 보며) 네 말도 맞았어. 불행이 있어야 행복
         도 있다는 말. 이제 좀 알 것 같아.

노숙녀   (구원 슬쩍 보더니 '피식' 웃으며) 이제 내기에서 남은 건 없는 거야.

구원   ('피식') 당신이 도박에 재능이 없는 게 다행이네.

노숙녀   (빠직해 구원 보며) 허? 내가? 나 그때 딱 한 번 진 거야. 다시 해.
         이번에 내가 이기면 아주 영원히 소멸시켜 버릴 줄 알아.

구원   싫어. 인간들하고 부대끼며 사는 게 너무 좋아졌거든. 너도
         아직 일꾼이 필요하잖아. 나같이 성실한 일꾼이 또 있을 거
         같아?

노숙녀   흥. (콧방귀 끼더니 앞을 보며) 데몬엔 네가 딱이긴 하지.

그 말에 나란히 앞을 보고 선 채 미소 짓는 구원과 노숙녀.

S#22.   **선월극장 이사장실 (낮)**
         문을 벌컥 열고 들어서는 복규와 가영.
         이사장실, 저만치 데몬 책을 들고 선 구원의 모습에.

복규   이사자앙!

         구원, 뒤돌면 달려가 와락 안으려는 복규.

구원   (재빠르게 몸을 숙여 포옹 피하며) 깜짝이야. 버팔로가 따로 없네.

         하는데, 앞에 선 가영의 모습.

가영   (안도감과 기쁨이 뒤섞여 눈물을 글썽이며) 이사장….

         구원, 그런 가영에게 뭔가 말을 건네려는데….
         뒤에서 구원을 헤드록 하듯 와락 안는 복규.

복규   이사자앙~!
구원   (숨 막혀) 컥! 죽다 살아났더니 숨 막혀 죽일 셈이야?
복규   (헤드록 풀며) 우린 정말 이사장이 죽은 줄 알았다고!
구원   (평소처럼 느긋한) 왜 이래, 나 데몬이야~ 죽긴 내가 왜 죽어?

가영과 복규, 글썽이는 눈으로 그런 구원 보며 못 말린다는
듯 웃고… 구원 역시 '씨익' 웃어 보인다.

S#23.   **도희 집 거실 (밤)**
크리스마스트리를 장식하는 구원과 도희.
색색의 장식 볼이며 전구를 다는데.

도희   크리스마스 다 지나서 트리라니.
구원   뭐 어때? 우리의 크리스마스는 이제 시작인데. 네가 크리스
       마스에 대해 한 말, 이제 알겠어.
도희   무슨 말?
구원   크리스마스엔 괜히 설렌다며. 나도 그래, 너랑 있으면. 넌 나
       의 크리스마슨가 봐.
도희   ('피식' 웃더니) 다시 아이가 된 것 같고?
구원   그것도 맞아.

도희, 웃으며 커다란 노란 별을 집어 들어 트리 꼭대기에 꽂
으면 핑거스냅하는 구원.
거실 등이 꺼지는 동시에 트리 전구에 불이 환히 들어온다.
구원, 도희에게 다가가 백허그 하면 완성된 트리를 함께 바라
보는데…
도희, 생각에 잠기더니 뒤돌아 질문이 가득한 눈으로 구원을
보며.

도희	말해 줄 수 있어? 아빠와 한 계약은 뭐였는지?
구원	(표정 굳으며 도희를 걱정스럽게 보면)
도희	알고 싶어. 아픈 진실이라 할지라도.
구원	(잠시 머뭇대지만 이내 결심하는) 그날은… 비가 많이 내리던 날이었어.

그때를 떠올리며 복잡해지는 구원의 표정.

S#24.　**길거리 (밤) - 회상**

비 내리는 도로에 차를 박고 멈춰 선 119 구급차 한 대.
보닛에서 나는 하얀 연기가 뿌옇게 시야를 가리는데…
그 위로 들려오는 교통 방송 아나운서 목소리.

아나운서	⒠ 교통속보입니다. 성수대교 남단 사거리에 빗길 12중 충돌 사고가 나서 도로가 완전히 마비됐습니다. 운전자 여러분들은 해당 도로를 우회하여 선회하시는 걸 추천 드리며….

S#25.　**구급차 안 (밤) - 회상**

구급차 안, 머리를 박고 정신을 잃은 도희 부.
도희 모의 끙끙대는 신음 소리에 정신 차려 번쩍 깨어나 보면 베드에 누워 배를 부여잡고 괴로워하는 도희 모의 모습.

도희부	여보!

놀라 도희 모를 붙들며 다급히 구급차 안을 둘러보면 운전석의 구급 대원은 물론 베드 옆에 있던 구급 대원 역시 교통사고의 여파로 정신을 잃었다.

S#26. **병원 앞 (밤) - 회상**
비가 쏟아지는 빗길을 달려가는 도희 부의 발.
도희 모를 등에 업고 달리는 도희 부 보이면 무릎에 드러난 붉은 상처.

S#27. **응급실 앞 (밤) - 회상**
도희 모를 업은 채 황급히 응급실 앞으로 뛰어 들어가는 도희 부. 가운에 피를 묻힌 채 앞을 뛰어 지나치는 의사의 팔을 붙들며.

도희부	선생님! 저희 집사람이 지금 임신 38주찬데 갑자기 혈압이 오르고 위독해져서 구급차로 이동하다 그만….
의사	(난감한) 죄송합니다. 지금 병실은커녕 응급실 베드도 없는 상황이에요. 최대한 빨리 다른 병원으로 가보시는 게…. (차마 말을 잇지 못하는)

절망하는 도희 부.

S#28.   **병원 앞 (밤) - 회상**
절박하게 도희 모를 다시 업고 병원 밖으로 내달리는 도희 부.

도희 모   여보….

도희 부   조금만 참아. 조금만….

비를 맞으며 절박하게 달리는 도희 부, 하지만 다친 다리가
푹 꺾이며 바닥에 엎어진다.

도희 부   (바닥에 쓰러진 도희 모 보더니) 여보!

도희 부, 아픔도 잊고 다급히 기어가 도희 모를 붙들면 도희
모의 치맛자락에서 흥건하게 배어나온 피.
도희 모의 다리에서 흘러내린 피가 빗물과 섞여 바닥에 흐른다.

도희 모   아무래도 이상해… 아이가… 아악! (배를 감싸 쥐며 고통과의 사투
를 벌이고)

도희 부   (아무도 없는 거리에 대고 소리치는) 도와주세요! 제발 좀 도와주세
요! (흐느끼기 시작하고) 제발 저희 집사람 좀 살려 주세요….

도희 부, 무력감에 고개 숙인 채 눈물 흘리는데…

그때 머리 위로 쏟아지던 비가 그친다.

도희 부, 고개 들어 올려다보면 검은 우산을 드리워 씌워 준 누군가의 실루엣.

뒤늦게 보이는 얼굴은 표정 없는 구원이다.

도희부   도와주세요! 당장 병원으로 옮기지 않으면 저희 집사람이 죽어요.

시선 돌려 바닥에 누워 정신을 잃기 직전인 도희 모를 보는 구원.

구원   하나의 소원으로 두 생명을 살린다… 나쁘지 않네. (도희 부에게) 너의 소원을 들어주지. 단 조건이 있어.

도희부   (의아함이 스치지만 주저 없이) 상관없어요! 뭐든지 할게요.

구원   무슨 조건인지 듣지도 않았잖아. 후회하지 않겠어?

도희부   (결연한) 아뇨. 절대 후회하지 않아요.

구원   정 그렇다면.

구원, 손바닥을 펼치면 손 위에 생겨나는 계약서. 그걸 보고 놀라 커지는 도희 부의 눈에 희망의 빛이 떠오르고….

S#29.   **도희 집 거실 (밤)**

현재로 돌아오면 눈물을 글썽이는 도희.

도희	넌… 그때도 날 살렸어.
구원	내가 살린 게 아니야. 너의 아버지가… 그 희생이 널 살린 거야.
도희	왜 진작 말하지 않았어? 난 그것도 모르고….
구원	(도희 눈을 차마 보지 못하고) 널 더 혼란스럽게 만들고 싶지 않았어. 내가 널 불행하게 만든 건 사실이니까.

그런 구원을 안쓰럽게 보는 도희, 구원의 뺨에 손을 대고 눈 맞추며.

도희	넌 날 불행하게 만든 게 아니야.
구원	(시선 들어 도희를 보면)
도희	우리 가족은 십 년 동안 정말 행복했어. 우리 부모님은 매 순간, 언제나 충실하게 최선을 다하셨거든. 주어진 시간이 많지 않다는 걸 알아서 더 그랬나 봐. 넌 날 살린 거야. 전생에도 이번 생에도.
구원	(그 말에 감격과 안도감이 얽히는 구원의 눈빛) 너도 날 살렸어. 영원한 소멸에서 날 구했어.

서로를 애틋하게 보는 두 사람, 키스하면…
그런 두 사람에게 비추는 크리스마스트리 전등의 따뜻한 불빛.

S#30. **미래 F&B 사무실 (낮)**
손잡은 채 사무실에 들어서는 구원과 도희.

자리에 앉은 홍보팀들, 그 모습에 눈이 번쩍 뜨여 자리에서 일어난다.

한 팀장	좋은 아침입니다!
도희	(화사하게 웃는) 네. 정말 좋은 아침이네요.
구원	(홍보팀 앞을 지나치며) 오랜만이야~
정미	(사르르 녹는) 그니까요~

저만치 뒤에서 기다리고 선 신 비서, 미소 지은 채 두 사람을 보는데…
구원과 도희 다가가면 미소 지우고 평소와 같이 묵례하는 신 비서.

도희	(그런 신 비서에게) 고마워요, 신 비서님.
신 비서	저도 고맙습니다, 대표님. (구원에게) 이렇게 다시 뵈니 기쁘네요.
구원	(신 비서의 진심에 '씨익' 웃으며) 나도 제법 그런 느낌이야.
신 비서	(도희에게) 주석훈 대표 와 계십니다.

구원과 도희, 대표실로 들어서고…
어느새 자리에 앉은 홍보팀들, 그런 두 사람 보며.

한 팀장	두 분 한동안 안 보이시더니 얼굴 좋아지셨는데?
정미	얼굴이야 항상 좋았다니까요. 대표님도 정구원 씨도.
한 팀장	여행 갔던 거 맞네.

한성	아뇨. 제가 보기엔 뭔가 다른 일이 있었던 게 분명해요.
한 팀장	무슨 일?
한성	모르죠. 근데 뭔가 엄청 큰 시련을 함께 이겨 낸 그 어떤 끈끈함이 느껴진달까? (날카로운 눈빛인데)
한 팀장	(그런 한성 가만히 보더니) 눈치 없는 네가 그런 말 하는 거 보니까 여행이 확실하다.

다시 대표실 쪽을 보는 한 팀장.

S#31.   미래 F&B 대표실 (낮)

대표실에 들어서는 구원과 도희. 초조하게 혼자 소파에 앉았던 석훈, 두 사람 보더니 벌떡 일어나며.

석훈	정구원 씨!
구원	(석훈 보면)
석훈	(화난 얼굴로 구원 앞에 다가와) 내가 말했죠? 도희한테 상처 주면 내가 가만 안 둔다고.

구원, 뭐라 반응하려는데 와락 안는 석훈.

구원	(당황) 왜 이래?
석훈	또 한 번 소멸인지 뭔지 했단 봐요. 내가 진짜 가만 안 둘 거니까.

구원	진짜 날 너무 좋아한다니까. (석훈 품에서 벗어나려 하며) 알았으니까 이제 놔.
석훈	(더 꽉 안으며) 다행이에요. 살아 돌아와서.
구원	알았다고. (발버둥 치면)
석훈	가만히 좀 있어 봐요.

티격태격하는 두 사람 보며 미소 짓는 도희.

S#32.   **양지 국밥집 (낮)**
국밥집에 들어서는 손님 1.

들개파	(복창) 어서 오십쇼~ 손님.

밀려드는 손님을 자리에 안내하고, 국밥을 나르느라 열심인 들개파들.
계산대에 선 넘버 투, 계산하는 손님 2에게 뭔가를 확 내밀면 화들짝 놀라는데… 쿠폰이다.

넘버 투	열 개 찍으면 한 그릇 공짜.
손님 2	아~

기분 좋게 나서는 손님 2의 뒤에서 우렁차게 말하는 들개파들.

| 넘버 투 | 다시 찾아 주십시오. 최상의 서비스로 모시겠습니다, 손님! |
| 들개파 | (복창) 모시겠습니다, 손님! |

그때 들어서는 누군가의 발걸음.

| 구원 | (off) 나 말고 또 누굴 모시는 거야? |

넘버 투, 고개 돌려 보면 구원이다.

넘버 투	(반색하며) 오셨습니까, 형님!
똘마니들	(쟁반과 행주를 내팽개치고 달려와 인사 박는) 오셨습니까, 형님!
구원	(자리에 앉으며) 여기 국밥이 살벌하게 맛있다고 소문났던데. 한 그릇 가져와 봐.
넘버 투	(좋아서 콧구멍이 벌렁거리더니 주방을 향해) 여기. 둘이 먹다 셋이 죽어도 모를 국밥 하나.

일사불란하게 움직이는 들개파들을 보며 뿌듯한 미소 짓는 구원.

S#33.   수안 집 거실 (낮)
소파에 앉아 홀로 초조한 수안.
그 뒤로 조기 경영 수업 책을 들고 앉은 쌍둥이들, 슬그머니 책을 놓고 살금살금 몰래 내빼기 시작하는데…

휴대폰이 울리자 냉큼 받아 귀를 기울이는 수안, 이내 큰 소리로.

수안   뭐? 이사들 과반수가 도도희 라인이래?

멈칫하는 쌍둥이들.

수안   아악! 말도 안 돼! (소리 지르며 발버둥) 도희 그 기지배가 결국 회장이 되는 거냐고~

쌍둥이들, 소리 없이 뒷걸음질 쳐 다시 자리에 앉아 책을 든다.

수안   (벌떡 일어나더니) 이렇게 끝낼 순 없어. 이제 최후의 수단을 쓰는 수밖에.

이를 악무는 수안의 독기 어린 표정.

S#34.   **미래 F&B 사무실 (낮)**
엘리베이터 문 열리면 빡세게 꾸민 채 선 수안.
쌍둥이 둘을 뒤에 대동한 채 회사를 뒤엎을 듯 위풍당당하게 들어선다.
그 모습에 홍보팀들 긴장하고…
대표실로 향하는 수안 앞을 가로막듯 서는 신 비서.

수안, 눈썹 치켜뜨며 신 비서 보면.

신 비서　　무슨 일로.

수안　　　가족끼리 할 말이 있어요.

S#35.　　미래 F&B 대표실 (낮)

'똑, 똑' 노크 소리에 업무 보던 도희, 고개 들면 신 비서, 문 열고 들어서.

신 비서　　가족을 사칭하는 노수안 대표 오셨는데요.

뒤에 선 수안, 신 비서의 말에 뜨악하더니 금세 표정 관리하며 쌍둥이들을 이끌고 전투적으로 들어선다.
도희, 올 것이 왔구나 싶어 자리에서 일어나면 도희 앞에 다가와 서는 수안.
두 사람, 금방이라도 머리끄덩이를 잡을 듯이 팽팽하게 서로를 보고 섰는데.

도희　　　어쩐 일이야. 애들까지 데리고.

그 말에 수안, 화를 터뜨리려는 듯 기운을 모으더니…
와락 도희의 손을 제 두 손으로 감싸 쥐면 도희, 움찔 놀라고.

수안	그동안 미안했어, 도희야. 내가 정말 진심으로 사과할게.
도희	(황당하고)
수안	(멀뚱히 서 있던 쌍둥이 하나를 끌어당겨 앞에 세우며) 기억나지, 도희야. 우리 오스틴이 어렸을 때 널 얼마나 따랐니?
저스틴	저스틴인데요.
수안	(냉큼) 우리 저스틴이 널 얼마나 따랐니.
도희	(한심하게 수안을 보면)
수안	앞으로 미래 그룹은 걱정하지 마. 우리 오스틴 저스틴이 그동안 후계자 수업을 착실히 받았거든? 장차 우리 오스틴 저스틴이 너의 양옆에서 서포~트 할 거야. 좌스틴 우스틴이랄까~ 홍홍홍~

눈웃음 지으며 너스레 떠는 수안인데….

S#36. **미래 F&B 사무실 (낮)**
문밖에 내쫓긴 수안의 코앞에서 '탕!' 닫히는 문.
굳어 선 수안, 조심스레 손을 들어 문을 '똑똑' 두드리며.

수안	도희야? 도희야~ 내가 더 애쓸게~ 너도 언젠간 내 진심을 알아줄 거라 믿어. 우린 가족이잖아~

안에서는 대답 없고…
수안, 새침하게 쌍둥이들에게 한 손씩 양쪽으로 내밀며.

수안   좌스틴? 우스틴?

쌍둥이들, 충성스러운 강아지처럼 양쪽에서 '착! 착!' 손잡으
면… 데미지 하나 없이 쌍둥이들과 함께 당당하게 사무실을
나서는 수안.
홍보팀들, 미어캣처럼 고개 빼들고 그 모습을 본다.

S#37.   미래 F&B 대표실 (낮)
           못 말린다는 듯 도리질 치며 책상에 앉는 도희, 모니터로 시선
           돌리려는데.

도희   (문득) 그래… 가족.

생각에 잠기는가 싶더니 결연해지는 도희의 눈빛.

S#38.   구치소 민원실 (낮)
           접견 신청서 관계란에 '가족'이라고 적어 넣는 도희.
           창구 직원에게 서류를 내미는 도희의 표정이 덤덤하다.

S#39.   구치소 접견실 (낮)
           유리창을 사이에 두고 석민과 마주 앉은 도희.

석민의 얼굴에 붙은 화상 거즈 사이로 붉게 얽힌 피부가 보인다.

평온한 눈으로 자신을 마주 보는 도희의 모습을 의아한 눈으로 보는 석민.

석민	멀쩡해 보이네. 역시 독해 넌. 너 때문에 주위 사람들이 다 죽어 나가도 이렇게 태연하다니.

도희	안타깝게도 당신은 아무도 파괴하지 못했어. 정구원은 돌아왔고 나는 보다시피 멀쩡하거든.

석민	(비웃는) 내가 그 말을 믿을 거 같아?

도희	날 봐. 너의 말에도 전혀 상처 받지 않잖아. 이런 게 연기일 수 있을까?

석민	(도희의 눈빛 보더니 진짜구나 싶어 눈빛 흔들리고)

도희	네가 파괴한 건 결국 너 자신일 뿐이야.

도희, 자리에서 일어나 가 버리면…
점점 분노가 차오르는 석민, 자리에서 일어나 창살을 흔들며 난동을 피우기 시작한다.

석민	으아아! 도도희! 도도희!!

유리창을 부술 듯 두드리는 석민을 뒤로 한 채 걸어가는 도희의 자비 없이 차가운 표정.

S#40.   구치소 (밤)

좁은 독방에 수감된 석민, 불안한 눈빛으로 방을 오가며 중얼거리는데.

석민   내가 여기서 나가기만 하면 그것들 가만 안 둬. 몇십 년이 걸리더라도 내 손으로 꼭….

그때 '또각' 하는 구두 굽 소리에 석민 고개 들면 저만치 구석에 선 누군가의 실루엣.
석민, 눈에 초점을 모으며 누군가 싶은데…
또다시 '또각' 소리 내며 한 줄기 빛으로 나서며 드러나는 얼굴.
천숙이다.

석민   (놀라) 어머니…?

말없이 석민을 바라보는 천숙의 감정 없는 눈빛.
석민, 눈동자가 떨리기 시작하고.

석민   왜 그렇게 보는 거야… 그렇게 보지 마. 보지 말라고. (다급히 주위의 물건을 들어 내던지고) 아악!

그 소리에 놀라 달려오는 교도관.
보면 아무도 없이 석민 혼자인데…
두 팔로 머리를 감싸 쥔 채 벌벌 떠는 석민의 위로 떨어지는 창살 그림자.

천숙에게 그랬듯 마치 십자가처럼 드리워졌다.

S#41.   **석민 집 도경의 방 (낮)**

짐을 정리한 박스가 놓인 도경의 방 안.

세라가 홀로 선 채 가구만 남은 빈방을 보고 섰다.

아줌마, 들어와 세라의 눈치를 보며.

아줌마   사모님, 짐 뺄까요?

세라   네. 그러세요.

아줌마   (벽에 걸린 주짓수 단증 액자 보며) 이건 어떻게 할까요?

세라   (잠시 보다가) 버리세요, 그냥.

아줌마   네. (문밖의 인부들을 부르는) 들어오세요.

아줌마, 액자를 떼어 내 책상 위에 차곡차곡 올려 두고 인부들
들어와 박스 옮기기 시작하면 세라, 자리 피하듯 나서는데…
박스를 옮기던 인부들, 책상 위 액자를 건드리고 그 바람에
바닥에 떨어져 와장창 깨지는 액자.

아줌마   조심들하시지…. (또다시 세라 눈치를 살피는데)

세라, 뒤돌아 바닥에 뒤집어 떨어진 액자를 보면 부서진 액자
사이로 보이는 자신의 얼굴.

세라	?
아줌마	(황급히 액자를 치우며) 아휴… 이걸 어떡해….
세라	(아줌마에게) 아줌마, 잠깐만요.

세라, 액자의 잔해 속에서 사진을 들어 보면 자신과 도경이
다정하게 찍은 둘만의 사진이다.
세라, 꼬깃꼬깃하게 접힌 사진 펼쳐 보면 가려졌던 나머지 가
족들의 모습 드러나고…
천숙의 고희연 사진을 도경과 세라만 보이게 접어 마치 두
사람의 다정한 투 샷처럼 보였던 것.
놀라는 세라, 사진을 든 손이 떨리기 시작하는데…
'똑, 똑' 하는 회상의 노크 소리 선행되면….

S#42.   **석민 집 도경의 방 - 석민 집 도경의 방 입구 (밤) - 회상**
현재와 달리 닫힌 도경의 방문을 열고 들어서는 세라.
밤이 된 방 안에는 교복 차림의 도경이 주짓수 운동복을 가
방에 챙기고 있다.

세라	또 운동가니? 지금 시간이 몇 신데.
도경	… (말없이 가방을 메고 방을 나서면)
세라	(뒤에서) 왜 이렇게까지 하는 거야?
도경	(슬쩍 뒤돌아) 지켜야죠. 나도 엄마도.

도경, 가 버리면 뒤에 남은 세라, 눈동자 흔들리고….

S#43.   **석민 집 도경의 방 (낮)**
현재로 돌아오면 잊고 있던 기억에 울컥한 세라, 눈에서 눈물
이 절로 흐르기 시작하고…
그 모습에 당황한 아줌마와 인부들이 세라를 쳐다보지만 그
들의 시선에도 눈물을 멈추지 못하는 세라의 죄책감과 후회
에 휩싸인 얼굴.
아줌마가 인부들을 끌고 나가면 휑한 방 안에 혼자 남은 세
라, 뒤늦게 알아 버린 도경의 진심에 사진을 든 채 오열하며
무너진다.

S#44.   **선월극장 이사장실 (낮)**
복규의 배웅을 받는 가영.

복규   매일 영상 통화 할게. 우리 진스타. 타지에서 혼자 얼마나 외
        로울지….
가영   쿨하게 헤어집시다, 우리.
복규   (가영 손 잡으며) 영국 가서도 몸 잘 챙기고.
가영   응.
복규   (눈물 훌쩍이기 시작하는) 거기 밥 맛 없다고 거르지 말고오.
가영   으응….

복규	욕심낸다고 무리하게 연습하지 말고 자기 전에는 꼭….
가영	(짜증 나서 목소리 가라앉은) 그만.

복규, 바로 입 다물고.
문 '쾅!' 열리는 소리에 돌아보면 구원이다.

구원	다행히 안 늦었네. (다가와 가영 앞에 서더니) 나한테 인사도 없이 가려고?
가영	얼굴 보면 마음 흔들릴까 봐.
구원	이거. (들고 있는 검은 장우산을 가영에게 건네면)
가영	?
구원	영국에선 툭하면 비 온다며. 들고 가.
가영	거기서 사면 되지.
복규	비 올 때마다 자기 생각하라는 거야. 이 우산이 또 하나의 이사장인 셈이지.
구원	(쑥스러운) 무슨. 우산은 우산일 뿐이야.
가영	('피식' 웃으며 우산 받는) 알았어.
구원	(가영, 가만히 보더니) 돌아오고 싶어지면 언제든 돌아와.
가영	마음 흔들린다니까 자꾸 그런다. (씩씩하게 웃어 보이며) 잘 살아, 이사장. 박 실장님도.

그런 가영을 아쉽고 섭섭한 눈으로 보는 구원과 복규.

S#45. **택시 안 (낮)**
택시 뒷좌석에 탄 가영, 차창 밖으로 흐르는 풍경을 보는 눈빛이 애잔한데.

가영 (마음 다잡는) 흔들리면 안 돼. 무슨 좋은 추억이 있다고… (문득 생각이 미치는) 기사님. 잠깐만요.

S#46. **가영 과거의 집 앞 (낮)**
자신의 옛집 앞에 선 가영.

가영 (심란한) 역시… 정 떼는 데는 여기가 최고라니까.

그때 울며 뛰쳐 내려오던 여자아이, 가영과 부딪혀 넘어지고.

가영 (놀라 아이 일으켜 세우며) 괜찮아?
보람 … (대답도 없이 뿌리치고 다시 도망쳐 달리려는데 몸이 온통 멍투성이다)
가영 (붙들며) 야, 너 몸이 왜 이래.
보람 이거 놔요!

사납게 생긴 중년 남자가 빗자루를 들고 뛰어나오자 화들짝 놀라는 보람, 가영의 옷자락을 붙들며 뒤에 숨고.

보람 부 (보람 발견하더니 다가와 엄한 말투로) 이리 와.

마이데몬 ◆ 16화

겁먹고 옷자락 붙든 손에 힘주는 보람.
가영, 그런 보람의 기색을 눈치 채고 표정 심각해지는데.

보람 부   이리 오래도? (눈을 부라리면)

보람, 어쩔 수 없이 손을 놓고 앞으로 나서려 하면…
그런 보람을 잡아 자신의 뒤에 멈춰 세우는 가영.

가영   (보람 부에게) 당신이 얘 아빠야?
보람 부   (기분 나빠 흘겨보는) 그런데?
가영   아빠면 때려도 돼?
보람 부   때리긴. 지가 놀다 다친 걸 가지고… 근데 넌 뭐야? 네가 뭔데
             참견….
가영   (무시하고 휴대폰 들어 전화 거는) 경찰이죠. 여기 아동 학대범이 있
             는데요.
보람 부   (당황) 당장 전화 끊어.
가영   여기 주소가….
보람 부   이게…!

보람 부, 빗자루를 들어 가영에게 내려치려는 순간, 보람 부
의 턱 밑으로 확 들어오는 우산 끝.
마치 칼과 같은 날카로운 금속에 보람 부, '헉' 놀라 굳고…
검무를 출 때처럼 우산을 든 채 매서운 눈으로 보람 부를 노
려보는 가영.

S#47.   지구대 안 (낮)
             경찰들에게 소리치고 난동을 피우는 보람 부가 저만치 보이
             고 의자에 홀로 앉은 가영.

가영   (시계 보더니) 잘하면 비행기 시간 맞추겠네.

             하고, 자리에서 일어서는데 뒤에서 가영의 옷깃을 잡는 누군가.
             보면 어느새 옆으로 다가와 선 보람이다.

보람   (가영의 옷깃 잡은 채) 언니는 천사예요?

             어릴 적 자신과 똑 닮은 보람의 모습에 가영의 눈빛 흔들리고…
             그때 문 열고 빼꼼 고개 내미는 택시 기사.

택시 기사   (가영에게) 안 가요?

             갈등하는 가영의 눈빛.
             이내 감정 추스르더니 보람 앞에 무릎 꿇고 앉아 눈 맞춘다.

가영   응. 천사야.

             그 대답에 보람의 얼굴 환해지고…
             가영, 가방에서 펜을 꺼내더니 보람의 손바닥에 전화번호를
             적어 주며.

가영	앞으로 무슨 일이 있을 때마다 연락해. 잊지 마. 천사는 항상 네 주위에 있어.

보람, 기쁜 얼굴로 고개 끄덕이면 그런 보람을 자신의 어린 시절 보듯 보는 애잔한 눈빛으로 보는 가영.

택시 기사	(또다시 재촉하는) 갈 거예요, 안 갈 거예요?
가영	(자리에서 일어서며) 안 가요. 여기서 할 일이 있어서.

홀로 우뚝 선 채 미소 짓는 가영.

S#48. **미래 F&B 대표실 (낮)**

마주 앉은 도희와 세라.

어색한 분위기 속 각자 찻잔을 앞에 두고 앉았는데…

차는 마시지도 않고 도희의 눈을 보지 못한 채 잔만 만지작 대는 세라.

도희	(먼저 입을 떼는) 드세요.
세라	(차를 한 모금 마시면)
도희	이사직에서 사임하신다는 얘기는 들었어요.
세라	가정 폭력 피해 아동 센터를 운영할 생각이에요. 그렇다고 내 잘못이 다 씻겨지는 건 아니겠지만… 더 이상 눈 감지 않으려고요.

도희	…
세라	미안해요. 그동안 모른 척한 거.
도희	고마워요. 용기 내 줘서.
세라	… (면목이 없고)
도희	센터 일 하시는데 제가 도울 일 있으면 뭐든 말씀하세요.
세라	네. 꼭 말할게요.

서로를 보며 옅은 미소 짓는 두 사람.

S#49. **미래 F&B 휴게실 (낮)**
나란히 선 채 믹스커피를 휘젓는 홍보팀.

정미	(침울한) 분명 올해 신년운에서 남친 생긴다고 했는데 다시 신년운을 볼 때가 되도록 혼자라니.
한 팀장	기운 내, 최 대리. 아직 올해 하루 남았잖아.
한성	맞아요. 마지막까지 희망을 잃지 마세요.
정미	(중얼) 왠지 더 비참해지는 이 기분.
한 팀장	그런 의미에서 오늘 회식 어때?

정미, 말없이 커피 들이켜면, 한 팀장, 거절이구나 싶은데.

정미	(커피 마시고는) 좋아요. 이런 날은 역시 회식이지.
한 팀장	최 대리도 드디어 나이가 들었구나. 이렇게 또 한 명의 회식

마니아가 탄생하는 건가…. (어쩐지 뿌듯한데)

한성   (초치는) 전 됐어요. 새해는 가족과 함께 보내야죠.

한 팀장   우리 가족이잖아.

한성   에이~ 팀장님은 사생활도 없으세요?

한 팀장   어차피 집에서도 그딴 건 없어.

한 팀장의 말에 숙연해지는 홍보팀.

S#50.   **미래 F&B 사무실 (낮)**
          헬멧을 쓴 채 도시락 통 들고 들어서는 남자. 누가 봐도 복규
          인데…
          두리번대며 신 비서를 찾는 복규.
          그때 갑자기 뒤에서 헬멧이 확 벗겨지고 놀란 복규, 돌아보면
          신 비서가 헬멧을 들고 섰다.

복규   (당황) 신 비서님!

그런 복규의 손을 잡아끌어 터프하게 휴게실로 향하는 신 비서.

S#51.   **미래 F&B 휴게실 (낮)**
          나란히 선 채 믹스커피를 홀짝이는 홍보팀 앞에 복규와 손잡
          고 나타나는 신 비서.

신 비서	(결연한) 여러분, 드릴 말씀이 있습니다.
홍보팀	?
복규	신 비서님, 도대체 왜 이러시는….
신 비서	(눈 질끈 감으며) 우리 사귀는 사입니다!

복규, 놀라 말문 막히고 순간 정적.

신 비서	(눈 뜨면 비장한 눈빛) 여기 있는 이 남자, 박복규 씨가 내 남자입
	니다. 세상에서 제일 순수하고 제일 다정한 사람.
복규	신 비서님…. (감격하는데)
정미	(시니컬하고 시큰둥) 아~ 네.
한 팀장	드디어 말하시네요.
한성	그동안 모르는 척하느라 아주 죽는 줄.
신 비서	(벙찌는) 다들… 눈치 채고 있었어요?
한 팀장	눈치 챘다기보다는….

나란히 티스푼으로 믹스커피를 저으며 먼 산 보듯 회상에 빠
지는 홍보팀.

S#52. **인생네컷 스튜디오 (밤) - 회상**
인생네컷 스튜디오에 들어오는 홍보팀.
신난 한 팀장, 한성과 달리 정미는 딱 봐도 억지로 끌려왔다.

정미	딱 네 컷만 찍는 거예요.
한 팀장	(공주 머리띠 골라 끼더니 정미에게) 이뻐?
정미	(칼답) 아뇨.
한성	(그때 벽에 붙은 뭔가를 보더니) 어?

토끼 눈 되며 손가락질하는 한성에 정미, 심드렁하게 고개 돌리면 벽에 붙여진 인생네컷 사진들.
그중 익숙한 모습이 있었으니…
깜찍하게 찍은 복규와 신 비서의 커플 사진이다.
황당한 홍보팀.

S#53.　　　**미래 F&B 휴게실 (낮)**
회상에서 돌아오면….

한 팀장	두 분이 이미 세상에 공표하셨달까.

신 비서, 용기 낸 게 무색하고 머쓱하고…
그러든가 말든가 복규는 눈물이 그렁한 채 혼자 감동의 도가니다.

S#54.　　　**골목 (낮)**
봄이 된 풍경 속 골목길을 뛰어가는 30대 사내, 진상.

막다른 골목이 나오자 절망하는데…

뒤에서 '뚜벅뚜벅' 걸어오는 구둣발 소리.

공포에 질린 눈으로 돌아보면 감정 없는 표정의 구원이다.

구원을 본 신상, 얼굴 일그러지면.

구원   운동 다 했으면 이제 가지?

진상   (털썩 무릎 꿇고 앉아 빌며) 한 번만 봐줘. 내가 이렇게 가면 안 되
         거든. 우리 엄마가 얼마 전에 시한부 판정을 받았어. 엄마 마
         지막 가시는 것까지만 보고, 그리고 갈게. 응?

구원   (진상의 말에 얕은 한숨 쉬더니) 불쌍한 척하지 마. 불쌍하니까.

진상   (구원에게서 연민의 눈빛 보더니 다리에 매달리며) 홀어머니인 우리
         엄마, 나 없으면 불쌍해서 어떡해~ 부탁이야. 제발.

구원, 난감한데… 그때 울리는 휴대폰. '박 실장님'이다.

구원   (전화 받으며) 응, 박 실장님.

복규   Ⓔ 이사장. 오늘 계약 만료인 오진상 말야. 알아봤는데 이놈
         이거 완전 쓰레기네. 하나뿐인 엄마를 얼마나 후드려 팼는지
         신고된 건만 벌써 열 건이 넘어. 비리비리하던 놈을 소원대로
         싸움 짱 만들어 줬더니 엄한데 주먹을 썼더라고. 그뿐 아니라
         폭행죄, 상해죄, 협박죄 아주 골고루….

구원   (표정 싸늘해지며) 됐어. 충분해.

전화 끊고 돌아서면 구원의 달라진 분위기에 쪼는 진상.

구원	(그런 진상을 삐딱하게 보며) 고마워.
진상	(겁먹은 채) 뭐, 뭐가?
구원	네가 나쁜 놈이라.

진상, 망했다 싶고…
핑거스냅을 '딱!' 치는 구원.

S#55.　미래 그룹 회의실 - 미래 그룹 회의실 앞 (낮)
모여 앉은 이사진들.
그 속에 수안의 모습 보이고 통화 중이던 이사 1, 전화 끊더니.

이사 1	회장님 오십니다.

그 말에 다들 똑바로 자리에 앉고 넥타이를 매만지고 하는데…
회의실 앞 복도를 '또각또각' 걸어오는 도희의 하이힐.
회의실로 향하는 도희의 모습이 위풍당당한데…
문 벌컥 열리고 들어서는 도희에 일제히 고개 돌려 보는 이
사진들. 도희, 이사진들에게 묵례하며 단상으로 오르는가 싶
더니 회장 자리를 지나쳐 맞은편 자리에 앉는다.

도희	(수안 옆에 나란히 앉으며) 휴~ 딱 맞춰 왔네.

그런 도희 앞으로 스윽 내밀어지는 책.

도희, 의아한 눈으로 보면 '성령으로 44'라는 책 표지.

도희	(제목을 읽는) 성령으로 44…?
수안	나 회개하고 엄마 따라 천주교에 귀의했거든. 이런 나의 신앙심과 다이어트의 콜라보랄까?
도희	그럼 44가….
수안	응. 44사이즈.

도희 표정 '띠-' 한데…
그때 문 벌컥 열리며 들어서는 석훈.
넥타이도 매지 않은 채 부스스한 모습이다.

| 석훈 | 죄송합니다! 서류에 빠져서 시간이 이렇게 된 줄도 모르고. (회장 자리에 앉아 서류 책상 위에 놓으며) 취임 후 첫 회의라 볼 게 많더라고요. |

석훈의 모습이 맘에 안 드는 이사들, 큼큼 헛기침하고…
도희, 못 말린다는 듯 웃음 터지려는 걸 참는다.

이사1	그럼 회의에 앞서 각 계열사 별 일분기 성과 보고가 있겠습니다.
석훈	아, 보고서는 이미 보고 왔습니다. 전년 대비 올해 상반기 영업이익률이 큰 폭으로 올랐더라고요.
이사들	(뿌듯하고)

석훈	근데⋯ 매출 대비 영업이익률이 갑자기 이렇게 크게 오른 이유를 검토해 보니 인건비와 복리 후생비를 크게 낮췄더라고요. 가장 쉬운 방법으로 성과를 낸 거죠.
이사들	(뜨끔하며 긴장)
석훈	성과도 중요하지만 과정이 더 중요합니다. 그래야 장기적으로도 더 큰 성과를 내죠. 앞으로 미래 그룹은 조금은 어려운 방법으로 성과를 내는 것에 집중하겠습니다.

이사진, 석훈의 부드러운 카리스마에 꼼짝 못 하고⋯
도희, 뿌듯한 표정으로 그런 석훈을 본다.
점프하면 책상 앞에 서서 서류를 정리하는 석훈에게 다가가는 도희.

도희	준비 많이 했네.
석훈	(고개 들어 도희 보더니) 서류 파는 게 내 특기잖아.
도희	('피식' 웃으면)
석훈	너 정말 후회 안 하겠어? 나한테 회장 자리 넘긴 거.
도희	알잖아. 나 주 여사 도움 안 받는 거. 날 회장 자리에 올리려는 가장 큰 이유가 주 여사 유언인데 이제 와서 주 여사 빽 쓰면 내가 억울하지.
석훈	내가 잘 알지. 도도희 멋진 거.
도희	긴장해. 우리 회사 더 키워서 내가 미래 그룹 다 잡아먹을지도 몰라.

그 말에 석훈, 웃는데…

도희를 밀어내듯 비집고 들어와 서는 수안.

수안	석훈아~
석훈	어, 누나.
수안	Excellent(불어 발음)! 역시 젊은 리더는 다르다니까.
석훈	고마워, 누나.
수안	너 기억하지? 우리 오스틴이 어렸을 때 널 얼마나 따랐니. 앞으로 미래 그룹은 걱정하지 마. 우리 오스틴 저스틴이….

석훈에게도 똑같은 레퍼토리를 시전하는 수안을 보며 도희,
못 말린다는 듯 웃고….

S#56.   **검사실 (낮)**

통화 중인 맞선남과 마주 앉은 도희.

맞선남	(전화 끊고는) 대법원에서 사형을 확정했네요.
도희	아… (허탈하기도 하고 안도되기도 하는 복잡한 기분인데)
맞선남	아시다시피 사형이 선고되면 가석방이 안 됩니다. 노석민은 이제 평생을 교도소에서 썩게 됐습니다.
도희	다행이네요. 다시는 아무도 해치지 못할 테니.
맞선남	저, 그런데… 제가 수사를 하다가 알게 된 게 있는데 도도희 대표님이 아셔야 할 거 같아서.

도희	?
맞선남	주천숙 회장님이 생전에 마지막으로 건강검진을 하셨더라고요.
도희	네. 그게 검사님하고 맞선을 보는 조건이었어요.
맞선남	아~ 근데 그 검사 결과가… 췌장암 말기셨습니다.
도희	네? 그게 무슨… 분명히 깨끗하다고 했는데.
맞선남	의사 말로는 이미 증상이 심해서 본인도 알고 계셨다네요.

충격으로 눈동자 흔들리는 도희.

S#57.   **납골당 (낮)**
천숙의 납골함 앞에 선 도희, 아린 눈빛으로 납골함을 바라보며.

도희	주 여사… 그래서 그렇게 나한테 결혼하라고 한 거야? 주 여사가 버리면 내가 또다시 혼자가 될까 봐? 나한테 말하지 그랬어. 그랬으면 말도 더 이쁘게 하고 내가 더 많이 사랑했을 텐데….

천숙의 납골함을 어루만지며 슬픈 미소.

도희	몸속에 피 대신 뻥이 흐른다더니… 정말이네. (슬픈 표정 거두며 미소 짓는) 이제 걱정 마, 주 여사. 나도 내 편이 생겼으니까. 알았지?

뒤에서 지켜보고 섰던 구원, 다가와 도희의 손을 잡으면. 나란히 선 채 천숙의 사진을 바라보는 두 사람. 사진 속 미소 띤 천숙의 모습이 마치 미소로 답하는 듯하다.

S#58.   **도희 집 테라스 (밤)**

테라스 소파에 앉아 신문을 읽는 구원, 표정이 심각한데…
신문 내용 보이면 '인간 수명 130세 시대 오나.'라는 제목의 기사다.

구원	130년이라… 너무 짧아. (걱정스러운데)
도희	(케이크 들고 들어서며) 정구원!
구원	(고개 돌려 도희 보면)
도희	너 좋아하는 케이크 먹자.

도희, 다가와 테이블에 케이크와 포크를 내려놓으면 알록달록 화려한 케이크 보더니 미간을 찌푸리는 구원.
도희, 포크로 케이크를 자르려는 순간 확 접시 뺏어 든다.

도희	?
구원	안 돼. 넌 먹지 마.
도희	왜?
구원	당이 인간한테 얼마나 안 좋은 줄 알아? 오래 살려면 이런 건 싹 다 멀리해야 된다고.

도희	조금만 먹을게.
구원	안 돼~
도희	나 디저트 회사 대표야.
구원	앞으로는 건강식품만 만들도록 해.
도희	(황당한데)
구원	안 되겠다, 내가 다 먹어 버려야지.
도희	뭐어~?

구원이 혼자 먹으려고 하는 걸 도희가 막고 실랑이하는 두 사람인데…
점프하면, 나란히 앉아 야경을 바라보는 두 사람.
구원이 앞은 보지도 않고 도희만을 하염없이 바라본다.

도희	야경 좀 봐. 이렇게 예쁜 풍경을 앞에 두고.
구원	내가 보는 거 아냐. 그냥 눈이 알아서 가. 나도 어쩔 수가 없다고.
도희	(다시 앞을 보며 '피식' 웃으면)
구원	(심각한 목소리로) 도도희.
도희	(다시 구원 보면)
구원	너의 시간은 너무 빨리 흘러가.

구원의 표정 보더니 그의 두려움을 알아채는 도희.

| 도희 | 그래서 지금 이 순간이 더 의미 있는 거야. |

도희가 구원의 어깨에 기대면 구원 역시 도희에게 기댄 채 나란히 야경을 바라본다.

S#59.   **선월극장 이사장실 (낮)**
바에 서서 차를 내리는 복규.
문 '쾅!' 열리더니 씩씩대며 들어서는 구원.
복규가 있는 바로 다가오며 하소연을 시작한다.

구원   박 실장님은 결혼하지 마라. (와인 잔에 와인을 따르고)

복규   어? (어쩐지 놀라 굳는)

구원   (그런 복규 보지도 않은 채) 부부 싸움하고 났더니 하루 종일 찬송가며 불경이며 아주 종교 대통합이야. 내가 싫어하는 짓이라면 자기 영혼을 바쳐서라도 할 여자라고.

          와인 마시려다 바 위에 놓인 데몬 책을 발견하는 구원.
          마치 다이어리 꾸미듯 알록달록하게 스티커며 포스트잇 따위가 붙었는데.

구원   (그런 데몬 책을 들어 흔들어 대며) 이것도 봐. 유치하게 이게 뭐야? 데몬 책이 무슨 다이어리도 아니고, 아주 다 자기 맘대로라니까?

복규   아하하하… 이사장. (어색하게 웃으며 책상 쪽을 보라고 눈치를 주는데)

구원   왜 그래? 어디 간지러워? (하다, 고개 돌리면)

책상 뒤 자리에 앉은 누군가. 의자 빙글 돌리면 도희다.
그걸 본 구원, 멈칫 굳으면.

도희	(팔짱 끼며) 남편. 나랑 얘기 좀 해.
구원	무슨… 얘기? 우리 이미 얘기 많이 했는데.
도희	(가만히 구원을 보면)
복규	나는 공연 준비로 바빠서 이만. (내빼고)
구원	(복규 옷자락 붙들며) 가지 마.
도희	(복규에게 싸늘한 미소 지으며) 안녕히 가세요, 박 실장님.
복규	네, 네. 그럼 말씀들 나누세요~ (서둘러 내빼면)
구원	(옷자락 잡은 손 놓치며 아쉬운 눈빛으로 손 뻗는. 이내 뒤돌지도 못하고 중얼) 남편이란 호칭이 이렇게 무서울 줄이야.

데몬 주제에 도희에게는 한없이 약한 구원의 모습이다.

S#60.　　**거리 (낮)**
또 다른 날, 길거리에서 부부 싸움하는 구원과 도희.

구원	늦으면 늦는다 전화 한 통 하는 게 그렇게 힘들어?
도희	일하다 보면 정신이 없으니까 그러지. 너도 계약할 때 새벽까지 안 들어오잖아.
구원	계약이랑 이거는 다르지.
도희	뭐가 다른데?

구원	인간들이 하는 하찮은 일이랑 내가 하는 계약이 같아? 요새 가뜩이나 나쁜 놈들만 골라서 계약하느라 내가 얼마나 힘든데.
도희	(기가 찬) 허. 네 말은 네가 하는 일은 대단한 일이고 내가 하는 일은 우스운 일이다?
구원	그 말이 아니라….
도희	됐어.

도희, 팽 하니 가버리면 화난 표정으로 답답한 듯 머리를 쓸어 넘기는 구원.

도희	(E) 미움과 불행의 포화 속에서 우리는 끊임없이 서로를 상처 입히고 영혼을 파괴한다.
인서트	*한강변. 구원의 얼굴에 오만 원권 봉투를 집어던지는 화난 도희.*
인서트	*석민 집 거실. 붉게 달궈진 벽난로에서 불쏘시개를 들고 가는 석민의 손. 바닥에 앉아 겁먹은 눈으로 주춤주춤 뒤로 물러나는 도경.*
인서트	*석민 집 홈시어터. 문밖 너머 도경의 고통스러운 비명 소리를 막듯 떨리는 손으로 헤드폰을 들어 쓰는 세라.*
인서트	*미래 전자 사장실. 도희 부를 향해 서류를 흩뿌리며 소리치는 천숙의 모습.*

| 도희 | ㉣ 하지만 그럼에도 불구하고 우리의 삶이, 이 세상이 계속되는 것은 서로에 대한 신뢰와 사랑으로 서로를 구원하는 이들이 더 많기 때문이 아닐까. |

| 인서트 | **주천숙 자택 서재. 나란히 앉아 우유를 마시는 천숙과 어린 도희.** |

| 인서트 | **석훈과 가영이 국밥집에서 마주 보고 앉아 국밥을 먹는 모습.** |

| 인서트 | **도희 집 테라스에 매달린 도희의 손을 잡은 구원.** |

안 되겠는지 도희를 쫓아가 손을 잡는 구원.
도희, 그런 구원의 손을 뿌리치자 옥신각신하는 두 사람.
구원, 도희를 확 끌어안아 버리면.

도희	이거 놔. 네가 세상에서 제일 미워.
구원	사랑해, 도도희.
도희	(그 말에 잠잠해지더니) 세상에서 제일 미운데 제일 사랑하는 것도 너야.
구원	도도희, 넌 내 희로애락이야.

서로를 꼭 안은 채 두 사람, 화해하고….

| S#61. | 빌딩 숲 벤치 (낮) |

벤치에 앉아 사람들을 구경하고 앉은 노숙녀.

노숙녀　　　인간들이란….

'피식' 웃더니 인간들을 흐뭇하게 바라보고….

S#62.　　**미래 F&B 사무실 (해 질 녘)**
열심히 일하는 중인 홍보팀들.
도희, 대표실에서 나서더니.

도희　　　(홍보팀에게) 여러분, 공룡이 왜 멸종했는지 알아요?
한 팀장　　(눈 굴리더니) 몸값을 못 해서?
도희　　　아뇨. 워라밸이 무너져서. 퇴근합시다!
정미　　　나이스.

신 비서, 미소 짓고… 신난 얼굴로 사무실을 나서는 도희.

S#63.　　**공원 (해 질 녘)**
벤치에 앉아 사람들을 구경하며 도희를 기다리는 구원.
도희가 저만치서 달려오자 해맑게 웃으며 일어나 맞이한다.
달려와 구원에게 안기는 도희.
구원, 그런 도희를 번쩍 들어 올리고…

도희, 들어 올려진 채 웃으며 구원을 내려다보고, 구원 역시 웃으며 도희를 올려다본다.
서로를 보며 환히 웃는 두 사람의 모습 위로.

도희   (E) 우리는 서로를 파괴하기도 하지만 서로를 구하는 것 역시 서로이기에….

도희, 위에서 고개 숙여 키스하면….

도희   (E) 우리 모두는 서로에게 파괴자이자 구원자다.

키스하는 두 사람의 모습에서.

16화 엔딩

MY DEMON
마이데몬 하권

초판 1쇄 인쇄
2024년 1월 16일
초판 1쇄 발행
2024년 1월 23일

글
최아일

펴낸이
백영희

펴낸곳
너와숲ENM

주소
14481 경기도 부천시
부천로354번길 75, 303호

전화
070-4458-3230

등록
제2023-000071호

ISBN
979-11-93546-07-9(04680)
979-11-93546-05-5(세트)

정가
22,000원

ⓒ스튜디오S 주식회사

이 책을 만든 사람들

편집
허지혜
마케팅
유승현

제작처
예림인쇄

디자인
글자와기록사이